Thierry Laurent

Né en 1956, Thierry Laurent a été commissaire-priseur. Il a dirigé un séminaire à Sciences-Po Paris sur le thème : « L'art et son marché », et il est aujourd'hui critique d'art. Après trois essais remarqués sur l'art contemporain (notamment sur Buren), il se consacre désormais à la fiction : *Mordre* est son premier roman.

MORDRE

THIERRY LAURENT

MORDRE

ÉDITIONS HÉLOÏSE D'ORMESSON

© 2005, Éditions Héloïse d'Ormesson.
ISBN 978-2-266-16294-4

À Linda Goldmann.
Au 87.

J'aime ta férocité, lui dit-elle, jure-moi
qu'un jour, je serai ta victime.

Sade

PROLOGUE

— Docteur, je mords.

— Un peu ? Beaucoup ? Passionnément ?

— À pleines dents.

— Qu'est-ce que vous mordez plus particulièrement ?

— Les zones érogènes.

— Et vous ressentez quoi ?

— L'extase... Il y a quelque chose de moelleux et de caoutchouteux dans un sein. J'aime mordre le téton d'abord, ensuite, je m'attaque au gras. J'éprouve une joie métaphysique lorsque j'aperçois enfin du sang. C'est une belle harmonie que l'écarlate qui contraste avec le ton pastel de la chair.

— Et puis ?

— La croupe, c'est encore mieux, docteur. Le plus excitant, c'est la chair de poule. Oui, la morsure déclenche toujours la chair de poule. Cela transforme la surface en une sorte de râpe arrondie, remplie de petits monticules avec des fibrilles, des villosités ténues, des aspérités cachées. Quant à la vulve, c'est si névralgique une vulve !

— Et une fois que vous avez bien mordu, que la chair est à vif, qu'elle saigne ?

— L'eucharistie, docteur. Je croque. J'avale. Je prie.

— Et cela vous dérange ?

— Bien sûr ! Imaginez, je suis une créature cannibale.

— Tout cela est normal.

— Vous êtes sûr ?

— Tout à fait. Le désir de mordre n'est que l'hypertrophie du désir d'embrasser. Ou si vous voulez, le désir d'embrasser n'est que l'atrophie du désir de mordre. Mordez tant que vous voulez, mais ne mettez pas les dents. Mordez seulement avec les lèvres.

Henri en était resté là. Plus jamais il ne consulta de psychothérapeute.

Mordre ?

1

Un détail ne collait pas. Un rien, mais rédhibitoire.
Elle était là, l'origine de sa peur. Cette patte animale
avec laquelle Henri s'était réveillé ce matin-là ! Sacrée
déveine ! Le jour même de sa prestation de serment
devant le garde des Sceaux. Oui, une patte, une vraie
patte, tout ce qu'il y a de patte, avec des poils et des
griffes, avait remplacé l'humaine morphologie de
l'avant-bras gauche !

Il crut d'abord à une hallucination. Une farce du
destin ? Un postiche ? Il agrippa de la main droite
l'appendice suspect, entama un mouvement de torsion,
tira de toutes ses forces. Mais non. Ça résistait. Henri
se gifla fortement pour vérifier qu'il ne rêvait pas. Il
était plus lucide que jamais. Il examina attentivement
l'excroissance pileuse. Pour une patte, c'était un beau
spécimen de patte, avec des poils touffus, des coussinets rugueux, des griffes luisant de l'éclat du neuf.

Henri ne paniqua pas. Première constatation : la patte
semblait inamovible et prolongeait naturellement le
biceps. Le fait était donc acquis. Il fallait faire avec.
Henri poursuivit ses investigations. À quel type d'animal s'apparentait sa nouvelle patte ? Une patte d'ours ?
Non, pas assez épaisse. Une patte de renard ? Pas assez

fine. Une patte de chien alors ? Probable ! Henri s'y connaissait bien en chiens : il s'honorait d'être un bon chasseur. Bizarre ! Se retrouver avec une patte de chien à quelques heures de son intronisation ! Cela devait bien avoir une signification ! Mais laquelle ? Un présage ? Ce qui était sûr, et encourageant, et même satisfaisant, c'est que sa patte n'était pas une patte de bâtard. Non, non, non ! Henri avait une patte chic, élégante, cossue même, digne de l'officier ministériel qu'il s'apprêtait à être. Il la caressait avec délectation, il en éprouvait la douceur soyeuse, l'onctuosité, et puis elle était vraiment belle, cette patte, avec sa fourrure ondulée, argentée, ses reflets mordorés et ses délicates tavelures anthracite.

Henri consulta son encyclopédie universelle des chiens afin d'identifier la race de sa patte. Il hésita entre plusieurs espèces à poils clairs. L'épagneul français, l'épagneul breton, le welch springer spaniel, l'english spaniel springer, le leonberg, le barzoï, le setter anglais. Henri était perplexe. Après examen, exercices de comparaison, palpations diverses, le doute s'estompa. C'était bien une patte de golden retriever. Bonne surprise ! Henri avait de la sympathie pour ce type d'animal, alerte, vif sur le gibier, câlin, presque une boule de poils, le chien en peluche dont rêvent les enfants. Henri songea à consulter un spécialiste pour en savoir plus. Mais qui ? Un vétérinaire ? Un médecin ? Humiliant comme démarche ! Surtout le jour de son adoubement ! Exhiber sa patte comme une curiosité de cirque, professionnellement, pour un futur officier ministériel, mauvais départ !

Dès la sortie du lit, Henri mit son honneur à conserver son flegme. Ce n'était pas jour à perdre les pédales. Il allait prêter serment devant la Justice et il se devait d'afficher une sérénité irréprochable. Car

Henri venait d'être nommé notaire par arrêté du garde des Sceaux, oui notaire, non plus simple clerc de notaire, principal de notaire, collaborateur de notaire, mais notaire en titre, avec le privilège d'arborer au pare-brise la cocarde tricolore. L'étude dont il avait gravi les échelons était la première de Paris, située rue du Faubourg-Saint-Honoré, à quelques encablures de l'Élysée. Le bureau d'Henri trônait au dernier étage de l'immeuble, surplombant les toits de zinc de la présidence. Ce que signifiait la patte, de quelle mutation génétique elle était le présage, de quelle secrète névrose elle était le symptôme, Henri, pour le moment, ne voulait pas le savoir ! Le vrai problème était d'ordre pratique. Avec seulement un bras opérationnel, le moindre exercice se compliquait. Pour s'habiller, il dut jouer les contorsionnistes et se déhancher dans tous les sens. Il s'y prit à plusieurs fois pour nouer sa cravate, n'ayant rien de la dextérité d'un prestidigitateur. Une fois habillé, il s'était rendu dans une pharmacie et avait acheté des bandes Velpeau et du sparadrap afin de dissimuler sa nouvelle extrémité griffue. À l'étude, il fit croire à un banal incident : sa main avait été prise en tenailles dans la fermeture d'une portière de voiture. Ses collaborateurs avaient pris une mine poliment navrée. Pour Henri, l'honneur était sauf. La cérémonie au Palais de Justice se déroula sans heurt. Moment solennel et émouvant ! Henri avait presque pleuré. Personne ne soupçonna qu'il y avait de la bête sous le discret bandage.

De retour à son domicile, après l'effervescence heureuse de la journée, Henri était persuadé que la patte aurait disparu. Il était disposé à classer cet incident dans la catégorie des phénomènes inexplicables qu'il convient d'occulter. Il dégrafa son bandage. Surprise ! La patte n'avait pas bougé, elle était là, elle le narguait de son incongruité. Il eut alors la frousse. Une vraie frousse. Qu'allait-il devenir ?

Quoique ! Eh oui, quoique ! Henri s'attendait à pester contre un destin qui lui jouait des tours. Mais non ! En vérité, il n'était pas totalement mécontent de sa patte. Elle évoquait l'animal des bois, l'humus, le grand air. Il la renifla à la manière d'un amateur de havanes. Une odeur âcre et chaude s'en dégageait. Il lécha lentement les poils qui se nimbèrent de reflets irisés. Bizarrement, Henri était plutôt soulagé, comme si une secrète attente venait de se réaliser. Il ne s'en était pas douté, mais maintenant il le savait : il l'avait convoitée, cette patte, elle était le fruit mûri d'une attente, une délivrance presque. Il aurait aimé l'exhiber en public comme un trophée. Crier : enfin elle est là, ma patte, hourra ! Mais, pour le moment, pas question ! Mieux valait éviter de déclencher les sarcasmes. Il appartenait maintenant à un ordre judiciaire excommuniant toute déviance. Et un notaire à patte : une faute professionnelle.

Le lendemain, la patte n'avait toujours pas disparu. Henri dut refaire les bandages et s'adonner de nouveau à d'incessantes contorsions gymniques. Dans son bureau, il décida de faire le point. Posément. S'affalant entre les accotoirs de son fauteuil Empire, Henri fit défiler le film de sa vie. Un parcours sans panache, mais sans tache. L'enfance passée dans la pharmacie familiale de Privat, le collège de Jésuites, le bizutage et le fouet disciplinaire, la communion solennelle en aube, la maîtrise de droit à Paris, son premier emploi, les nuits blanches à potasser les examens professionnels, quelques échecs attendus, les étés d'angoisse avant les sessions de rattrapage, la pute rue Saint-Denis

16

pour un dépucelage bon marché, et puis la consécration : la nomination au titre d'officier ministériel de la République française. L'arrêté venait de paraître au *Journal officiel*. Il en caressait de la paume un exemplaire ouvert à la page. Henri devait sa réussite à Mᵉ Victor Blanchet, son mentor et patron avec qui il venait de s'associer. Mᵉ Victor Blanchet avait décidé de passer la main au soir de sa vie. Il avait excellé dans sa profession, mais préférait dorénavant les battues au canard. Mᵉ Blanchet avait fait preuve de l'entregent nécessaire pour s'obliger le gratin des grandes familles, noyau dur de sa prestigieuse clientèle. Consacrant ses journées à régler des successions, il avait hissé son étude loin devant ses concurrents. Sans héritier direct, il en abandonnait maintenant les rênes à son poulain, recruté naguère sur petite annonce comme simple clerc. Hier, il en appréciait l'opiniâtreté, aujourd'hui, le sens du devoir. À force de patience, d'assiduité, de mortifications, Henri avait accédé à la charge suprême.

Henri se campa debout, devant la psyché, et s'examina attentivement. La psyché était la pièce la plus imposante du mobilier Empire qui occupait son bureau. Avec son châssis d'acajou orné de palmettes dorées, elle offrait un miroir cintré où Henri pouvait s'observer. Il se mirait souvent dans la glace. Manie d'autant plus bizarre qu'il ne s'aimait pas. Trop fluet à son goût. Des cheveux filandreux et épars, qui retombaient piteusement entre des yeux chassieux et rapprochés. Quelque chose de chafouin dans ses traits l'irritait aussi. Un nez mou surmontait des incisives en trapèze. Et puis cet air fourbe dont il ne parvenait pas à se départir. Il aurait voulu être quelqu'un d'autre. Physiquement du moins. Cette fois-ci, debout, cambré comme un hussard au bal, Henri se plut. Sa patte, dont il venait d'ôter les bandages, le consolait de sa disgrâce physique. Elle injectait une animalité virile dans sa silhouette. Henri en était secrètement fier. Un chef-d'œuvre de patte ! Henri se prenait maintenant à regretter de ne pas être doté d'un corps de chien, du cent pour cent chien, de chien carnassier avec muscles saillants et crocs en poignard. Henri se voyait parfois déchiqueter les protubérances arrondies de corps féminins. Les seins avec leurs mamelons saillants le faisaient saliver. Bien sûr, jamais il ne passerait à l'acte. Il avait consulté une fois un psy. Mais il avait trouvé cette démarche inconvenante pour un officier ministériel qui tient à garder le contrôle de soi. Tout cela n'était que visions et fantasmes. Qui le faisait sourire, d'ailleurs.

Les jours suivants, rien ne bougea. Mais l'euphorie des premières heures se mua en exaspération. Le moindre geste le mettait à la torture. Tous les matins, c'étaient d'atroces acrobaties pour s'habiller, escamoter la patte dans les bandes rétives, qu'il devait enrouler d'une seule main, coinçant à chaque tour l'extrémité dans ses dents. Le pire était l'arrivée à l'étude. Serrer la main tout en tenant sa serviette s'avérait un exercice impossible. Parfois, il se contentait de présenter uniquement le pouce et l'index pointé en avant, tout en maintenant sa mallette avec les trois autres doigts. Méthode qu'il jugeait cavalière et désinvolte. Lorsqu'il voulait faire preuve de courtoisie, il présentait non plus deux, mais trois doigts à serrer, retenant sa mallette avec les deux derniers. Et là, en général, catastrophe ! Car la mallette glissait à terre et s'ouvrait dans un grand fracas. Henri, confus, devait s'excuser de sa maladresse, pendant que son interlocuteur, accroupi, s'occupait de ramasser le contenu épars. Il renonça au serrement de main.

Mais il y avait pire. Henri vivait dans l'imposture, le mensonge, répétant inlassablement à des clercs sceptiques que bientôt, oui, il la récupérerait, sa main. Et il fallait qu'il en rajoute dans la mimique optimiste, pour répondre aux rafales de questions. Quand, exactement, la guérison, cher maître ? Henri ne le savait pas encore. Après une ou deux opérations peut-être ! Dans quelle clinique ? Dans quel service ? Ah, ce n'était pas encore décidé ! C'était chaque jour le même sermon et les mêmes grimaces qu'il devait resservir, et Henri, à la longue, en était déboussolé. Outre le sérieux handicap, sa patte nécessitait des soins attentifs. Le soir, il fallait dénouer les bandes, arracher les sparadraps, et frictionner la toison au Synthol. Car les poils, à force d'êtres emmaillotés, puaient le rance.

La conduite automobile s'avéra un exercice acrobatique. Henri roulait dans une Citroën, assez spacieuse pour transporter, à l'occasion des successions, sur la banquette arrière, une clientèle austère de grabataires en deuil. La patte enveloppée dans les bandages n'avait aucune prise sur le volant. Henri conduisait d'une seule main et actionnait le levier de vitesses à contretemps. Il ne put s'empêcher en conséquence de heurter les trottoirs, de bousculer les piétons, d'accrocher les pare-chocs. Heureusement, il trouva la parade : mordre le volant à pleines dents. Il aimait la texture de la gaine de cuir qui le recouvrait. Henri conduisait à l'aide de ses mâchoires. Avec l'entraînement, ses maxillaires se musclèrent et sa dentition s'épaissit. Évidemment, lorsqu'il avait le volant en bouche, Henri devait baisser la tête et sa vision au travers du pare-brise se rétrécissait des trois quarts. Ne voyant qu'à quelques mètres, il zigzaguait de façon hasardeuse, provoquant l'exaspération des automobilistes qui le suivaient. Hormis l'hilarité des passants, l'effarement des policiers, conduire redevint grâce à la préhension buccale une activité maîtrisée. De la salive perlait le long de la gaine plastifiée du volant et humectait les sièges, mais il suffisait d'essuyer les traînées blanchâtres avec un Kleenex. Bien sûr, lorsqu'il roulait rue du Faubourg-Saint-Honoré, il reprenait, dignité ministérielle oblige, un maintien plus académique.

Lors de ses déjeuners d'affaires, il dut renoncer à l'usage du couteau et se contenter de plats à consistance molle : potage, salade de pissenlits, hachis Parmentier, brandade de morue, boudin, purées, risotto, crème caramel et fondant au chocolat. Pour le reste, *niet* ! Il se priva de bifteck sauce béarnaise, de bœuf Strogonoff, des côtelettes de veau haricots verts qu'il adorait. Il se rattrapait le soir chez lui en déchiquetant, à coups de griffes et de crocs, de substantiels quartiers de viande rouge, qu'il achetait en gros chez l'équarrisseur. Mordre était sa consolation. Mais il aurait préféré de la chair vivante.

Un soir d'exaspération, après avoir déroulé ses bandages, il s'empara d'un hachoir à viande dans le tiroir de la cuisine. Il frappa de toutes ses forces à la saignée. Cette fois-ci, il voulait trancher dans le vif. La patte : ni vu, ni connu. Qu'on n'en parle plus. Il la mangerait. Mais il fut maladroit : le fil de la lame glissait sur les poils. Henri frappait rageusement, le membre tenait bon. La chair finit par s'entamer et le sang gicla. Henri assena des coups redoublés. La douleur fit comme une décharge d'électricité. Le membre résistait. Henri renonça à l'automutilation. L'abattement le cloua sur la chaise de la cuisine. La patte était encore là, qui le narguait. Il aspira à grandes bouffées afin de retrouver son calme. Il fallait réfléchir. Il y avait bien une raison à cette patte !

Henri réfléchit. Et il réfléchit longtemps. Peut-être l'explication se trouvait-elle dans les événements qui précédaient l'émergence de la patte ? En limier consciencieux, il se remémora avec sang-froid les épisodes de la nuit précédente. Elle avait été agitée. Et puis il avait rencontré cette Béatrice qui l'intriguait et lui faisait encore battre le cœur. N'y avait-il pas un lien entre l'émergence de la patte et cette rencontre ? Cette Béatrice lui avait-elle jeté un sort ?

Henri s'était rendu la veille à la soirée de Samir Benzaken, un garçon d'une trentaine d'années qui venait d'amasser une fortune dans la solderie en gros et fêtait ses débuts prometteurs dans les affaires. Henri avait été invité par son ami d'enfance, Bertrand d'Orignac, noceur jovial et oisif, qui lui servait de cornac dans les fêtes parisiennes où il n'était jamais vraiment à son aise. L'entrée de l'immeuble où Benzaken venait d'emménager était garnie de marbre gris et de végétation au luxe exotique. Henri était agacé par ce décor ostentatoire. Qui était donc ce Benzaken qui jouait les m'as-tu-vu ? Qu'un quidam fête sa réussite la veille du jour où lui, Me Noguerre, connaîtrait aussi sa consécration, voilà qui l'indisposait. Une impertinence ! Henri eut soudain envie d'aboyer sa colère, de déchiqueter des chairs, de humer du sang. Henri reprit cependant son calme. Il n'était finalement pas mécontent d'étrenner, en public, son titre notarial juste la veille de sa prestation de serment. Heureux présage pour sa carrière ? Sur le palier, Henri subit hélas sa première déconvenue. La porte d'entrée ouverte en grand laissait passer le bruit des tumultes et de la musique. Personne pour l'introduire ! Henri, renfrogné, s'avança timidement dans le flot des convives. Pas un regard ne se porta sur sa personne. Est-ce que j'existe ? se demanda Henri. Il se sentait transparent, comme éradiqué de l'espèce humaine. Pourtant, l'atmosphère était joyeuse, embrumée d'alcool. Mais nul ne lui prêtait attention. Quant à d'Orignac, impossible de le cerner dans les flots des invités. Un guet-apens ? Déjà minuit ! Le mieux était de tourner les talons. Mais le tumulte le poussa vers le buffet. Il refusa la coupe de champagne qu'on lui présenta et opta pour un Perrier. L'alcool était contraire à ses habitudes. Et puis, il y avait cette envie de mordre qui grondait dans sa gorge.

Tout contribuait maintenant à l'exaspération d'Henri. Ces prétentieux miroirs en bronze sur les murs, alternant avec des toiles contemporaines aux ébullitions chromatiques évoquant des sabbats guerriers. Il avait revêtu pour la circonstance un complet qui l'engonçait et tranchait avec la désinvolture générale. Des caillettes offraient leur peau satinée à la concupiscence de gandins. Henri avait des allures d'huissier mandaté pour un constat d'adultère. Les invités échangeaient des sourires de connivence, des regards complices, des caresses : rituel démonstratif dont il était exclu. Il percevait dans le brouhaha les sarcasmes que suscitait sa démarche de pélican solitaire. Il souriait de façon crispée : il montrait sa dentition. Mordre ?

Une main se posa sur son épaule. C'était d'Orignac. Il arborait un sourire que la fréquentation du monde avait mû en réflexe. Henri était un naufragé agrippé à une bouée. Bertrand se mit en devoir de présenter son ami au sémillant Benzaken. Henri éprouva tout de suite de l'antipathie à l'égard de son hôte. Pourtant, Benzaken fit preuve de courtoisie. Il le salua d'un large sourire, lui donnant l'accolade et le conduisit au buffet rempli de mets colorés. L'amphitryon se déplaçait en short d'explorateur et chemise kaki, histoire de se donner des airs décontractés. Les amis de Benzaken évoquaient à son crédit son excentricité débonnaire. Un front dégarni surplombait un regard scintillant. Un timbre chaleureux dénotait un accent hérité d'une enfance tunisienne. L'abdomen proéminent lui conférait une prestance de nabab. Il avait la réputation d'un boute-en-train au cœur tendre, mais féroce en affaires. Devant lui, Henri se sentit rétrécir. Il percevait l'amabilité du maître de céans comme de la condescendance. Il avait gominé ses cheveux en arrière. Il était propre et net, mais en décalage. Il faisait pharmacien de province. Il éprouva comme une fracture. Pis, il pressentit, aussi absurde que cela fût, l'imminence d'un carnage. Mordre ?

Le lendemain soir, lorsqu'il se repassa à tête reposée le fil des événements, c'était probable, les ondes maléfiques de Benzaken devaient être pour quelque chose dans l'émergence de la patte. À défaut de preuve, Henri en avait l'intuition. À ce moment-là de la soirée, nulle saillie animale n'avait pourtant encore éclos. Peut-être avait-il ressenti des picotements sous le poignet ?

Les retrouvailles avec d'Orignac ragaillardirent Henri. Pour faire bonne figure, il se hasarda à des tentatives de drague, esquissa tant bien que mal des sourires crispés, se laissant enivrer par la fragrance des chairs vénusiennes. Il dénoua sa cravate et s'aventura avec la hardiesse d'un aventurier des mers. Il avisa une blonde gracile, affichant une sensualité mutine. Des jambes dénudées, des épaules brunies émergeant d'un débardeur, un minois retouché aux ultraviolets lui donnaient des airs de starlette de sitcom. Enfoncée dans un sofa, seule et silencieuse, elle semblait en attente de prétendants. Henri en profita pour s'asseoir à ses côtés. La donzelle lui adressa un regard engageant. Mais l'entrée en matière posait problème. Henri s'abîma dans un mutisme gêné. Que dire ? Se présenter d'emblée comme Me Henri Noguerre, notaire ? Pourquoi pas ? Cela le rassurait. Ou bien balancer un compliment ? Henri était perplexe. Ses glandes salivaires sécrétèrent des jets blanchâtres qui humectèrent les commissures de ses lèvres. La chair fragile et translucide de la fille réveilla de nouveau ses instincts vengeurs. Il aurait voulu planter ses crocs dans la mollesse duveteuse de son bas-ventre. Histoire de lui rabattre le caquet à cette fille, avec ses airs à la fois hautains et désinvoltes, car c'était bien la morgue féminine qui déclenchait chez Henri comme une fureur cannibale. Oubliant sa timidité, il étendit lentement son bras gauche le long des épaules de la nymphette, jusqu'à l'enserrer avec opiniâtreté. La réponse ne se fit pas attendre.

— Pourriez-vous remettre votre patte animale à sa place ? Elle me gêne, cher monsieur.

La donzelle se leva et disparut. C'était bien le mot « patte », et même le terme « patte animale », qu'elle avait employé. Avait-elle parlé par métaphore, pour le plaisir d'humilier, ou bien avait-elle constaté pour de bon l'amorce d'une morphologie de bête qui l'aurait effrayée jusqu'à provoquer sa fuite soudaine ? Le mystère de la patte s'épaississait encore.

Après cette ultime rebuffade, Henri était déterminé à s'en aller. Il s'achemina vers la sortie, décidé, tel Orphée quittant les enfers, à ne pas se retourner. Sur le pas de la porte, son regard fut attiré par un visage féminin. La jeune femme avait des cheveux cendrés et un air doux. Elle lui adressa un sourire, teinté d'amertume. Elle n'avait pas cette allure effrontée des pécores vulgaires de la soirée. Henri osa une phrase, comme ça, au débotté.

— Permettez-moi de me présenter, balbutia Henri. Je suis Me Henri Noguerre, notaire à Paris.

— Enchantée, répondit-elle, distraitement.

— Et vous, votre activité, si je puis me permettre ? enchaîna Henri d'un ton hésitant.

— Gynécologue.

Cette profession le rassura. Elle était un gage de tempérance.

— Notaire ! enchaîna Béatrice. Ah, je vois, les successions, les testaments, les enterrements ? Un métier qui rime avec poussière. Les morts vous nourrissent, c'est cela ?

L'ego d'Henri en prit un coup. Décidément, la soirée serait un cortège de mortifications. Décontenancé, il s'efforça de répliquer. Il n'avait pas sacrifié près de vingt ans au travail pour se faire traiter de nécrophage. Mordre ? Henri écarta les lèvres et offrit un rictus menaçant. Mais il se ravisa. L'allure de Béatrice n'évoquait rien d'agressif. Elle avait une silhouette veloutée, enserrée dans une robe fourreau de stretch noir, qui soulignait discrètement ses formes. Un bustier échancré laissait entrevoir une ample poitrine. Son embonpoint indiquait l'honorabilité bourgeoise avec repas servis à heure fixe, et non les dévoiements du sexe. Henri vit en elle des promesses de bonheur studieux, l'annonce de joies casanières et, pourquoi pas, de bénédiction nuptiale. Elle avait le teint clair des provinciales candides. Des ballerines à nœud lui conféraient un air de fille modèle. Ses cheveux, sagement retenus par un ruban de velours, annonçaient un caractère doux et une humeur indulgente. Elle irradiait une trentaine sensuelle, tempérée par des rondeurs maternelles. Un idéal conjugal pour notaire, en somme. Henri reprit confiance.

— Vous savez, rétorqua Henri, le notaire à la Balzac, c'est terminé. Notaire, ça rime avec affaire. Je jongle entre cessions d'immeubles, programmes d'urbanisme et contentieux fiscaux.

Elle esquissa un bâillement. La fatuité naïve de son courtisan l'agaçait. Elle toisa Henri : il faisait pitié, avec ses allures de dadais confus et les pans de son pantalon qui laissaient voir de désuètes socquettes en vrille. Henri avait le côté désarmant des maladroits. Elle eut envie de le protéger. La conversation s'engagea. Elle s'appelait Béatrice de Fourvière. Son père était – disait-elle – général d'aviation. Elle avait fait médecine, réussi l'internat, et s'était installée comme gynéco à Provins, misant sur une clientèle nantie de Beauceronnes hypocondriaques. Elle se donnait des allures chic. Henri était sous le charme.

La drôlesse de tout à l'heure qui avait snobé Henri se joignit à la conversation. Une amie de Béatrice. On fit les présentations. Native de Barcelone, elle se prénommait Carmen. Elle devint souriante : Henri était maintenant aux anges. Il se dirigea vers le buffet et ramena trois flûtes de champagne. Plus tard, il se remémora qu'il avait tenu les trois verres dans la main droite, la gauche étant restée inutilisée. Pourquoi ? Ressentait-il déjà comme une paralysie annonciatrice de la patte ? Henri s'autorisa une légère ivresse. Le destin était ce soir de la partie. Béatrice serait un jour son épouse. C'était sûr. En s'épaulant à elle, il ferait carrière. Lorsqu'il fut question de se retrouver ensuite dans une boîte de nuit du Quartier latin, Henri acquiesça. Cette escapade aux heures tardives contrevenait à la discipline monacale, mais pour celle qu'il entrevoyait comme sa future épouse, il était prêt à toutes les transgressions.

Sur le trajet, Henri conduisait à vive allure. Et surtout des deux mains. L'euphorie l'entraîna à brûler plusieurs feux. Il se sentait en veine. La vie lui souriait. Ce soir, il venait de trouver sa future épouse, et demain, il prêterait serment sous les ors de la République. Que rêver de mieux ?

Devant la boîte de nuit, Henri dut jouer des coudes. Une foule de badauds s'amassait devant l'entrée. Le Cercle Saint-Germain était un club privé et Henri n'avait pas de carte de membre. Il parvint à se faufiler tant bien que mal jusqu'au judas grillagé. Henri déclina son titre et expliqua que des amis membres du club l'attendaient à l'intérieur. Effectivement, Béatrice, arrivée avant lui, avait laissé des consignes. Il y eut des conciliabules derrière la porte. Henri dut patienter. On le laissa finalement rentrer. Le cerbère du filtrage lui adressa un bonsoir distant, manière de lui faire sentir qu'il était inconnu en ces lieux, un étranger en somme, ne méritant qu'un accueil condescendant.

À l'intérieur, on étouffait. L'assistance était dense, électrisée par les martèlements tonitruants. Il fallait hurler pour se faire entendre. Henri luttait pour progresser comme un nageur contre la houle. Surtout, il ne voyait pas Béatrice. Il s'engagea dans l'escalier en colimaçon qui descendait vers la piste de danse. Il dut se faufiler entre les haleines alcoolisées. Au sous-sol, c'était pire. Des groupes compacts s'agglutinaient sur les banquettes autour des tables basses surchargées de bouteilles vides. La plupart des convives demeuraient debout, esquissant, au rythme de la musique, des déhanchements. La sueur perlait sur les fronts. L'air était moite. Il fallait l'adresse du serveur pour acheminer sans encombre dans la bousculade générale les plateaux de boissons. Henri observait la foule agitée, pareille à un grouillement de paramécies. Il avait beau jeter partout des regards furtifs, se hisser sur la pointe des pieds : aucune silhouette n'évoquait Béatrice. Puis il se laissa dériver du côté du bar, situé en retrait, légèrement plus au calme.

D'abord, il ne la reconnut pas. Elle affichait un laisser-aller, une nonchalance qui tranchait avec la retenue de tout à l'heure. C'était pourtant bien elle. Son visage s'était empourpré. Elle était juchée sur un tabouret, les jambes croisées avec un zeste de provocation. Le cœur d'Henri se mit à battre la chamade. Il la rejoignit discrètement et lui proposa un cocktail. Elle prit un verre rempli de liquide orangé, avec un pourtour saupoudré de sucre et agrémenté de cerises confites. Henri ne consomma rien. Non qu'il n'eût pas soif, mais il renâclait à la dépense. Béatrice but la coupe d'un trait et en recommanda plusieurs autres en rafale. Henri en fut contrarié. Ce n'était plus la même Béatrice, mais une autre, racoleuse et avachie par l'alcool. Plus du tout son genre. Henri hésita.

— Nous pourrions nous revoir ailleurs, dans un coin plus calme, hasarda-t-il, simplement pour dire quelque chose.

Béatrice hocha la tête, énigmatique.

— Quand ? demanda Henri, la voix inquiète.

Béatrice lui tendit négligemment sa carte, du bout des doigts. Sans un mot.

— Alors peut-être à bientôt ? répliqua Henri.

Béatrice répondit par un clignement de cils, avec une mine agacée. Pour l'heure, elle le congédiait.

Henri n'insista pas et s'esquiva. Il en conclut qu'il s'était trompé. Béatrice n'était pas l'épouse qui lui convenait. Un coup pour rien, en somme. Une note de frais passée en comptabilité. Pourtant, après avoir grimpé les marches qui menaient vers la sortie, il fut pris de remords : il fit demi-tour et redescendit l'escalier. Béatrice l'intriguait, il voulait en savoir davantage sur son compte, renifler son odeur. Mais Béatrice n'était plus au bar. Sa curiosité en fut aiguisée. Henri la chercha fébrilement. Il fallait qu'il la retrouve séance tenante. Il trébucha de table en table, détaillant chaque visage. À cette heure de la nuit, la foule s'était densifiée et Henri se sentait étranger au climat d'hystérie. Il épiait chaque groupe comme un sicaire en mission. Avec des instincts de meurtre.

Au détour d'un pilier, il aperçut soudain, avachie sur un sofa, la silhouette alanguie d'une fille soumise aux caresses insistantes d'un suborneur. Béatrice ? Elle lui ressemblait du moins. Dans le noir, il ne put distinguer ses traits, mais il crut identifier ses vêtements. Henri crut reconnaître aussi le galbe de ses jambes, enserrées dans de fines résilles. Sa robe était remontée en vrille jusqu'aux hanches. De dos, au-dessus d'elle, il aperçut un corps masculin qui l'étreignait impérieusement. Béatrice – ça devait être elle finalement, Henri en était sûr, ou du moins il le voulait ainsi – était vautrée, toute à son effusion. Ses lèvres se diluaient dans celles de son partenaire. Une décharge d'adrénaline incendia Henri. Il n'était pas tant chaviré par le baiser en lui-même, que par l'indécence de cette fille, qu'il avait cru un moment aimer. Ses reins offerts, cambrés à l'extrême, et guidés par les hanches de son cavalier, dessinaient un lancinant va-et-vient. Le couple copulait dans la pénombre. Discrètement certes. Mais devant la foule ! Henri n'était pas dupe. S'il ne le voyait pas clairement, il le devinait bien. Et même s'il n'en était pas certain, il avait décidé qu'il en serait ainsi. Histoire de légitimer cette pulsion cannibale qui lui rongeait le ventre. La madone aux traits d'ange s'était donc muée en nympho éthylique ! Henri tourna les talons pour de bon. Il fallait qu'il quitte les lieux pour éviter le carnage. L'envie de mordre le taraudait de nouveau. Oui : bouffer Béatrice et son mec ! Clac. D'un coup. Qu'on en finisse ! Il se jura cependant d'effacer à jamais cette vision de sa mémoire. Il rentra à l'aube. Il planta ses crocs dans une sacoche en cuir et la déchiqueta jusqu'à ce qu'il se sentît enfin apaisé. Il en voulait à d'Orignac de l'avoir entraîné dans un guet-apens.

Mais Henri ne trouva pas le sommeil cette nuit. Il frottait ses maxillaires l'un contre l'autre et faisait grincer ses dents. Il ne put chasser Béatrice de ses rêves éveillés. La rancune contre elle le tenaillait. Il se voyait retourner sur les lieux, la gifler, la punir pour son laisser-aller. Il la désirait atrocement. Il était en pétard contre elle. Il se sentait terriblement cocu. Il aurait voulu lui infliger quantité de morsures sur le cou, lui déchiqueter la nuque et les seins, lui lacérer les reins jusqu'à ce que la chair saigne. Mordre, mordre et mordre encore...

Au réveil, la patte était là !

2

Une patte, ça va encore, mais une oreille ! Ça se voit, une oreille. Peut-être pas autant qu'un nez, mais presque. Surtout une oreille de golden retriever, pendante, plate et velue. Petite consolation : pour une oreille de chien, c'était une oreille smart ! Nimbée d'un duvet argenté, prolongée à l'extrémité d'un friselis de touffes soyeuses. Henri la titillait entre le pouce et l'index. Elle était apparue, comme la patte, au réveil, sans prévenir. Une semaine plus tard ! Comme ça ! À y réfléchir, pas de quoi s'alarmer ! Une oreille de golden retriever, c'est malléable. Pour la dissimuler, il suffisait de l'enrouler autour d'un coton-tige et de fixer le tout avec du sparadrap. Une fois cachée par les mèches de cheveux, personne ne verrait rien. Une oreille de type doberman ou dogue allemand, pointant en corne de satyre, eût été fâcheuse dans sa situation. Et une oreille de cocker spaniel ? Impensable ! Henri s'en tirait à bon compte.

Le plus agaçant n'était pas tant le surgissement inopiné de l'oreille que l'effet de dissymétrie qu'elle induisait. Bizarre, tout de même ! Pourquoi l'oreille gauche et non la droite ? À droite, il avait bien conservé son appendice en l'état, avec sa conque arrondie, cartilagineuse et diaphane. Henri enroula son nouvel organe

31

comme une serviette de table dans son anneau. Il dut s'y reprendre à plusieurs reprises pour fixer les enroulements de chair. Le sparadrap ne collait pas aux poils. Il dut modifier aussi sa coiffure : au lieu de la mise en plis habituelle, dégageant le front, il laisserait dorénavant retomber sa chevelure sur le côté, afin d'occulter la dissymétrie auriculaire. Cela exigeait une raie impeccable. Henri s'aspergea de Pétrole Hahn pour tracer au peigne la nouvelle mise en plis. Le résultat n'était pas épatant. On apercevait quand même le sparadrap en transparence sous les cheveux. Henri ressemblait à un rescapé de guerre. Qu'allait-il alléguer auprès de ses employés ? D'abord la main broyée. Ensuite l'oreille en capilotade : décidément, il jouait de malchance. Louche pour un notaire !

Il raconta qu'il avait reçu une balle de golf de plein fouet. Henri n'avait jamais tenu de club de golf de sa vie. Mais l'explication était plausible. L'incident passa comme une lettre à la poste. Personne n'émit la moindre remarque. Les jours passant, il perfectionna sa technique de camouflage. Il réduisit le volume de l'oreille en rasant les poils à la tondeuse. Esthétiquement, l'oreille perdait de son animale prestance. Mais le sparadrap adhérait maintenant à la peau. Henri se sentit plus en sécurité. Aucun déroulement impromptu ne risquait de se produire dans la journée. À la longue, enrouler l'oreille autour du petit bâtonnet de bois devenait un jeu d'enfant. Henri se laissa pousser les cheveux. Au bout de quelques semaines, le rouleau de chair s'effaçait complètement sous la tignasse. Bref, le poil était ras, le cheveu long, mais l'honneur sauf.

Heureusement, le cerveau notarial de Me Noguerre n'avait pas été atteint par ces mutations impromptues. Lors des réunions de travail du matin, sa connaissance des affaires et son acuité d'analyse impressionnaient. D'ailleurs, l'étude prospérait comme jamais. Pour ses déplacements dans Paris, Henri n'avait pas hésité à engager un chauffeur. Sa vie en était facilitée : plus besoin de mordre le volant et de baver lamentablement pour manœuvrer. Il gagnait du temps : dans les encombrements, il se consacrait à ses dossiers.

Henri s'autorisait de temps à autre quelques fantaisies. Après une journée harassante, il s'enfermait dans son bureau, dénouait les bandages et dessinait avec ses griffes des stries sur la moquette. En cas de contrariété, il assenait au sol des coups de patte rageurs. Après ces moments de défoulement, il finissait par retrouver la sérénité. Autre délassement qu'Henri ne se refusait pas : il se campait face à la psyché, se raclait la gorge, gonflant la poitrine comme un ténor avant un aria, puis psalmodiait des aboiements rauques, qui dégénéraient en rugissements de fauve, qu'il s'efforçait de tenir le plus longtemps possible. Dans ces moments-là, il pensait à Béatrice : c'est à elle que ces mélopées gutturales étaient destinées.

Henri céda à la panique lorsque ses narines prirent une coloration sombre, une texture grumeleuse, avec des villosités à la racine du nez. Pas encore une truffe de chien, mais presque ! On ne remarqua pas trop la métamorphose nasale : Henri se poudrait à tout moment les naseaux avec de la terracotta qu'il s'était procurée en catastrophe dans une parfumerie des Champs-Élysées. Consulter un médecin lui parut indispensable. Mais lequel ? Il n'en connaissait aucun personnellement. Faire état de sa dégénérescence canine à quelqu'un qu'il n'avait jamais vu, pas question !

Il songea à Béatrice. Elle avait fait médecine après tout. Elle devait s'y connaître en symptômes bizarres.

Sage solution donc. Devant l'urgence de la situation, il mit entre parenthèses le camouflet humiliant subi l'autre nuit. Il avait conservé sa carte de visite dans son agenda. Henri hésita : plus d'une semaine s'était écoulée depuis la soirée. Elle ne se souviendrait probablement plus de lui. Il redoutait de jouer les intrus. La curiosité s'ajouta à la raison médicale. Qu'était-elle donc devenue ? Lentement, le cœur battant, il pianota sur le digital son numéro. On décrocha. C'était elle. Il haleta de trouille et d'émotion. Il se lança avec le désespoir du naufragé. Il balbutiait. Il s'excusa de ne pas avoir appelé plus tôt. Il lui expliqua qu'il voulait la rencontrer, mais à titre purement médical.

— Je suis gynéco. Je soigne exclusivement les femmes.

— À vrai dire, cela n'a rien à voir avec un problème gynécologique. C'est très grave.

— Quoi alors ?

— Une pathologie angoissante. J'aimerais que nous en parlions en tête à tête.

— Consultez d'abord un généraliste. C'est mon conseil. Je puis vous en recommander un excellent à Paris.

— Il n'y a que vous qui puissiez m'examiner, j'ai un truc vraiment bizarre. Avec vous, je me sens en confiance. Je ne veux pas m'exhiber devant quelqu'un que je ne connais pas.

Béatrice crut à un banal jeu de séduction. Après tout Mᵉ Noguerre n'était pas un mauvais bougre. Une soirée s'était justement annulée. Autant en profiter. Accepter un dîner n'engageait à rien.

— Je viendrai vous chercher demain soir. J'aurai réservé dans un restaurant. Vous travaillez tard, je suppose. Alors, disons vingt et une heures à votre domicile.

Henri acquiesça. Il lui donna ses coordonnées. Il était un peu surpris de la détermination de son interlocutrice. Béatrice menait d'emblée la danse. Elle s'occuperait de choisir le restaurant et viendrait le cueillir dans sa tanière.

Béatrice fut ponctuelle. Arrivée en bas de l'immeuble au volant d'une BMW rouge décapotable, elle resta en double file et klaxonna jusqu'à ce qu'Henri descende. Il avait mis au frais une bouteille de blanc. Il aurait aimé que Béatrice monte pour visiter son appartement, assez spacieux pour une famille nombreuse, avec des balcons qui donnaient sur la verdure. Il payait encore des traites. Mais plus pour longtemps. Bientôt, il en serait propriétaire.

Sûre d'elle, Béatrice conduisait avec des gestes agressifs et saccadés. Elle accélérait, freinait, donnait des coups de volant, redémarrait sèchement. Henri dut s'agripper à la poignée latérale pour ne pas être ballotté. Béatrice portait une robe en stretch noir, serrée à la taille, et des escarpins à boucle d'écaille. Mélange de canaillerie et de raffinement. Elle respirait le frais et la sensualité maîtrisée. Son parfum doux et sucré imprégnait l'habitacle. Henri était enivré. Il goûtait le bonheur passif d'être pris en charge. Il se laissait conduire, sans trop réfléchir.

Béatrice avait réservé une table dans un restaurant du septième arrondissement. Le décor se voulait du type chic-campagnard, avec des nappes blanches et des serviettes amidonnées qui effaçaient l'apparente rusticité. Béatrice aimait ce genre de gargote à la mode, réservée à un happy few de noctambules branchés. Henri eut droit à l'accolade du patron, un moustachu jovial, jouant la familiarité. On installa Béatrice et Henri à une table isolée. Henri était rassuré : ses confidences devaient demeurer à l'abri d'écoutes indiscrètes. La conversation fut d'abord anodine. Béatrice évoqua son enfance, vanta les mérites de son père, général en retraite. Henri était hypnotisé. Mais favorablement. Il y avait quelque chose de doux et d'attentif dans les inflexions de Béatrice. Un halo d'amertume atténuait sa fougue. Un désenchantement filtrait dans son regard miel. Béatrice laissait voir à la fois de la sagesse et de la compassion. La confidente idéale en somme. Henri se sentit en confiance et décida de tout déballer. Il se pencha vers elle et entama sa confession.

— Je dois vous avouer quelque chose de très étrange, commença-t-il. Mais il faut que cela reste confidentiel. Vous me le jurez ?

— Je suis liée par le secret professionnel.

— J'ai une patte, une vraie.

— Une patte ?

Béatrice sourit, avec un air un peu éberlué.

— Une patte de chien. Je vous jure, renchérit Henri. Je peux vous la montrer. Une vraie patte. Ce n'est pas de la patte rustique, mais du haut de gamme. Une patte de golden retriever. Épatant n'est-ce pas ? Et je m'y connais en pattes. Elle est là, sous ma manche. Vous pourrez même la caresser si vous voulez. Elle est douce, très douce, comme du poil de lapin.

Henri jeta un regard autour de lui. Sa patte, il voulait n'en livrer la primeur qu'à Béatrice. Il en était fier. Le serveur s'affairait à des tables éloignées. Et les voisins semblaient absorbés par leur conversation. Henri détacha le sparadrap qui maintenait le pansement. Puis lentement, il déroula la bande sous le regard écarquillé de Béatrice. La patte apparaissait progressivement, une patte fine et velue, dont l'animalité brute tranchait avec l'allure compassée du notaire.

— J'en suis restée à la poudre à éternuer, aux cigarettes en chocolat, au poil à gratter, mais la patte postiche, ça, c'est un genre nouveau. Vous avez un humour singulier pour un homme de loi.

Henri releva la manche jusqu'à hauteur du coude.

— Je ne plaisante pas. Non, regardez, c'est une vraie patte, tout ce qu'il y a de plus authentiquement patte. Palpez et vous verrez.

Béatrice, intriguée, palpa le membre velu avec une moue dubitative. La patte prolongeait en parfaite continuité l'avant-bras.

— Remarquez, c'est pratique, en un certain sens, une patte. On peut se gratter facilement la nuque, dessiner sur la moquette.

Henri se gratta l'occiput à coups rapides et répétés, puis se pencha aux pieds de Béatrice et égratigna le tapis.

— Arrêtez, maintenant. J'ai compris. Ne persistez pas, dit Béatrice, irritée par ces singeries.

— Ce n'est pas une plaisanterie, encore moins une fiction. Je vous demande de m'examiner en femme de science. Si vous parvenez à déceler un postiche, je serai le premier à m'en excuser.

Agacée, Béatrice ausculta de nouveau l'excroissance suspecte. Cette fois-ci, elle le fit par réflexe professionnel, avec des gestes méticuleux. Elle palpa, soupesa, caressa le membre canin à rebrousse-poil, examina tout particulièrement les zones où la chair se muait en pelage. À la saignée, la chair blanchâtre, dont on apercevait les veines en transparence, se transformait en membre velu, d'un incontestable aspect animal. Béatrice avait appris au cours de ses études à ne jamais s'étonner. À rechercher des explications scientifiques. Pourtant, maintenant, elle était intriguée pour de bon.

— Ça vous plaît ? demanda Henri. Avouez que ça vous bluffe ; ce n'est pas tous les jours qu'on dîne avec un notaire à patte !

— C'est de naissance ? demanda Béatrice avec un calme nosographique.

— C'est venu le matin même de la nuit de notre rencontre. Brusquement. Et pourquoi la patte gauche plutôt que la droite ? Vous devriez le savoir, vous, avec votre cursus médical.

Béatrice fit non de la tête.

— Mais ce n'est pas tout. J'ai encore une surprise.

— Quoi encore ?

— Une oreille. Mon oreille droite est une oreille de chien. Je l'ai cachée aussi. Je vous la montre ?

— Je vous crois, inutile de défaire le pansement.

— Ah, si, si, si, je tiens à vous la montrer. C'est une oreille, tout ce qu'il y a de plus canine. Malheureusement, je n'en ai qu'une aussi. J'attends la deuxième.

Henri déroula l'oreille et la présenta à Béatrice avec le geste appuyé d'un négociant des souks.

— Tenez, caressez vous-même. C'est de la bonne qualité. Oreille pur chien.

— Suffit, j'ai compris, rangez-moi cet attirail maintenant, rétorqua Béatrice.

Henri enroula son oreille et fixa les pansements autour de sa patte. Personne n'avait rien remarqué de ces déballages. Un serveur s'approcha de la table et débarrassa les plats.

— Dites-moi ce que je dois faire, ajouta Henri. Au quotidien, ça devient intenable. Une patte n'est pas compatible avec le notariat. Je perds chaque jour un temps fou à faire et à défaire les pansements ! Et je n'ai qu'une main valide.

— Je comprends, fit Béatrice, qui ne savait à quoi s'en tenir.

La patte avait l'air vraie et Henri n'avait rien d'un illuminé.

— J'ai une solution, ajouta-t-il.

Il se racla la gorge.

— Mon idée, reprit-il, est que vous veniez vous installer chez moi. J'habite un appartement, très convenable, vous savez. Vous y serez à votre aise. Je gagne correctement ma vie aussi et même mieux que ça. Vous n'aurez aucun souci. Vous pourriez m'aider à surmonter mon handicap ?

— Vous plaisantez ? Je suis médecin, pas infirmière.

— Non, je ne plaisante pas. Mettez-vous à ma place. Il faut prendre les devants. Il n'y a que vous qui puissiez me sortir de mon embarras.

— Pas de précipitation, enchaîna Béatrice. La patte et l'oreille sont venues comme ça, sans prévenir. Elles disparaîtront de la même manière. Il faut vous ressaisir. Reprenez vos esprits. Vous n'avez rien d'un animal, mais tout du notaire. Alors concentrez-vous sur votre travail, et cessez de vous complaire dans un rôle de bête à poil qui ne vous convient pas du tout.

— J'ai besoin qu'on m'assiste dans mes tâches quotidiennes. C'est l'hybridité qui est insupportable. Et puis, je ne comprends rien à ce qui m'arrive.

— Moi, je ne peux rien vous dire ! Je connais un spécialiste pour ce genre de symptôme.

— Qui ?

— Le professeur Algis. Je l'ai connu au cours de mes études en fac. Maintenant, c'est une sommité. Vous en avez entendu parler ? Le meilleur neurochirurgien que je connaisse. Il opère dans le monde entier. Il sait reconstituer une main, un bras, les nerfs, la peau, n'importe quel organe, à partir de greffes. On le sollicite de toutes parts pour soigner les accidentés. Il n'y a que lui qui puisse vous prendre en charge. Pour lui, reconstituer une main et une oreille humaines ne sera qu'un jeu d'enfant.

— Ah non, je refuse qu'on m'opère. Je préfère encore garder ma patte et mon oreille, plutôt que d'être charcuté en bloc opératoire. Je ne supporte pas l'anesthésie.

— Algis revient dans une huitaine de jours d'un congrès aux États-Unis. Nous irons le consulter ensemble. Je vous tiendrai la patte. Il vous opérera. Je ne vois pas d'autre solution. Compris ?

Béatrice raccompagna Henri jusqu'à son domicile. Henri la supplia de monter dans l'appartement pour un ultime verre. Il avait besoin d'être rassuré. Mais elle refusa. Quand Henri se déshabilla, la surprise fut désagréable. La patte empiétait largement au-dessus du coude. L'épaule s'était recouverte d'un pelage dense. Les événements s'accéléraient.

Henri avait omis un point : son envie irrépressible de mordre. Et c'est vrai que la peau crémeuse de Béatrice le faisait saliver. Il aurait aimé prélever un petit bout de chair et l'emmener chez lui, le mâchouiller un peu chaque jour, comme un fétiche qu'on vénère. Henri était donc amoureux de Béatrice. Il l'avait revue. Miracle ! Merci la patte, merci l'oreille.

Les jours suivants, Henri se sentit tout de même soulagé. Il avait réussi à avouer son secret et cela lui procurait du bien-être. Il en conclut que Béatrice lui était indispensable. Aussi, pour obéir à son injonction, renonça-t-il aux aboiements et aux grattages de moquette. Mais ce n'était pas facile. C'était comme s'arrêter de fumer. Sauf que là il n'avait aucune aide extérieure, pas de timbre de nicotine. Henri réalisa qu'il tenait à Béatrice. Maintenant, il était décidé à la séduire. Comment ? Une femme épouse-t-elle un notaire à patte ? Ce n'était pas le genre de Béatrice de s'encombrer d'un handicapé. Henri courait au fiasco. Il était en colère contre lui-même. Il se voyait petit, rétréci. Mordre ? Mais qui ? Lui ?

Pour commencer, Henri porta un gant de peau beige à l'extrémité de sa patte. L'effet n'était pas dénué d'élégance. On ne voyait plus les bandages tenus par des sparadraps qui se décollaient en fin de journée. Surtout, c'était pratique : il n'avait plus qu'à enrouler le haut de la patte, et basta. Le gant prenait du volume et donnait l'illusion de recouvrir une main. Pour l'oreille, il songea à se procurer une oreille artificielle en caoutchouc. Malheureusement, après s'être rendu dans une dizaine de magasins de farces et attrapes, il ne trouva que des modèles d'oreille pour film d'épouvante, allongée en pointe, sanguinolente, déchiquetée, avec des points de suture apparents. Henri prit rendez-vous avec un responsable du musée Grévin dans l'idée de passer commande pour une oreille en cire qu'il fixerait par-dessus son pansement. Le conservateur dut l'éconduire. Le musée ne fabriquait pas d'oreilles sur commande.

Les jours passèrent. Son état demeura stationnaire. Ni mieux ni pire. De quoi être un peu rassuré. Henri cessa pour de bon d'aboyer en cachette et de racler la moquette avec sa patte. Il s'autorisa tout de même un petit plaisir, en guise de consolation. Il s'était procuré une brosse à crins doux dans une parfumerie. Une fois enlevés le gant et le pansement, il consacrait quelques moments à lustrer son pelage. Des poils de chien, songeait Henri, ça s'entretient ! Les crins de la brosse retenaient toujours quelques petits nuages filandreux qu'il balançait par la fenêtre pour les observer voleter au gré du vent et se dilater dans l'air. Henri regrettait parfois de n'avoir qu'une seule patte à titiller avec sa brosse. Physiquement, il ne s'aimait pas en humain. Quitte à choisir, il se serait préféré en animal. Question texture de chair. Un pelage est tellement plus doux que la carnation humaine, rêche, flasque, poreuse. Parfois, il s'amusait à souffler sur ses poils à petites bouffées afin de les ébouriffer et de laisser jouer la lumière à travers leur transparence duveteuse. Il l'aimait, sa patte.

Béatrice n'avait pu s'empêcher de faire part à son amie Carmen, sa confidente de toujours, de son étrange conversation au dîner avec Henri. Elle déjeunait souvent avec elle, le mercredi, au bar du Relais Plaza. Puis elle consacrait le reste de son après-midi à courir les boutiques de luxe. L'univers des magasins de mode l'aimantait et sa passion était de s'offrir des ensembles haute couture à des prix exorbitants. Béatrice aimait le strass, le luxe, et les nuits glamour. Henri, trop austère et si peu flambeur, n'était pas son genre. Béatrice passait un temps fou à s'acheter des fringues. Elle exaspérait la vendeuse par ses caprices. Elle faisait décrocher les modèles et les essayait dans l'espoir de se façonner une silhouette de vamp de magazine. Il n'y avait pas que les robes qui épuisaient ses deniers. Béatrice dissipait ce qui lui restait de revenus en rafistolage esthétique. Henri avait trouvé Béatrice bien foutue, excitante : il ignorait qu'elle n'était qu'une fiction chirurgicale, le nez avait été raccourci, les lèvres redessinées, le menton raboté, les seins regonflés, les jambes regalbées, le fessier durci, le tout par le scalpel du chirurgien. La profession de gynécologue, pour honorable qu'elle fût, ne convenait guère à l'image qu'elle voulait donner d'elle. Aussi s'était-elle inventé un autre métier.

Elle se disait courtière en œuvres d'art, fréquentait les salles des ventes et évoquait des voyages éclairs à New York pour négocier une toile d'un maître impressionniste. Elle aimait bluffer son monde. Elle adorait les fastes interlopes du négoce d'art où sa sensualité aguicheuse était appréciée des marchands de la jet-set. Jamais elle ne ratait un vernissage, un cocktail, et elle intriguait pour être de tous les galas et avoir sa photo dans *Match*, dernière page, rubrique *people*, avec son nom écrit en gras. Henri était un des rares avec qui elle n'avait pas menti sur son métier : à quoi bon tricher face à un être aussi pathétiquement désuet ?

Avec Carmen, Béatrice était entrée d'emblée dans le vif du sujet. Elle raconta tout : son dîner, la patte, l'oreille, l'angoisse d'Henri, et aussi l'aisance financière qu'elle lui supposait. Elle insista et se montra persuasive. Carmen sourit au début et finit par croire aux dires un peu loufoques de son amie.

— Tu es stupide, ma pauvre ! conclut Carmen. Et ta feuille d'impôt ? Et tes arriérés ? Et l'URSSAF de ton cabinet ? Tu es en rouge et tu dépenses comme quatre ! Qui va t'entretenir ? Épouse-le, ton notaire à patte. C'est la seule manière d'éviter la faillite.

— Tu veux que j'épouse un notaire à patte, un monstre, et encore, pas un monstre à la Cocteau. Aucune poésie, mais une sorte de bête passe-partout, un remède contre l'orgasme.

— Oublie Cocteau. Mieux vaut épouser un monstre banal, mais riche, qu'un humain fauché. Je ne te dis pas de te convertir à la zoophilie. La vérité, c'est qu'il ne demande que ça, d'être traité comme un chien, ton notaire. Profites-en ! Tu t'installes chez lui. Ça t'économise déjà un loyer. Un chien, ça s'attache en laisse et ça obéit. À toi de bien te débrouiller.

— Ce n'est pas très « clean » comme procédé ! Jusqu'à présent, je me suis assumée toute seule.

— Jusqu'à présent ! Écoute-moi, ce type, c'est vraiment ta chance ! Mate-le.

Béatrice régla l'addition. Carmen avait raison. Henri était balourd, engoncé, handicapé, manipulable à souhait, mais il réussissait en affaires. Un mari idéal.

Henri dirigeait encore l'étude avec fermeté. Le cerveau notarial tenait bien le coup. Mais il avait la trouille. Et s'il se retrouvait brusquement un matin quadrupède ? Le danger menaçait. Il voyait sa main droite se métamorphoser à vue d'œil : des zones pubescentes se dessinaient et les ongles prenaient une consistance cornée. Pour faire illusion, il devait chaque matin tondre ses poils de la main, aplanir avec une lime ces excroissances griffues, les teindre en rose avec du vernis. Tenir un stylo provoquait des crampes : heureusement il y avait encore l'ordinateur. Il tapotait sur le clavier avec ses griffes. Les phalanges s'étaient raccourcies et il avait du mal à les écarter afin de ne pas enfoncer plusieurs touches en même temps. Le nez devenait carrément grumeleux et un fin duvet dissimulait ses pommettes. Il dut s'inscrire à contrecœur dans un institut de beauté où des esthéticiennes narquoises lui épilaient les joues, lui pommadaient la truffe, appliquaient des masques à la gelée de concombre afin de lui adoucir la peau. Il trouvait ça ridicule, mais il n'avait pas le choix.

La véritable alerte vint de son associé. Un soir, Me Blanchet convoqua Henri dans son bureau pour un entretien confidentiel. La discussion fut tendue.

— Vous ne voyez pas d'inconvénient à ce que j'ouvre la fenêtre ? avait-il d'emblée déclaré.

Henri trouva la question saugrenue. Pour être agréable

à son associé, Henri se leva et ouvrit la croisée, dont il coinça l'un des battants avec l'espagnolette.

— Ouvrez grand, cher ami, insista Me Blanchet, de l'air, de l'air et encore de l'air.

Henri retourna à la fenêtre et cette fois-ci ouvrit les deux battants.

— Il y a un problème avec vous et je ne suis pas le seul à le constater.

— Lequel ? fit Henri inquiet.

— Voyez-vous, ce n'est pas votre mérite professionnel que je mets en cause.

— Mais quoi alors ? demanda Henri, exaspéré.

— L'odeur.

— L'odeur, quelle odeur ?

— La vôtre.

— Vous voulez dire...

— Que vous schlinguez fort, mais alors très fort, cher ami.

— Comment ?

— Vous ne pouvez évidemment pas vous sentir, mais les autres, si.

— Et je sens quoi ?

— Le chien ! Vous puez le chien de gouttière !

Me Blanchet se livra à de brèves aspirations nasales.

— À cause de vous, ça crougnotte le chenil dans l'étude. Depuis votre nomination, vous puez dur. Vous devriez prendre le temps de vous désinfecter, et de vous parfumer.

— Croyez-m'en désolé, répondit Henri avec une mine contrite.

— En vérité, ajouta l'associé, ce que l'on exige d'un notaire, ce n'est pas tant de s'échiner au travail que de sentir bon. Il est indispensable pour tout notaire qui se respecte d'exhaler un parfum d'honnête homme, de bourgeois savonné, de notable cossu. Eh bien, ça se travaille, mon cher, une odeur ! On n'embaume pas du jour au lendemain ! Fréquentez les parfumeries ! Moi, j'ai mis vingt ans à le trouver, le bouquet idéal : celui qui inspire confiance aux familles, rassure les héritiers, charme les pontes de l'immobilier. Et si vous persistez à puer le clébard, c'en est fini de notre prospérité. Croyez-en ma vieille expérience, l'odeur est la première vertu du notaire.

Seul dans son bureau, Henri fut pris de suffocations. Il en voulait à son associé de cette humiliation. Il le haïssait maintenant. Il songea un instant à revenir dans son cabinet, pour le déchiqueter, lui bouffer les viscères, l'avaler après lui avoir infligé une infinité de coups de dents. Puis il se reprit. Croquer son associé n'était pas la solution. Non, le message était clair. Il ne restait qu'une issue : Béatrice. Il lui confierait entièrement sa vie. Pour qu'elle fasse de lui un notaire parfumé, aimable et bien policé. Il l'appela et la supplia d'accepter de dîner le soir même avec lui. Elle accepta.

Henri réserva une table au Ritz Club, un lieu qui en jette, histoire d'impressionner la belle. Le moment était grave. Béatrice le rejoignit directement dans le bar attenant au hall d'entrée de l'hôtel, place Vendôme. Elle avait revêtu une robe sophistiquée à corolle de tulle et dentelle. Une guimpe translucide ornée d'un semis de perles multicolores rehaussait sa carnation. Son visage était nacré de blush. Henri la trouva atrocement appétissante. Après avoir consommé un verre, ils s'acheminèrent vers la salle à manger, située à l'autre bout de l'hôtel. Ils franchirent un labyrinthe silencieux, enfilade de salons aux stucs empesés et de corridors éclairés de vitrines de bijoux de grands prix. À l'entrée, un cerbère se réservait le droit d'éconduire l'indésirable, justifié par le panneau de cuivre avec la mention « club privé ». Henri y avait ses entrées, et il fut accueilli avec déférence. Un grand escalier à balustres aboutissait en dévers sur un salon où un pianiste assoupi égrenait des notes de jazz. Des loupiotes en cuivre éclairaient des gravures de la Belle Époque. On dînait dans un salon en forme de dédale, tapissé de lampas, clos tout au bout par une discrète piste de danse. Un maître d'hôtel obséquieux conduisit le couple vers une table en retrait. On passa commande. Henri fit part à Béatrice de l'aggravation de son état.

— Vous n'aboyez pas, j'espère ? demanda-t-elle sur un ton très médical.

— Pas en public, docteur, répondit Henri humblement.

— J'ai une bonne nouvelle : le professeur Algis est de retour de New York. Il va vous opérer.

— Trop tard, docteur ! J'ai des poils de chien qui poussent de partout, et ça me gratte, j'en ai sur les épaules, sur le ventre, même sur le visage. Mon associé dit que je pue.

Henri avait élevé le ton. On avait entendu le mot chien. Les convives des tables d'à côté dévisagèrent leur voisin d'un œil interrogateur.

— Il faut lutter, murmura Béatrice, tapotant avec autorité la patte d'Henri.

— Seul, je ne peux plus. Je vous en supplie. Venez habiter chez moi.

Béatrice fixa Henri et prit un ton grave.

— Trêve de plaisanterie. Si je m'installe chez vous, c'est pour vous obliger à demeurer le notaire que vous êtes, Me Henri Noguerre ! Il faut faire face. Ressaisissez-vous. Sinon, adieu.

Henri fit oui de la tête. Il n'était pas question de désobéir à Béatrice.

Après le dîner, Béatrice se dirigea vers la piste de danse. Elle balança ses escarpins sous une banquette et entama pieds nus des ondoiements frénétiques au rythme de tubes des années 1960. L'ambiance était effervescente. Béatrice fut rejointe par d'autres couples. Henri vint à son tour et s'essaya à quelques gesticulations sous les lumières stroboscopiques. Mais il ressemblait à un singe titubant. Il craignait des excès de sudation. Ses chaussures le blessaient. Il éprouvait comme des lames de rasoir qui lui tailladaient les doigts de pieds. Danser le rock torturait ses orteils. Des griffes se formaient-elles dans ses chaussures ? Henri aurait aimé s'asseoir, se déchausser, ôter ses chaussettes et se masser les pieds. Il dut s'appuyer sur Béatrice pour ne pas s'effondrer. Il l'enlaça. Elle se laissa faire. Henri reprit courage. D'autant qu'il avait une vue plongeante sur la nuque de Béatrice. Mordre ? Oui, mais doucement. Béatrice trouva bizarre la manière d'embrasser d'Henri : il lui mordillait la langue.

Béatrice raccompagna Henri chez lui. Cette fois-ci, elle accepta de monter dans l'appartement situé au premier étage. L'entrée ouvrait sur un salon d'où l'on apercevait par l'une des deux baies les frondaisons d'un marronnier. Dehors un lampadaire projetait une lumière d'aquarium. Un parquet en lattes de bois amplifiait le bruit des pas. Un mobilier de bric et de broc donnait une impression de provisoire. La chambre était occupée par un lit défait à côté d'une table de nuit en formica. On entendait le tic-tac du réveil qui, dans ce contexte glauque, n'en résonnait que plus sinistrement. Un store rouillé fermait une fenêtre sans rideau. Les pièces sentaient le renfermé, le mâle solitaire, la tanière. Pour

Béatrice, c'était un cauchemar. Elle songea à redescendre en courant. Mais elle resta. Henri était là, la regardant d'un air penaud et implorant. Elle eut terriblement pitié de lui : c'était une bête perdue, pathétique, vulnérable, et il fallait s'en occuper. Béatrice ne se sentit pas en droit de tourner les talons.

Elle l'aida à se déshabiller. Elle dégrafa sa chemise. Un duvet recouvrait le torse jusqu'aux hanches. Elle s'amusa à le caresser de ses doigts effilés. C'était doux, en vérité, plus doux que le contact direct avec l'épiderme humain. Béatrice ne détestait pas cette sensation. Henri se fit pressant et Béatrice ne résista pas outre mesure à ses avances. Elle déposa sa robe à ses pieds et se laissa embrasser. Les mouvements de Béatrice étaient empreints de retenue. Elle ferma les yeux, montrant ses cils vibratiles dans la lumière de l'abat-jour. Béatrice demeura immobile, rétive. Pour Henri, Béatrice cachait derrière ses allures extraverties une chasteté de provinciale. Cela lui plut. Il pénétra Béatrice sans trop réfléchir. Mordre ? Oui, mordre, c'est si bon de mordre. Ce fut surtout cette soudaine morsure à la nuque qui incita Béatrice à se dérober brusquement en poussant un cri. Il ne lui en voulut nullement de son mouvement de retrait. Cette pruderie de débutante lui convenait. Henri ne souhaitait en aucun cas une érotomane écervelée. Il se leva, s'essuya discrètement la bouche qui avait sécrété une salive blanchâtre et enfila le pyjama à rayures bleues qui traînait en bouchon sous les draps. Il était onze heures. Des gouttes de sang perlaient sur le cou de Béatrice. Elle avait eu peur. Elle borda Henri et lui caressa le museau calmement.

— Sage, sage l'animal ; demain, je viendrai emménager chez toi, lui dit-elle, le tutoyant soudain, mais il faudra que tu arrêtes de mordre.

Henri avait les larmes aux yeux, car il avait honte de son geste. Il prit une mine qui implorait le pardon. Il enfouit la tête sous l'oreiller.

Béatrice avait tutoyé Henri pour la première fois. Elle trouvait finalement excitante l'idée d'emménager avec une bête mal dégrossie, de devoir la dompter. Un challenge. Elle s'éclipsa.

Sur les injonctions de Béatrice, Henri rédigea une série d'actes notariés, en double exemplaire. Il était indiqué que Béatrice emménagerait à Boulogne. En outre, au cas où Henri viendrait à décéder, elle hériterait de la totalité de ses biens. En cas d'incapacité majeure, elle toucherait les revenus de l'étude afférents aux parts en capital d'Henri, et disposerait en toute propriété de l'appartement de Boulogne. Par précaution, Béatrice fit lire les actes à Carmen.

— Bien joué, ma belle !

Béatrice montra tout de même sa nuque, zébrée de morsures.

— Il y a quelque chose qui me chiffonne : il mord. Je devrais me méfier ?

— Achète une muselière.

3

Béatrice voulait éliminer toute odeur animale. Aussi entreprit-elle une réfection complète de l'appartement. Moquette claire, laque blanche, rideaux à motifs géométriques : la tanière prit des allures de loft minimal. Des meubles « design » furent installés. La salle de bains ressembla à des thermes pompéiens : on y posa une double vasque en forme de coquillage, avec cloisons d'albâtre et sol mosaïqué. Le faste du lieu était égayé par un amoncellement de flacons irisés : chatoiement d'huiles corporelles, de gels moussants, d'adoucissants à la framboise, de parfums translucides.

— Tout ça coûte une fortune ! rouspéta Henri.

— Qu'est-ce que tu préfères ? Ça ou la niche ?

Henri n'avait pas osé répliquer.

Dans la nouvelle penderie, Béatrice accrocha sa collection de robes griffées, alignant un à un les modèles soyeux, moirés ou scintillants, avec une morgue d'enfant gâté. Une armada d'escarpins à lanières tressées, de ballerines enrubannées et de bottines en lézard s'aligna sur les tringles. Au revers des portes en glace coulissantes furent suspendus des kyrielles de sacs du soir, des ceinturons ornés d'escarboucles et de sequins, un amoncellement de breloques. Béatrice aimait la nacre et les teintes argentées, les lamés et la luxuriance du chintz.

Henri subissait. En silence. Mordre ?

Elle balança les draps écrus qu'utilisait Henri et opta pour des textures satinées à décor floral : rêve de mimosa, bégonia du soir, douceur pivoine, bleuets sauvages, senteurs d'iris. Les premières nuits, Henri se crut asphyxié par des exhalaisons de pollens. Elle outilla également la cuisine d'un matériel dernier cri : machines à programmes multiples, congélateur avec distributeur de glaçons, four à micro-ondes, mixeurs multifonctions, sans compter l'arsenal de corbeilles, poubelles, porte-serviettes et égouttoirs. Le plafond fut abaissé à grands frais et garni de spots d'éclairage. Des casseroles en cuivre furent accrochées en ordre décroissant. Elle essaima dans chaque pièce des provisions de lavande, d'écorces odorantes, de bougies parfumées, de graines aromatiques. Un bien-être tamisé et des fragrances résineuses imprégnèrent les lieux. Henri se taisait. Mordre ?

Béatrice s'attaqua ensuite à l'allure vestimentaire d'Henri. Il ne s'était, il est vrai, guère intéressé à sa garde-robe. Un soir, elle incendia ses défroques dans la cheminée. Henri fut alerté par le crépitement des flammes. La fumée lui picotait les narines. Il se précipita vers l'âtre et vit ses frusques s'évanouir en cendres. C'était sa chair qui partait en fumée.

— Mes fringues !

— Tu veux dire ces nippes élimées ! Une puanteur. Avec des auréoles aux aisselles. N'est-ce pas, mon petit Médor ?

MÉDOR ? Elle l'avait appelé MÉDOR ! Pourquoi soudain MÉDOR ? Surprenant ! Vraiment surprenant. Jamais Béatrice ne l'avait encore appelé ainsi ! L'appellation lui parut insultante. À l'étude, on l'appelait « maître » avec du respect dans la voix.

— Médor ? Tu m'appelles Médor maintenant ?

— Médor te va très bien ! Et Médor, on va l'habiller smart. Il faut qu'il soit chic, Médor. Car Médor, il va falloir l'habiller en notaire haut de gamme. Et ce n'est pas gagné ! Demain, rendez-vous place de la Madeleine. À quatorze heures précises.

— Place de la Madeleine ?

— Devant les magasins pour hommes. On va lui acheter des fringues sophistiquées, à Médor. Que Médor se rassure, je lui ai gardé un vieux costume pour qu'il puisse sortir faire ses courses.

— Un notaire se juge à son sérieux, et non sur sa mise extérieure.

— Oui, mais toi, tu n'es pas un notaire, tu es un presque-chien. Ça, ça ne doit pas se voir. Ta seule chance est de t'habiller ultra-chic pour faire oublier tes excroissances pileuses. Tu es condamné à leurrer ton monde, à dissimuler toute trace suspecte en toi. Il te faut des tenues légères, amples et aérées, car tu transpires beaucoup avec ton pelage. Et tu pues... Choisis, mon petit Médor. Ou nous luttons ensemble, ou je m'en vais.

Henri avait une seule doléance à formuler.

— Va pour les achats de fringues. Mais arrête de m'appeler Médor.

— Avec ta patte de chien, ton oreille de chien, des poils de chien, Médor, ça te va comme un gant. Ce n'est pas ma faute si tu as un tempérament à t'appeler Médor.

Se retrouver un matin avec des organes de chien, cela peut arriver ! Un accident. Se voir en golden retriever, admettons ! Mais passer de maître à Médor, du jour au lendemain, même dans l'intimité : une déchéance ! Henri n'eut plus qu'une obsession : faire marche arrière, ne pas perdre son statut notarial. Il y tenait, maintenant, à son titre de « maître ». Du coup, il accepta les efforts de Béatrice pour l'endimancher.

Béatrice emmena Henri dans les rues commerçantes du huitième arrondissement. De quoi épuiser le randonneur le plus aguerri. L'atmosphère frelatée des boutiques agaçait Henri. Béatrice en rajoutait dans la volubilité, les conciliabules et les chichis, comme en terrain conquis. Elle échangeait des regards entendus avec des vendeurs tirés à quatre épingles qui se trémoussaient, goguenards, autour d'Henri. Aux divers essayages, des éphèbes virevoltaient en gloussant. Henri n'avait pas voix au chapitre : Béatrice se montrait cassante. Elle faisait autoritairement descendre des portants la kyrielle de costumes en rangs serrés. Henri devait en enfiler une bonne douzaine avant qu'elle ne fît son choix. Les contorsions étaient épuisantes : un supplice dont elle semblait se réjouir. Elle choisissait des modèles à coupe anglaise, en soie moirée, rehaussée de rayures ou de chevrons indigo, légèrement épaulés, afin de donner de la prestance. Des retoucheurs obséquieux prenaient les mesures pour d'ultimes ajustements, dessinant à petits traits de pierre blanche des repères qu'ils piquetaient d'épingles. Au moindre picotement, Henri se figeait dans une raideur réprobatrice. Ça n'en finissait jamais. Béatrice fusillait Henri du regard pour le faire taire. Scrutatrice, elle multipliait les critiques, exigeait des modifications, émettait des réticences, pérorait. Henri cachait mal son impression de mortification face à l'essaim d'assistants tournoyant comme des frelons. Béatrice minaudait : le timbre aigu de sa voix résonnait dans tout le magasin, elle étalait avec insolence ses préceptes en matière d'élégance. Elle opta pour un assortiment de blazers en cashmere, ornés de boutons à armoiries, qui ressortaient comme des louis d'or sur le bleu indigo de l'étoffe. Henri se voyait travesti pour une revue de carnaval. Son allure gauche ne fit qu'exaspérer la frénésie dépensière de Béatrice. Elle acheta une dizaine de cravates, toutes chatoyantes, ainsi qu'une floraison de pochettes soyeuses.

— Je ne peux pas porter ça, murmura Henri à l'oreille de Béatrice. C'est bien trop voyant ! J'ai l'air d'un proxénète de casino.

Béatrice prit aussi un assortiment de chemises en popeline à poignets mousquetaire.

— Il va enfin être beau, le chien Médor, il va ressembler à un notaire de la rue du Faubourg-Saint-Honoré, avait-elle ajouté dans le magasin, sur un ton triomphal.

Une fois dehors, Henri laissa éclater sa colère.

— Tu m'as ridiculisé devant tout le monde ! Tu m'as même appelé Médor en public ! Tu le fais exprès ou quoi ?

— Simple lapsus, excuse-moi.

— Et puis tu me mets sur la paille !

— Non, je te sors de la paille justement, celle de la niche où tu serais sans moi.

Béatrice voulut enfin faire l'emplette d'une paire de boutons de manchettes. Indispensables pour les poignets mousquetaire ! Elle suggéra une version aperçue place Vendôme, un modèle à double anneau en or, où l'on glisse des bâtonnets interchangeables en pierres précieuses. La malachite pour la journée, le lapis-lazuli pour les dîners, l'onyx pour les soupers. Henri se rebella. Il existait des modèles bon marché en passementerie, disponibles dans les grands magasins. Inutile de flamber encore chez les bijoutiers. Terminées les dépenses !

Béatrice haussa les épaules.

— On ne parle jamais d'argent, lui dit-elle, c'est vulgaire et c'est bourgeois.

Mordre, mordre et mordre encore ?!

Un irréfragable rituel, dès lors, s'instaura au quotidien. Comme si leur intimité se jouait sur une scène, mieux, une cérémonie religieuse devant un autel. Chaque matin, Béatrice étalait soigneusement sur le lit la panoplie vestimentaire du jour, comme les morceaux d'un puzzle. Elle recherchait l'harmonie parfaite. La tonalité des raies de chemise devait correspondre avec les rayures de la cravate. Il fallait que la teinte du costume s'assortisse avec les nuances de la pochette. Tout un art auquel elle s'adonnait avec un soin de costumière de théâtre. Touche indispensable du cérémonial vestimentaire, Béatrice insérait avec un doigté d'arpette les baleines dans la cavité oblongue ménagée sous le col de la chemise. Elle y tenait mordicus, aux baleines, sinon le col perdait de sa rigidité amidonnée et godait. L'élégance résidait donc dans ce bâtonnet en plastique plat, aux extrémités biseautées, qui conférait leur impériale raideur aux angles de cols. Le jour suivant elle ramena de chez le bottier des richelieux cousus main, avec des empeignes estampées d'un semis de perforations en lambrequin. Henri dut admettre que ces nouvelles chaussures, au cuir souple et à la semelle fine, lui procuraient un bien-être pédestre insoupçonné.

Dans sa nouvelle tenue, Henri n'était qu'un polichinelle façonné selon l'humeur d'une fantasque déité. Les efforts de Béatrice avaient cependant du bon. Henri eut meilleure allure et l'attitude de son entourage évolua : on lui souriait davantage, la déférence distante qu'il suscitait se mua en sympathie. On le complimenta sur sa belle allure. On lui donna plus que jamais du « maître ». Henri se sentit plus imposant en public, mieux dans sa peau, comme on dit. Béatrice devait avoir raison : l'habit faisait le moine. Henri n'était pas si mécontent de sa nouvelle mise. Il remercia Béatrice. Mordre ? Non, pas encore.

Béatrice jubilait. Henri était son souffre-douleur, sa propriété. Elle en devenait « accro » comme on dit. Aussi se félicitait-elle de ses infirmités : Henri était sa chose, empêtrée au milieu d'une toile d'araignée dont elle resserrait chaque jour les fils. Humilier, agacer son Médor, à petites doses, mais régulières, s'avéra pour elle une drogue douce. Le spectacle navrant du calvaire d'Henri devint une vraie délectation. Elle l'aimait, son Henri, finalement. Comme une poupée qu'on martyrise au quotidien. Dans ce théâtre intime, Henri faisait le chien, Béatrice, le garde-chiourme.

Elle s'en donna aussi à cœur joie avec la toilette matinale. Ce n'était pas une mince affaire que d'éradiquer les mauvaises odeurs. Béatrice devait donner de la voix pour qu'Henri demeure immobile. Surtout lorsqu'elle lui extrayait au réveil les caroncules lacrymales qui se logeaient au coin de ses paupières. Elle était aussi obligée de l'étriller. Le pelage s'épaississait. Les poils formaient des nodosités, développaient des sécrétions, se collaient en amas poisseux. Béatrice consulta un vétérinaire. Il diagnostiqua un eczéma allergique, provenant des acariens enfouis dans la moquette. Il prescrivit une poudre désinfectante ainsi qu'un assortiment de vitamines.

Béatrice dut se procurer un arsenal de brosses, de peignes, de ciseaux. Elle commençait le cérémonial par une friction afin d'ébouriffer les poils. Puis, elle les désinfectait à l'alcool camphré. Elle lui palpait les zones pubescentes avec la dextérité autoritaire d'un médecin militaire. Elle éprouvait la texture duveteuse des poils entre son pouce et l'index comme un expert évalue la trame d'un kilim. Ensuite, elle peignait méticuleusement les poils. Elle démêlait les nœuds de la patte, puis continuait par ceux des oreilles, et terminait par l'échine et le thorax. L'opération pénible était l'épilation. Il fallait arracher les poils morts qui étouffaient les pousses vivaces et provoquaient des fongosités caséeuses. À chaque coup d'étrille, c'était pour Henri un écorchement. Henri grognait, geignait, grimaçait. Béatrice manifestait son agacement : une mornifle sur la nuque doublée d'un « pas bouger Médor » faisait taire la bête rétive. Béatrice avait songé à passer la toison d'Henri à la tondeuse. Solution radicale, évitant tout entretien, et qui empêchait la sudation. Mais elle y renonça : c'était vraiment dommage de se priver des plaisirs de l'épilation manuelle. Il fallait ensuite bander la patte. À chaque tour, elle marquait un temps d'arrêt. Pour l'oreille, elle remplaça le coton-tige par un écouvillon, plus rigide et maniable. Puis elle pulvérisait le corps d'Henri d'un spray déodorant. Techniquement, les soins de Béatrice étaient irréprochables. Elle avait la fibre médicale. Henri était mortifié.

Après une journée de bureau, un fumet de chenil émanait de nouveau d'Henri, et Béatrice en était indisposée. Aussi prit-elle une mesure hygiénique d'envergure : dorénavant elle le shampouinerait à grands jets brûlants dans la baignoire. Henri avait toujours détesté se laver et ce fut tous les soirs les mêmes échauffourées. Béatrice s'était procuré un arsenal de shampoings aux huiles essentielles, de boules odorantes, d'huiles mentholées. Elle faisait couler un bain avec des icebergs de mousse. Henri y avait opposé dès le premier soir une farouche réticence. Il se planquait dans le cagibi à balais. Mais Béatrice finissait toujours par le dénicher. Afin de lui faire peur, elle s'armait d'une brosse à long manche qu'elle tapotait contre la paume de sa main avec un regard menaçant de sergent-major.

— MOUMOUSSE, MÉDOR, proférait-elle d'une voix qui ne souffrait aucune désobéissance.

Henri, débusqué, marchait à reculons en direction de la salle de bains, la tête de la brosse pointée sur son front. Coincé de dos contre le rebord de la baignoire, les bras levés comme un suspect à la fouille, il n'avait d'autre choix que de s'exécuter. Après avoir maugréé pour la forme, il se glissait nu dans le bouillonnement sonore. Une fois immergés, ses poils en apesanteur ondulaient comme des laminaires. Béatrice, à l'aide de sa brosse à crins doux, lui malaxait le pelage afin de dégraisser le poil. Henri s'habitua à la sensation de chaleur odorante que dégageait le liquide sirupeux où flottaient de grésillants cumulo-nimbus. Chaque soir, il opposait une résistance opiniâtre. Mais Béatrice avait toujours le dessus. Henri ne détestait pas complètement être houspillé par Béatrice. Il se résigna progressivement au rituel du décrassage que Béatrice menait avec l'énergie d'une mère supérieure. Il ne détestait pas son statut d'animal brimé. Une cérémonie expiatoire se poursuivit au quotidien.

Un soir, Henri perdit la boule. Comme ça ! D'un coup ! Était-ce pour se venger des mortifications subies ? Toujours est-il qu'il sauta dans la baignoire avec un « splatch » éclaboussant. Les murs dégoulinèrent et une nappe aquatique au sol fit miroir. Henri frappa de la main l'eau du bain dans une euphorie de garnement. Béatrice le talocha violemment.

Parfois, Béatrice le laissait mariner dans la baignoire afin que les astringents qu'elle diluait dans l'eau s'insinuent dans les poils, recueillant les impuretés qui obstruaient les pores et les follicules. Elle le rinçait avec la douche et l'enveloppait pour finir dans des serviettes ouatées. Henri poursuivait son rôle de chouchouté récalcitrant. Béatrice, elle, ne s'en complaisait pas moins dans celui de sadique virago. Une fois, elle se mit réellement en pétard. Henri s'était ébroué à la sortie du bain avec une fougue animale, il ne l'avait pas fait exprès. Ç'avait été plus fort que lui : un réflexe de bête. À force de jouer au chien, Henri se croyait sincèrement chien.

Pour achever le tout, Béatrice essorait, serviette à la main, les poils gorgés d'eau. Elle terminait le toilettage par un brushing au séchoir. Les poils prenaient une consistance légère, fine, duveteuse.

Cependant, à la longue, le shampoing aux huiles essentielles perdit en efficacité. Les nodosités suintantes s'incrustaient à la racine des poils malgré les astringents. La toison d'Henri dégénérait en sanie purulente. Des croûtes glaireuses s'agrippaient aux pores de sa peau et des sécrétions eczémateuses tavelèrent le pelage. Béatrice, affolée, téléphona au vétérinaire.

— On ne décrasse pas un animal avec de simples produits de parfumerie, chère madame !

Le vétérinaire lui conseilla le *Décras'poil*, produit unanimement recommandé par les paysans pour son efficacité dans le récurage prophylactique des bovidés. Béatrice fit provision d'une bonne cargaison de flacons que lui expédia le vétérinaire. Elle en aspergea Henri dans la baignoire sans lésiner. Dès le premier jet, il s'aperçut du changement et il en fut désagréablement surpris. Car le nouveau nettoyant, outre son aspect visqueux, dégageait d'irritants effluves ammoniaqués. Sur la peau, le gel produisait une sensation de froid gluante et corrosive. Henri en eut la chair de poule. Il s'empara d'autorité de la bouteille plastifiée et jeta un œil sur l'étiquette. Pas d'équivoque possible, c'était marqué liséré rouge sur fond blanc : « Danger ! Produit à usage exclusif des bovidés eczémateux. »

— Mais c'est un produit pour les vaches ! Je ne suis pas un bovidé.

— Le vétérinaire m'a certifié qu'on peut l'appliquer aux chiens. Ne sois pas formaliste, vache, chien ou notaire, la crasse ne fait pas la différence.

Henri se mit brutalement debout, prêt à mordre. L'eau dégoulinait en cascatelles. Les poils mouillés collaient à sa peau. Sa silhouette prit une allure d'écorché, laissant saillir le squelette. C'en était trop, il fallait mordre.

— Assis, Médor, fit Béatrice d'une voix tonitruante.

Mordre ? Ne pas mordre ? Mordre ? Ne pas mordre ? Mordre ? Ne pas mordre ? Henri resta à cette dernière solution et se rassit au fond de la baignoire. Béatrice vida ensuite l'eau du bain, actionna le robinet de la douche et l'aspergea. Le *Décras'poil* se mit à mousser. Béatrice brossa vigoureusement la toison. Henri prit des allures de bonhomme de neige. Puis elle rinça, méticuleusement. Du liquide poisseux s'écoulait le long de l'émail, laissant des traînées noirâtres. Béatrice malaxa dans ses mains la toison d'Henri, touffe par touffe, afin de les essorer. Partout, des jets d'eau dégoulinaient. Puis elle le passa de la tête aux pieds au séchoir avant de l'emmitoufler dans un peignoir molletonné. La toison prit du volume et s'éclaira d'une luminosité mordorée. Le *Décraspoil* faisait merveille.

Béatrice lui préparait aussi chaque soir un potage de légumes avec de la purée et de la viande hachée. Après le dîner, elle lançait ensuite haut et fort un « COU-COUCHE, MÉDOR » qui sonnait comme une sirène de caserne. Henri passait un pyjama amidonné sentant la lavande. Il sombrait avant que la lumière ne fût éteinte dans un sommeil apaisé et fluide.

Mais la faim le réveillait au milieu de la nuit, une faim terrible, c'était l'envie de dévorer Béatrice qui le taraudait. C'était bizarre, d'ailleurs, comme sensation : vouloir découper Béatrice morceau par morceau et l'ingurgiter. Il ne pouvait s'empêcher d'aspirer d'abord son parfum, d'humer sa saveur, de téter les mamelons et le clitoris en poussant des grognements de satisfaction. Il n'hésitait pas à la renifler le long du corps lorsqu'elle sommeillait, en prélude à l'absorption finale. Sa truffe accomplissait une odyssée jalonnée de dômes rebondis, de plaines caoutchouteuses, de saillies osseuses, faisant escale là où les exhalaisons étaient les plus éruptives. Il découvrait une Béatrice parcourue de senteurs qui le mettait en appétit, une gamme complète, des plus âcres aux plus suaves. Certains points dégageaient un remugle neutre, d'autres exhalaient des parfums enivrants, comme les régions pelviennes, les zones de l'aine ou le sillon anal. Henri aimait aspirer la moiteur, car elle dégageait comme une promesse de bonheur gastronomique.

Béatrice se soumit avec terreur à ce repérage olfactif. Être reniflée l'indisposait. Mais elle redoutait le pire : les morsures. Car Henri ne put s'empêcher par la suite de se livrer à des coups de crocs intempestifs, bavant des jets de salive, aboyant et grognant de plus en plus fort avec la montée du désir. Béatrice fut vite écœurée. Les morsures d'Henri s'orientaient vers la vulve : Henri accédait aux lèvres pubiennes, mâchonnant les zones érogènes avec l'avidité d'un mammifère en rut.

— Doucement, le chien, répétait Béatrice, lorsque les coups de dents s'avéraient trop incisifs. Tu n'as pas honte ?

Elle ne voulait pas trop énerver Henri de peur de se faire avaler crue.

— Honte de quoi ? Mordre est mon plaisir, ma jouissance, mon Graal.

— Moi, ça ne me plaît pas, ces manières.

Henri était gêné. Il songea à s'excuser. L'appétit le submergea, plus fort que lui.

— Je suis un animal cannibale, bouffeur de femme, et là tu es entre mes crocs, tu es ma prisonnière, supporte mes morsures, sinon je t'avale pour de bon.

Béatrice fut prise de panique. Elle se fâcha. Quoi ? Elle faisait la nurse, matin et soir, et voilà qu'on menaçait de la dévorer !

— Non mais, j'ai bien entendu ? Tu veux me croquer vivante ? Depuis quand les chiens avalent-ils leurs maîtres ? C'est le monde à l'envers ! hurla-t-elle.

— Tu es ma femme. Tu as accepté de vivre avec moi, oui ou non ? Tu me dois obéissance et soumission. Tu dois accepter de saigner, rien de grave, des éraflures. C'est tout. Ce n'est pas un grand sacrifice.

— Pas question que je me fasse découper. Je t'autorise à me renifler, pas à mordre.

— C'est parce que je suis un chien que je te dégoûte ? riposta Henri en colère. Allons, dis-le que je te dégoûte ! Et si je te dégoûte, pourquoi restes-tu avec moi ? Parle !

Henri se fit menaçant. Il était prêt à bondir. Béatrice prit peur.

— Je n'aime pas me faire mordre. Voilà tout.

Béatrice se racla la gorge. Puis elle poursuivit d'une voix étranglée :

— Tout ce qui touche à la chair me révulse. Ce n'est pas parce que tu es un chien que je me refuse à tes coups de dents. Sois-en assuré. Je n'aime pas les contacts charnels, avec personne, pas même avec les humains. En tant que gynéco, j'ai une relation exclusivement médicale avec le sexe.

Henri acquiesça. Cette explication lui ménageait une issue honorable : il n'était donc pas la bête repoussante que le dégoût de Béatrice laissait supposer. Béatrice était peut-être une femme chaste. Il était sacrilège de dévorer sa bienfaitrice.

Henri mit un terme à ses ardeurs cannibales. Ce fut un effort pénible que de ravaler sa langue et de s'interdire chaque nuit le moindre coup de dents. Il était autorisé à se lover au creux des hanches de Béatrice. Rien de plus ! C'était encore un privilège. Henri adorait éprouver la douceur caoutchouteuse de son ventre rebondi et écouter le chant de ses borborygmes. Lorsqu'il ouvrait la gueule et montrait les crocs, il recevait une gifle violente d'avertissement. Henri demandait toujours pardon à Béatrice. Elle songea pourtant à acheter une muselière.

Heureusement, il y avait le kouglof que Béatrice lui servait au réveil ! Une merveille, ce kouglof ! Henri en flairait le parfum du fond de ses draps. La gloutonnerie l'arrachait à son sommeil. Béatrice avait le chic pour préparer le petit déjeuner. Elle arrangeait les pièces d'argenterie sur un plateau à anses, garni d'un napperon en fine dentelle de Bruges et de serviettes brodées. Une cafetière en argent trônait au-dessus de deux tasses en porcelaine. Une corbeille pleine de toasts grillés, ainsi que des verres remplis de jus de pamplemousse, des pots de confiture aux airelles, des coupelles pour le beurre, un sucrier avec une pince : un arsenal qui évo-

quait le luxe des palaces. Le kouglof à la cannelle surplombait le plateau avec la majesté d'un temple khmer.
Une brioche caramélisée, lardée de raisins séchés, dégageant un parfum de miel et d'amande chaude. Henri
bondissait sur le gâteau la gueule béante et l'engloutis-
sait sauvagement. Malgré les corrections qu'elle lui
infligeait, Henri ne pouvait calmer sa voracité. Chaque
matin, c'était le même désastre et Béatrice devait donner
de la voix pour refréner l'appétit de son chien. Béatrice
s'efforçait de prévenir le carnage en bloquant de sa
main la tête d'Henri avant que la gueule n'atteigne sa
cible. Et là commençait le fastidieux travail de dressage. Rien ne la révulsait tant que le spectacle de son
chien bâfrant.

— Couteau, Médor, lui serinait-elle.

— Quoi, couteau ?

— Tu dois d'abord découper le kouglof en tranches
avec le couteau !

Henri devait s'exécuter, mais il manquait d'adresse.
Il appuyait verticalement de toutes ses forces sur la
lame, et le kouglof s'affaissait, se disloquait. Béatrice
lui assenait alors une tape sur la main.

— Médor, tu dois faire glisser la lame horizontale-
ment, et non appuyer comme une brute.

— Si je n'appuie pas, c'est tout le gâteau qui val-
dingue.

— Bloque le morceau avec ta patte. Tu peux l'uti-
liser, ta patte. Ça peut être pratique, si on sait s'en
servir, une patte ! Et avec ta main droite, tu fais glisser
délicatement la lame.

Henri persista dans sa maladresse. Ses gestes étaient
saccadés et impatients. Chaque mouvement éventrait
davantage le gâteau. Il fut établi que Béatrice procéde-
rait seule au découpage. Béatrice montrait un talent raf-

finé dans la confection des tranches fines qu'elle disposait en éventail dans une soucoupe à part.

Elle dut ensuite se battre pour qu'Henri renonce à tremper sa tranche directement dans le pot de confiture pour la ressortir gluante avant de l'ingurgiter. Le cérémonial préconisé était précis comme une partition d'orchestre : d'abord il fallait découper des noix de beurre et les déposer sur une coupelle. Puis prélever une portion de confiture et la déposer à côté de la motte de beurre. Ensuite seulement, il était autorisé d'enduire en toute liberté sa tranche de confiture et de beurre.

Mais ce n'était pas tout. Henri ne faisait qu'une bouchée de sa tranche, qu'il déglutissait avec force mouvements de glotte.

— Doucement, Médor, on ne va pas te la voler, ta tranche ! Tu te comportes comme un chien. Ça va te jouer des tours en public !

Henri absorbait directement les miettes restantes dans l'assiette. Sa langue était devenue agile dans l'absorption des liquides. C'était son impression.

— Ravale donc cette langue, tu me dégoûtes !

Henri, énervé par les perpétuelles remontrances de Béatrice, souffla brusquement sur sa tasse, pour refroidir le liquide, déclenchant ainsi des aspersions noirâtres sur les draps blancs. Béatrice se mit en colère. Henri ricanait. Béatrice voulut éradiquer ce réflexe.

— Cuiller, Médor, prononça-t-elle avec une exaspération contenue.

— Quoi, cuiller Médor ? (Mordre, mordre, mordre, pas tout de suite, un de ces jours, mais alors vraiment mordre très fort !)

— Fais tourner le café pour le faire refroidir, et ne souffle pas dessus.

Henri se plia une fois de plus aux exigences de Béatrice et remua le liquide en faisant cliqueter ostensiblement sa cuiller.

— Non, Médor, on ne cogne pas bruyamment sa cuiller contre la porcelaine.

— Tu veux que je tourne, alors je tourne !

— Oui, mais avec délicatesse.

Henri fit de son mieux. Il avait néanmoins envie de tout balancer. Béatrice lui infligeait ce cérémonial pour la délectation de le mater. Plus son chien devenait bestial, plus elle en rajoutait sur l'étiquette.

Henri, de son côté, montrait de plus en plus de sauvagerie. Il avait pris le pli, à chaque repas, d'ingurgiter les aliments le mufle à quelques centimètres de l'assiette. Et ce travers avait empiré. Il était conscient de la rudesse primitive de ses manières. Depuis qu'il prenait vraiment au sérieux son rôle de chien, une faim vorace le taraudait sans cesse. Dans les restaurants, il devait se faire violence pour ne pas bondir sur le cuissot de gigot rissolant de graisse, que le maître d'hôtel découpait avec un zèle exaspérant, et ne pas planter ses crocs dans la chair cuivrée. Béatrice voulut remédier énergiquement à cette dérive gloutonne à coups de réprimandes incessantes lors des dîners en ville.

— Médor, commençait-elle.

— Quoi, Médor ? Ne m'appelle pas Médor en public, maugréait-il entre les dents. Je suis maître Noguerre.

— Tant que tu feras le goinfre en public, je t'appellerai Médor en public, poursuivait Béatrice à tue-tête.

— La ferme !

— Non mais regarde-toi ! Avec ta tête encaquée dans les épaules, et ta gueule en rase-mottes sur le plat. Redresse-toi. Ce n'est pas la bouche qui descend à la fourchette, mais la fourchette qui s'élève jusqu'à la bouche !

Henri exécutait les consignes avec l'abnégation d'un primitif qu'un Jésuite oblige à des rituels religieux qu'il récuse. Les efforts de dressage, sans cesse réitérés, ne furent tout de même pas sans effet. Lorsque Henri déjeunait à midi avec des hôtes de marque, les injonctions de Béatrice résonnaient comme un écho intérieur. Il relevait alors le buste, comme aimanté par le dosseret de sa chaise, s'obligeait à des gestes au ralenti, respectait toujours un temps de mastication avant de déglutir. Henri s'approchait de la civilisation à pas lents.

Un matin, Béatrice perdit cependant patience. Elle en eut assez des incurables foucades d'Henri. Du coup, elle décida de lui servir sa part de kouglof dans la cuisine, à même le carrelage. Henri lapa son petit déjeuner à quatre pattes. Il était ravi. Personne ne lui reprochait d'en répandre partout autour de l'assiette et d'émettre des râles de gloutonnerie. Béatrice se félicita de cette solution. Un simple coup de serpillière et les dégâts étaient effacés. Henri se permettait toutes les fantaisies : il léchait les miettes éparpillées et absorbait bruyamment les nappes de café au lait répandues sur le sol. Le petit déjeuner devint son moment salutaire de défoulement.

Toute bête sauvage qu'il se montrait devant Béatrice, Henri n'en était pas moins professionnellement au faîte de sa réussite. Au bureau, il se maîtrisait sans difficulté. Sa tête de notaire fonctionnait comme un moteur de Rolls-Royce. Il était intraitable face à la concurrence. Il devint le notaire obligé des grandes transactions immobilières. On lui trouvait des défauts, bien sûr, une certaine raideur, une allure docte et un ton cassant. Mais il inspirait de la crainte. Nul ne lui contestait son opiniâtreté dans l'effort et surtout son mordant en affaires. Henri aurait aimé faire état de ses succès auprès de Béatrice. Mais elle n'en avait cure. Pour elle, Médor était Médor. Elle l'avait aimé au début, un peu par pitié, un peu par intérêt, un peu par habitude. Pour elle, il n'était qu'un chien !

4

Quand une queue argentée fit son apparition, en prolongement de la colonne vertébrale, une queue splendide mais encombrante, Béatrice fut prise de panique. Le jeu prenait une tournure exagérée. Il fallait s'arrêter là. Mais comment ? Impossible de faire marche arrière maintenant. D'autant qu'elle était venue par surprise, cette queue, comme ça, un matin, sans prévenir, un peu avant Noël. Pour une queue, c'était une très belle queue, un modèle de queue pour chien de luxe, idéale pour défiler devant les boutiques de Saint-Moritz. Une queue bien fournie, souple et ample, qui plongeait du sacrum vers le sol pour se relever ensuite en une courbe nerveuse, ascendante, majestueuse comme une rame de sapin enneigée. Une queue racée, onctueuse, une queue de golden retriever, une queue aux normes, comme on en rêve sans doute pour les chiens de concours, mais une queue animale tout de même.

Béatrice ne voulut pas y croire. Les événements se précipitaient, hors contrôle. Il fallait encore qu'Henri travaille pour gagner de l'argent. Elle mit sa main devant les yeux et poussa un grand soupir. Elle commençait vraiment à en avoir marre, de cette métamorphose à étapes.

— Médor, on est dans le pétrin. Une queue, comme ça, si vite, tu te rends compte ? Où va-t-on la caser, cette queue ? Ce n'était pas prévu au programme, une queue pareille ! Il faut que tu arrêtes de jouer au chien. Ça tourne mal, notre histoire.

— Je crois que je suis allé un peu trop loin. Je ne peux plus faire marche arrière. J'arrête de travailler. Tant pis pour le notariat. Ce n'est pas si grave.

— Mais si, c'est grave. Tu ne vas pas te convertir en chien, tout de même ! À cause de ta maudite queue, nous sommes sans le sou. J'ai besoin de fric pour vivre. Il n'y a qu'une solution : la sectionner.

— Ah non, j'y tiens, moi, à cette queue. Esthétiquement c'est une belle queue.

— Et pour aller au bureau, comment vas-tu faire ?

— Je n'irai plus au bureau, un point c'est tout. J'en ai marre des affaires. Je vais vivre en chien finalement ; et les chiens, ça reste à la maison, peinards.

— Mais c'est hors de question ! Tu vas bosser, mon petit Médor, et dur. Il faut que tu gagnes du fric. Tu ne peux pas t'arrêter si vite.

— Bosser, soit, je veux bien, mais bosser avec ma queue. Il suffit de ménager un orifice dans le pantalon. Au bureau, on laissera pointer la queue à l'air libre, répliqua Henri, avec un ton ironique qui exaspérait Béatrice.

— Parce que tu crois qu'on va te prendre au sérieux avec une queue au derrière ? Un notaire à patte, passe encore, mais à queue, impossible ! C'est navrant, mais on n'y peut rien. Il faut sectionner cette queue. Je te trouve grotesque avec ta queue.

Béatrice fut prise d'un rire nerveux devant l'inconséquence soudaine d'Henri.

— Non, je garde ma queue.

Henri se mit à aboyer pour confirmer son point de vue. Il aboyait un peu faux. Ce n'était pas un chien très mélomane. Béatrice, abattue, poursuivit son idée.

— Médor, tu dois rester notaire et ne plus aboyer. Et surtout travailler. Pas question que je débourse un centime pour t'entretenir. Je n'ai pas d'argent.

— Nous avons signé un contrat. Tu t'occupes de moi et en contrepartie, tu bénéficies des revenus de mon capital investi dans l'étude.

— Oui, mais si tu ne travailles plus, ton capital ne nous rapporte rien. Tu n'as pas encore remboursé l'emprunt que tu as contracté pour l'achat de tes parts d'étude. J'ai emménagé publiquement avec un notaire besogneux, et non avec un chien paresseux. Alors, écoute-moi : à la maison, tu fais le chien si tu veux, mais dehors, tu fais le notaire, sinon, je me fâche.

— Je vois qu'on s'est renseigné derrière mon dos.

— J'ai eu accès à tes comptes. Il te reste dix ans d'emprunts à rembourser. Les revenus du capital, c'est aujourd'hui zéro. Si tu t'arrêtes de travailler, c'est la dèche.

Elle se mit en colère. Ses nerfs lâchaient.

— Financièrement, tu n'as pas les moyens de vivre en chien. Pour vivre en chien, il faut être riche, pouvoir se payer une maîtresse qui s'occupe de vous tous les jours. Et pour ce qui me concerne, c'est hors de question de m'occuper d'un chien gigolo. Travaille, gagne de quoi nous faire vivre plus tard tous les deux, et ensuite tu pourras choisir. Compris ?

Béatrice décrocha le combiné et composa nerveusement le numéro.

— Qui appelles-tu ? demanda Henri.

— Le professeur Algis.

— Pour quoi faire ?

— Pour qu'il t'opère, imbécile. La queue, on la coupe.

Algis, par miracle, répondit au téléphone. Il revenait tout juste de New York. Béatrice insista sur l'urgence de la situation. Rendez-vous fut pris pour le lendemain, à la première heure, avant que le professeur n'opère dans son service de neurochirurgie de l'hôpital Saint-Antoine.

Ce matin-là, Béatrice habilla Henri en hâte. La queue ne cessait de s'agiter. Elle la scotcha dans le dos, sous la chemise. Ce dispositif était désagréable pour Henri, comme si un insidieux hamster lui grignotait furtivement les omoplates. Henri rouspéta. Il préférait la solution de l'orifice dans le pantalon, avec la queue à l'air libre.

Ils furent reçus sans délai dans le vaste bureau qu'occupait le professeur à Saint-Antoine. Le professeur affichait la cinquantaine sportive et la bienveillance affable du scientifique éminent. Algis était une référence médicale grâce à des greffes réussies sur des accidentés. Sa spécialité, c'étaient les doigts. Il savait recoudre ensemble des phalanges d'une même main, retrouvées éparpillées sur le bord de la route. Le professeur avait également une réputation établie en matière de neurochirurgie. Il excellait dans la trépanation. Extraire des tumeurs, modifier des branchements nerveux, triturer des neurones, autant de prouesses répertoriées. Algis était l'homme de la situation. Couper la queue d'Henri ne devait pas poser de problème.

Henri serra la main du professeur assez solennellement. Il tenait encore à sa dignité. Il se présenta d'emblée en déclamant haut ses titres : Me Noguerre, notaire, de l'étude Noguerre et Blanchet, rue du Faubourg-Saint-Honoré. Mais Béatrice coupa court :

— Médor, à poil, et montre ta queue au professeur.

Béatrice déroula tous les pansements d'Henri. Sa bestialité ne faisait aucun doute. Le professeur ne sembla pas surpris outre mesure. Henri en fut étonné. Était-il un cas somme toute banal ? Le professeur ausculta Henri attentivement. Il palpa le thorax, soupesa la patte, examina la queue.

— Belle bête, déclara-t-il avec un ton satisfait. En parfaite santé ! Tout est normal ! Où est le problème ? Éprouvez-vous des douleurs, des tiraillements par endroits, un lumbago ?

Henri fit non de la tête.

— Tout va bien alors ! Bientôt, c'est un vétérinaire qu'il faudra consulter, ajouta le professeur d'un ton nosographique. Je passe le relais.

— Ah non, docteur ! répliqua Béatrice. Il faut opérer, professeur. Enlever au moins la queue, insista-t-elle, haletante. Ce n'est pas compliqué, pour vous, l'ablation d'une queue à un notaire ! Un coup de scalpel et le tour est joué.

— Impossible, chère madame !

— Comment ça, impossible ? Je ne vous demande pas d'intervenir sur la patte, ni sur l'oreille, mais simplement de sectionner la queue pour que Mᵉ Noguerre puisse se rendre au bureau normalement.

— L'intervention n'interromprait nullement le processus. Vous n'avez pas remarqué le nez. Ce n'est plus un nez, mais une truffe.

Le professeur tapota le museau d'Henri.

— Vous connaissez l'adage ! Truffe fraîche, chien bien portant. Votre mari est un artiste. Il crée un corps de chien. Avec ses propres cellules. Mais un chien grand format. Très beau. Il a du talent. Vous êtes bien tombée. Je connais des femmes qui ont épousé un soir une carrure de rugbyman et qui se sont retrouvées au matin avec un basset artésien complètement raté. N'est pas artiste qui veut.

— Vous concluez trop vite, professeur, protesta Béatrice. Mᵉ Noguerre a encore toute sa tête. Le cerveau de Mᵉ Noguerre, professeur, c'est un cerveau de notaire. Et il fonctionne encore très bien. N'est-ce pas qu'il fonctionne encore, Henri ? Dis-lui, Henri, au professeur, que le cerveau notarial est toujours en état de marche dans sa voûte crânienne. J'exige qu'on garde la tête et ensuite qu'on coupe la queue.

— Cela ne servirait à rien de couper la queue, rétorqua Algis. Le corps de votre mari est un corps en état d'éternelle reconfiguration. Sous l'humain, il y a de la bête, et sous la bête de l'humain, et sous la bête encore de l'humain, et sous l'humain encore de la bête, ainsi de suite. Tantôt, c'est l'humain qui fait surface, tantôt la bête. L'homme revient après la bête et la bête après l'homme. C'est l'Histoire qui le veut. Conclusion : votre mari va s'installer provisoirement dans un corps de chien. Mais rassurez-vous, socialement, un notaire, ça reste un notaire. Il reprendra bientôt un corps de notaire à fesses plates et à ventre mou. Couper aujourd'hui la queue ne changera rien à l'affaire. Et puis, c'est une vraie richesse que d'être un composé de créatures alternatives. L'hybridité est l'avenir des espèces.

Henri opina du chef pour confirmer le point de vue du médecin. Pas question qu'on change un iota de sa morphologie. Il était de surcroît ravi de faire échouer le plan de Béatrice.

À moitié convaincue par le diagnostic d'Algis, Béatrice aida Henri à se rhabiller, renoua ses bandages et fixa la queue à grand renfort de rouleau adhésif. Qu'Henri s'amusât à se sculpter dans la chair un corps animal ne faisait pas son affaire. Elle se mit à le haïr. Il allait devenir un boulet. Et pour combien de temps ? Henri, de son côté, était soulagé : l'opération était annulée. L'idée de l'amputation l'épouvantait. Il tenait à sa queue. Un chef-d'œuvre !

Béatrice se sentait donc flouée. Elle s'était mise en ménage avec un notaire et voilà qu'elle côtoyait une créature à morphologie cyclique. Elle en pleurait de colère. Elle risquait de perdre la face. Elle avait rêvé de partis prestigieux, ducs, héritiers, ou aventuriers avec magots planqués dans des paradis fiscaux, et voilà qu'elle se retrouvait garde-malade d'une créature à l'enveloppe fluctuante. Elle appela en catimini l'associé d'Henri. Elle fit part de ses inquiétudes sur l'assiduité au bureau de Mᵉ Noguerre. Œuvrait-il toujours avec autant d'acharnement ? Le surmenage n'allait-il pas l'achever ? Mᵉ Blanchet la réconforta.

— Maître Noguerre, une bête de travail ! Mais un chef-d'œuvre notarial aussi ! Il s'habille en gentleman. Et surtout il embaume chaque jour davantage. Une merveille. La crème du notariat.

Du coup, Béatrice reprit espoir. Finalement, pas de quoi paniquer. Elle confectionna un subtil système d'attaches pour remédier à l'incommodité de la queue ballante. Plutôt que de la scotcher le long du sillon vertébral, elle installa un jeu de bandes scapulaires qui retenait la courbe pileuse en bandoulière. Grâce à ce dispositif, Henri pouvait agiter sa queue sans que cela fût visible. Assis, il redressait le buste et rapprochait ses omoplates afin de ménager une cavité pour la queue toujours frétillante. En réunion de travail, il lui suffisait de ne pas s'appuyer sur le dossier du fauteuil, et personne ne remarquait le remue-ménage sous la veste. Cette liberté de gesticulation fut un soulagement. Évidemment, lorsqu'il était debout, il devait empêcher sa queue de s'activer sous l'empire des émotions. Le mieux était de marcher toujours le dos tourné contre un mur. Ce qu'il fit. Cela parut bizarre au début. Mᵉ Noguerre évolua en crabe dans les couloirs de l'étude, les épaules collées aux parois. Et puis, on cessa de faire attention à cette démarche insolite. Le camouflage de Béatrice fut une réussite. Les collaborateurs n'y virent goutte. Henri avait adopté le port altier du golden retriever aux aguets. L'animalité lui donnait du tonus, du mordant, les crocs, comme on dit. Henri y tenait, à sa queue. C'était sa force.

Le professeur Algis, tout professeur qu'il était, ne s'était-il pas indûment avancé ? C'était la conviction de Béatrice. Il y avait peut-être encore moyen de maintenir Henri un bon moment au travail. Il fallait ralentir le cycle, et pourquoi pas, l'inverser, et tout de suite. Henri portait vraiment beau dans ses prestations publiques. Elle était d'ailleurs tombée sur un magazine où figuraient des articles concernant une affaire immobilière qu'Henri venait de conclure. En photo, on voyait l'édifice achevé, un polyèdre de verre bleuté agrémenté de verdure. Henri posait devant. En public, il avait plus que jamais un vrai look de notaire, avec ses airs infatués et ses costumes moirés. Béatrice en profita pour prélever davantage d'argent sur les revenus d'Henri. Du coup, elle dépensa avec ivresse. Lorsque Henri rouspétait face aux amputations financières qui obéraient ses comptes, la réponse de Béatrice était la même :

— Travaille !

— ... Mordre ?

5

Un soir, après qu'elle eut toiletté Henri pour la nuit, Béatrice enfila une jupe courte, qui laissait voir la crête dentelée de ses bas et la petite mosaïque de chair qui se gonflait délicatement sous la résille. Béatrice arborait souvent des collants qui fuselaient le galbe de ses jambes. Ce soir, sa tenue était l'habile faire-valoir de sa nudité. Une guêpière serrée à la taille épanouissait sa poitrine. Elle prenait des airs canaille en défilant devant le miroir. Elle avait souligné d'un liseré mauve le pourtour de ses lèvres, hétaïre, sur le pied de guerre.

— COUCOUCHE, MÉDOR ! proféra-t-elle brusquement.

— Comment ça : coucouche, Médor ? demanda Henri.

— Ce soir, dodo à la niche, et de bonne heure.

— Tu m'abandonnes ? Et puis tu as l'air de quoi dans cet accoutrement ? Avec qui sors-tu ?

— Tu es jaloux ? Un chien jaloux ?

— Je t'interdis de sortir sans moi ! C'est un camouflet que tu m'infliges. Jamais de la vie ! Qui a le culot de t'accompagner ?

— Benzaken.

— Mais je hais ce type. Tu sais très bien que je hais ce type ! Tu veux me trahir. Tu le fais exprès. Tu te le

78

tapes derrière mon dos, tu me fais cocu en public. (Mordre !)

— Quelle importance ? Tu persistes de jour en jour à vouloir t'enfoncer dans un corps de chien. Un chien ne peut pas être jaloux d'un humain. Je ne vais pas m'envoyer une bête tout de même. Je suis déjà bien bonne de m'occuper de toi.

— À la ville, je suis toujours le respecté Me Henri Noguerre, notaire, rue du Faubourg-Saint-Honoré. Tu me dois fidélité et respect. (Mordre !)

— Respecter qui ? Respecter quoi ? Heureusement que je m'occupe de ta patte, de ton oreille, de ton pelage, que je te toilette, que je t'habille. Je ne peux pas vivre en permanence en tête à tête avec un notaire-chien, j'ai droit à des moments de récréation. Sinon, je deviens folle.

Béatrice larmoyait.

— J'en ai marre, Henri, de vivre avec une créature qui se livre à la comédie du retour à l'état bestial. Ce soir, je sors, un point c'est tout. J'ai besoin d'air. De quelqu'un qui m'embrasse sans mettre les crocs. Sans songer à m'écharper la chair.

— Tu préfères les grosses lèvres lippues de ce salaud de Benzaken ?

— Benzaken ne mord pas, lui. Ses lèvres ont une douceur humaine. Il me console de vivre avec un animal.

— Tu lui as dit que j'étais un animal ? (Mordre !)

— J'ai simplement dit qu'à la maison, tu jouais à la bête. Je n'ai pas trop détaillé. J'ai ajouté que tu ne pouvais pas t'empêcher de mordre et que j'en avais marre de saigner après l'amour.

— Mais c'est impardonnable, ce que tu as fait ! hurla Henri. Tu m'as trahi. C'est vrai, je mords, mais cela devait rester un secret entre toi et moi, un secret médical même. Je croyais que nous étions complices d'un jeu qui ne se déroulait qu'entre nous deux.

Henri enrageait. Béatrice venait de jeter en pâture toute leur intimité. Trahison !

— De quoi vais-je avoir l'air maintenant ? hurla Henri. Benzaken va cafter à tout le monde. Maître Noguerre mord ! Oyez, braves gens : maître Noguerre est affublé d'un corps de bête ! Ma réputation est foutue. Tu n'aurais pas dû, non, tu n'aurais pas dû, répéta Henri, prêt à bondir sur Béatrice, la gueule ouverte.

Mordre !

Béatrice se mit en colère. Il fallait impressionner Henri, reprendre le dessus.

— Tu n'as rien à me reprocher, mon petit Médor. Je m'occupe de toi sans défaillir. Que serait le chien Médor sans sa Béatrice ? Certainement pas maître Noguerre ! Alors maintenant, je t'autorise à me dire merci. Tu peux me lécher les mains pour me témoigner ta reconnaissance.

Henri ne savait plus sur quel pied danser. C'est vrai, elle l'avait trahi, et c'était atroce, mais d'un autre côté, sans elle, il serait perdu, et cela risquait d'être encore plus atroce. Henri était dans l'impasse.

— À quelle heure rentres-tu cette nuit ? demanda Henri d'une voix étranglée.

— Quelle importance ! Du moment que je suis là pour ton petit déjeuner. Ciao.

Henri aperçut à travers la baie vitrée une limousine blanche s'immobiliser en double file sur le trottoir d'en face. Dans l'épaisseur de la nuit, il distinguait une silhouette de conducteur. Benzaken ? Au premier coup de klaxon, Béatrice enfila un ciré noir et dévala l'escalier.

Embusqué derrière le rideau, Henri regarda Béatrice s'engouffrer dans la voiture avec une précipitation de call-girl. La portière claqua et la berline démarra dans un vrombissement de grosse cylindrée. Henri fut pris de suffocation : dans son fantasme de chien, la solitude avait un goût de cimetière. Il aurait voulu mordre les rideaux, déchiqueter n'importe quoi qui lui tombe sous la dent, mais il n'en fit rien, c'était Béatrice qu'il voulait mordre.

Du coup, Béatrice enchaîna les raouts avec frénésie. Henri était au supplice. Au bout d'un mois, il piqua un grand coup de gueule.

— Non, vraiment, tu te moques du monde ! Pas une nuit tu n'as dormi à la maison. (Mordre.)

— Est-ce que j'ai cessé de m'occuper de toi pour autant ! Benzaken n'a pas ta chance ! rétorqua-t-elle.

Et c'était vrai ! Côté soin, elle était toujours irréprochable. Un dévouement sans faille. Bandages le matin, toilettage le soir, kouglof au réveil, potage au dîner. Béatrice s'acquittait de ces corvées avec une abnégation de nonne. Henri s'enfonçait davantage dans son corps de bête. Les ongles de la main droite se muaient en griffes opaques. Il fallait les limer deux fois par jour, leur donner une forme aplatie, les enduire de vernis rose.

Le pire était que Béatrice était plus éblouissante que jamais avant ses virées nocturnes. Sa taille s'affina et sa sensualité devint plus provocante. Plusieurs fois par semaine, elle se rendait à un institut pour des séances de gymnastique, de massage et de bronzage. Ses robes avaient raccourci et s'étaient resserrées aux hanches. Elle laissait des ardoises chez les couturiers, qu'Henri finissait par éponger. Béatrice embellissait, pendant qu'Henri se bestialisait.

Béatrice jouait les mystérieuses. Elle ne disait mot des lieux qu'elle fréquentait. Henri l'observait avec une mine de vaincu. Elle exhalait un parfum sucré. Elle n'avait maintenant qu'une hâte : partir, aller ailleurs, se débarrasser d'Henri.

Henri se réveillait plusieurs fois en sursaut la nuit pour constater la place vide à côté de lui. Que faisait-elle de ses nuits ? Le trompait-elle pour de bon ? Avec qui ? Benzaken ou un autre, plusieurs autres ? Cette question l'obsédait.

— Tu t'affiches toujours avec ce Benzaken, n'est-ce-pas ? C'est ça ? C'est lui ton mec ? lui avait-il reproché brutalement.

— Je me tape des êtres humains cent pour cent humains, quoi de plus normal pour une femme appartenant cent pour cent à l'espèce humaine ? répondit sèchement Béatrice.

Mordre bien sûr, mordre encore, mordre pour en finir avec la salope.

Henri ne pouvait effacer de sa mémoire cette vision de Béatrice, s'abandonnant dans les bras d'un inconnu sur un sofa, dans la boîte de nuit. Il y pensait jour et nuit. Tout était parti de là. Henri se dit qu'il fallait en finir avec tout ça. Sauter une bonne fois pour toutes à la gorge de Béatrice ? Trouver le moment propice ? S'il tuait Béatrice dans l'appartement, on accuserait Henri de meurtre, on découvrirait son infirmité. Attendre un moment où ils se trouveraient tous les deux dehors ? Mais à quoi cela l'avancerait-il finalement ? Henri se retrouverait sur le pavé, incapable de remédier à ses infirmités.

Mordre, ne pas mordre, mordre, ne pas mordre, mordre, ne pas mordre, mordre, ne pas mordre ?...

Les jours passaient. Henri épiait chaque soir Béatrice. Avec douleur, une douleur si familière qu'il y était presque attaché. À la tombée de la nuit, il l'observait se parer, ivre de concupiscence et de jalousie. Béatrice se délectait de la détresse d'Henri. Juchée sur ses escarpins, elle se pavanait devant le miroir, ajustant les pressions de son bustier. Elle se regardait tourner sur elle-même, sa robe soulevée en corolle par l'effet centrifuge dénudait ses jambes, puis elle déambulait dans la pièce avec une démarche chaloupée, comme pour un défilé. Béatrice ne portait aucune culotte pour ses sorties nocturnes. Henri lui en avait fait la remarque avec humeur. Ça fait des marques sur la peau, avait-elle répondu sèchement. Béatrice faisait tout pour provoquer la bête.

Henri imaginait des scènes crapuleuses qui l'enfiévraient. Il n'osait lui poser aucune question. Mais chaque soir, il l'observait, le désir montant en lui. Elle jouait les starlettes, peaufinant sa mise en plis, bleuissant ses paupières. Sa carnation s'empourprait délicieusement lorsqu'elle faisait onduler son corps pour enfiler un fourreau étroit. Béatrice provoquait Henri pour son plus grand plaisir. Elle adorait l'énerver. Et ça marchait, bien sûr ! Henri l'imaginait s'adonner à des déhanchements lascifs sous les lumières stroboscopiques. La sueur perlait sur son front et sa chair moite luisait dans les lasers. Elle se livrait à des sabbats dans des bars interlopes. Il fallait qu'il fasse quelque chose. Mordre. Mais où ? Quand ? Qui ?

Un soir Henri explosa. Mordre. Il s'était fait un devoir de ne pas céder aux provocations de Béatrice. Mordre. Il fallait qu'il tienne. Mordre. La hargne l'emporta. Mordre. Sa gorge émit soudain des grésillements rauques. Mordre. Henri aboya férocement. Mordre. C'était plus fort que lui. Mordre. Des jets de salive moussaient aux commissures des babines. Mordre. Enfoncer ses crocs dans la chair laiteuse de Béatrice. Mordre. Une soif de vengeance le poussait à la dévorer crue, à la réduire en charpie. Mordre. Elle l'avait bien cherché. Mordre. Il fallait qu'elle paie les infidélités dont elle n'avait cessé de faire étalage. Mordre. Une rage cannibale s'empara de lui. Mordre. Il voulut prélever sur le corps de Béatrice son dû de plaisir comme un guerrier exige une rançon. Mordre. Des visions de luxure s'entrechoquaient dans sa tête. Mordre. Soumise, Béatrice s'offrait aux assauts de corps inconnus. Mordre. Henri était exclu de ces orgies. Mordre. Il était attaché et la regardait sans pouvoir intervenir. Mordre. Il tirait sur sa laisse, bondissait de rage et son collier métallique l'étranglait. Mordre. Énervé par ses hallucinations, Henri s'approcha d'elle et lui saisit brutalement la taille au moment où elle s'aspergeait de parfum. Mordre. Le désir d'Henri était obsession de châtiment. Mordre. Il voulait punir Béatrice des avanies qu'elle lui avait fait subir. Mordre. Il écarta ses maxillaires et enfonça ses crocs sous la gorge, puis entailla ses seins à pleines dents. Mordre. Mordre. Mordre.

— Mais il est devenu enragé, le Médor ! hurla Béatrice. Doucement, Médor, doucement, fit Béatrice. C'est qu'il fait mal, le Médor !

— Écoute, Béatrice, murmura Henri entre ses dents, laisse-toi faire, sinon je commets l'irréparable. J'ai envie de te croquer, comme ça. Tu as déclenché en moi un érotisme purement cannibale. Mordre me fait jouir et ce soir j'ai décidé de ne me refuser aucun plaisir. C'est ta faute, Béatrice, c'est toi qui m'as cherché. Rassure-toi, je ne vais pas te faire mal. Je serai doux, aussi doux que tu peux l'imaginer. Je te mordrai un peu, je te mordrai beaucoup, je te mordrai passionnément, je te mordrai à la folie, mais ce ne seront que des morsures d'amour, des morsures qui ne tuent pas. Je te caresserai lentement les reins du bout des crocs, et je reniflerai délicatement ta vulve et ton sillon anal. Il n'y aura pas de sang, ou si peu. Pas de cicatrices. Juste de délicates morsures sur ta chair moite.

Mordre.

Affolée, Béatrice courut au salon, s'empara d'un tisonnier de la cheminée et le pointa devant la gueule de son agresseur.

— Pas maintenant, je dois sortir, plus tard, répétait-elle, avec une nuance d'affolement, qui ne faisait qu'exacerber la sauvagerie de son agresseur.

— Sois docile. C'est ta seule chance de salut. Tu ne peux pas t'échapper. Tu es logée par moi. Tu vis chez moi. Tu es ma prisonnière. Laisse-toi mordre. C'est le prix à payer ! Rien n'est gratuit ici-bas. Tu as voulu que ton corps suscite le désir, alors accepte de te laisser labourer par mes canines.

— Ne me touche pas ! hurla Béatrice.

— Comment ! Tu veux que je sois le seul à ne pas profiter de tes faveurs !

— J'aime sortir, faire la fête, m'étourdir. Où est le mal ? Alors maintenant, au lit et dodo. Sage, le Médor.

Henri ne voulut rien entendre. Il s'estimait dans son droit. Il agrippa avec sa main la nuque de Béatrice et planta ses mâchoires dans son poignet. Béatrice lâcha le tisonnier. Des gargarismes de bête fauve sortaient du gosier d'Henri et l'écume dégoulinait le long de ses babines. Il se jeta furieusement sur Béatrice qui s'affaissa. Henri laboura de ses griffes la robe en soie légère qui se fendit complètement. Il fut surpris de cette victoire soudaine et l'euphorie décupla ses forces. Il s'amusa à enfoncer par petites morsures répétées ses dents dans la chair, promenant ses maxillaires au hasard des dénivelés de son corps, y imprimant des traînées rougeâtres. Une fragrance vanillée se dégageait de l'épiderme qu'Henri reniflait avec fureur. Il goûtait pour la première fois de sa vie l'ivresse carnassière. Il mordillait avec acharnement les seins de Béatrice, puis laissait fureter son museau jusqu'aux hanches, descendait plus bas, remontait par la croupe : c'était un festin gargantuesque, une frénésie gustative. La sueur se mélangeait au sang. La peau de Béatrice était plus goûteuse que jamais, odorante et laiteuse, caoutchouteuse, résistante sous la dent, fine et étale en zones concaves, lourde et profonde là où la chair se soulevait comme gonflée de sève. Henri plantait ses crocs partout avec avidité, trouvant la peau de Béatrice à la fois épaisse et tendre. Il mordait toujours jusqu'au sang. Il tâchait de résister de son mieux contre l'envie de découper des morceaux de chair, de les malaxer entre ses maxillaires, de les avaler enfin. Béatrice abasourdie subissait en silence, apeurée, craignant que sa résistance ne déclenche un surcroît de fureur. Elle saignait et le sang tachait les draps. Elle regardait, effarée, la gueule de son chien lui labourer le corps. Des traces de morsures zébraient maintenant son épiderme. Peut-être appréciait-elle à son insu un assaut aussi soudain ? C'est elle qui l'avait déclenché. Elle l'avait bien provoqué son Henri après tout. Maintenant, ses crocs s'enfonçaient jusqu'à balafrer son corps d'estafilades. La fragrance du sang mêlé au parfum de Béatrice exhalait des effluves poivrés qui exaspérèrent l'ardeur du violeur. Il dut, dans un accès de lucidité, se faire violence pour ne pas égorger sa proie entre ses mâchoires. Henri s'enfonça enfin en elle et lui infligea des coups de reins par saccades jusqu'à éprouver les joies de l'orgasme cannibale. Sa jouissance fut une délivrance. Son corps s'immobilisa soudain comme un arbre jeté au sol après la tempête. Henri était épuisé, sonné, affaibli. Béatrice, endolorie et la chair cyanosée d'ecchymoses, retenait des sanglots.

— Tu es devenu fou furieux, mon pauvre Médor. Mais ce n'est pas à moi de te dresser. Je laisse ça à d'autres. Tu l'as voulu : je m'en vais, dit-elle. Je ne tiens pas à finir en morceaux.

Elle se releva, ouvrit les placards, sortit des valises et y entassa pêle-mêle ses affaires. Elle appela un taxi. Le chauffeur l'aida à transbahuter ses bagages. La voiture était remplie d'une noria de sacs, de paquets mal ficelés, de robes empilées avec leurs cintres.

Henri se retrouva seul. Il ne savait trop à qui en vouloir. À Béatrice, qui l'avait exaspéré pendant des semaines ? À son nouveau corps de bête qu'il ne pouvait plus maîtriser ? Un point le consolait de la soudaine absence de Béatrice. Son pelage était encore imprégné de ses effluves : une fragrance caramélisée, une senteur de bonbon au thé, un arrière-goût de vanille et de barbe à papa, un parfum un peu kitsch et trop sucré à son goût, vulgaire, même, un parfum allumeur, un parfum de garce. Henri se promit de ne plus se laver afin de conserver sur lui cette trace odorante qui le consolerait de la fugue de Béatrice.

Le lendemain, Henri ne put faire autrement qu'arriver en fin de matinée à l'étude, la mine défaite. Béatrice partie, la vie au quotidien était impossible. Passe encore l'absence de petit déjeuner, mais le moindre geste pour s'habiller devenait un exercice douloureux de contorsionniste. Quant au résultat, il était pitoyable. Les bandes lâchaient de partout. Le pire était sa queue : maintenue de façon trop lâche, elle oscillait dans tous les sens, comme un blaireau se débattant furieusement.

Aussitôt à son bureau, Henri n'eut de cesse de joindre Béatrice pour se faire pardonner son inconduite. Il fallait à tout prix qu'elle revienne. Sinon il était foutu. Il fit envoyer une trentaine de roses au cabinet de Provins, assorties d'une lettre où il demandait pardon. La réunion de travail du matin fut reportée à midi. Henri put y assister, mais impossible de se concentrer. Il hochait machinalement la tête pour donner l'impression de participer aux débats. Le malheur voulut que le suspensoir qui retenait la queue se dénouât. Le dispositif lâcha d'un coup, occasionnant un prurit dorsal dû à l'entremêlement des poils et des bandes dans le creux des reins. Henri se cambra de son mieux pour dissimuler le renflement qui en résultait. Il parvint à bloquer les mouvements de sa queue en la plaquant contre le dossier du siège. Les collaborateurs, naguère respectueux, péroraient en désordre. Pour se faire respecter, Henri retroussa les babines et exhiba une rangée de crocs noirâtres. Henri avait une apparence encore humaine, mais son attitude prêtait à confusion. Les clercs firent silence et se concentrèrent sur leurs notes. Henri fut étonné de l'impact de son rictus animal. Humain, il avait souffert d'une absence de charisme, animal, il prenait des allures de chef de meute.

Chez lui, à l'abri des regards, Henri se sentit légèrement mieux. Il se déshabilla et en fut soulagé. Il put remuer la queue à loisir et son pelage s'ébouriffa à l'air libre. Il gambada avec l'espoir que Béatrice surgirait par enchantement, et que tout redeviendrait comme avant. Hélas, les fleurs qu'il avait envoyées demeuraient sans réponse. Henri dut se résoudre à passer la soirée seul. Le lendemain fut un nouveau calvaire. Henri n'arriva à l'étude qu'en milieu d'après-midi.

Béatrice ne réapparut ni le lendemain ni les jours suivants. Il l'appela à maintes reprises à son cabinet de Provins, mais il tombait systématiquement sur l'assistante et la réponse était toujours la même : le docteur était en rendez-vous. Henri était comme un naufragé en pleine mer, agitant ses bras à l'attention d'un cargo qui poursuit sa route imperturbablement.

Une nuit, Henri se réveilla en sursaut. Quelque chose l'incommodait à la joue. Il tâta dans le noir la forme oblongue qui venait de surgir : c'était sa deuxième oreille de chien. La gauche cette fois-ci. Comme l'autre, elle offrait une texture flexible et duveteuse. Affolé, Henri appela le cabinet de Béatrice en pleine nuit et laissa des messages désespérés. Il se leva au petit matin et consacra sa journée à se confectionner un visage humain. Il ne se rendit à l'étude que le soir. Les jours suivants devinrent intenables. Il passait une fois par jour à son bureau, en taxi, après la fermeture, et n'y demeurait que quelques minutes, le temps d'emporter son courrier. Il tâchait de n'être vu de personne, pas même des femmes de ménage. Il se voyait monstre échappé de l'île du docteur Moreau.

La seule solution était le suicide, un suicide vite fait bien fait. Seulement, Henri n'avait à sa disposition ni poison, ni revolver, ni cuisinière à gaz. Il songea à la pendaison. Mais il préféra l'accident de voiture. Percuter de plein fouet un camion. Son corps serait aussitôt déchiqueté. Sous l'amas calciné de ferraille, qui soupçonnerait la présence d'un corps de bête ? Quitte à se suicider, il fallait que ce fût en beauté. Il opta pour un accident sur la corniche qui mène à Monaco. Le site impressionnerait Béatrice. Une route sur la Riviera avait un côté romantique qui l'épaterait davantage qu'un carambolage sur le périphérique. Béatrice n'avait cessé de lui reprocher ses mœurs de besogneux économe. Il roulerait donc toute la nuit sur l'autoroute du Sud et se donnerait la mort au lever du soleil. C'était pour Béatrice qu'il se suicidait. Il mourrait donc en esthète.

Henri écrivit une ultime lettre d'amour. Il lui demandait encore pardon. Il regrettait de ne pas avoir eu l'idée de se limer les dents afin d'éviter les morsures. Il se savait foutu. Il quitta Paris vers six heures du soir, dans les encombrements, au volant de sa voiture, tenant ferme le volant à pleine gueule. Il franchit le péage d'Uri vers vingt heures. Tout se déroula comme prévu jusqu'au moment où le moteur de sa Citroën se mit à hoqueter, évacuant des vapeurs fuligineuses. Il continua quelques centaines de mètres, espérant que tout allait redevenir normal, mais le moteur cala pour de bon et il dut stationner en hâte sur l'accotement. Henri fit tourner le démarreur plusieurs fois de suite. Le moteur s'agita, crachant des geysers, et s'assoupit dans un silence exaspérant. Henri rentra à Paris sur la banquette d'une dépanneuse et fut déposé dans un entrepôt pour véhicule accidenté. Même son suicide était un fiasco.

Pourtant, il n'avait qu'une idée en tête : repartir. Mais comment ? Les agences de location de voitures étaient fermées à cette heure-ci. Il prit un taxi pour rentrer à la maison. Sur le trajet, il échafauda un nouveau plan : le lendemain, dès neuf heures, il louerait un bolide et filerait d'une traite vers le Midi. Il se donnerait la mort au soleil couchant. Une fin lumineuse qui contrasterait avec la grisaille de son existence et séduirait Béatrice à titre posthume. Seulement, maintenant que la tension était retombée, Henri avait peur. Jamais il n'aurait le courage de piquer droit dans la calandre d'un camion ou de foncer vers un précipice. Henri avait présumé de son audace. La mort l'effrayait. Renoncer au suicide alors ? Impossible ! Sans Béatrice, la vie n'était pas la vie. Henri regagna son domicile en piteux état.

Henri, à peine entré dans le vestibule de l'appartement, crut apercevoir une silhouette altière se profiler dans l'embrasure de la porte. Les lumières étaient allumées. Le cœur d'Henri tambourina dans sa poitrine. Béatrice ? Elle était donc rentrée. Comme ça, à l'improviste. Elle se tenait debout, les lèvres pincées et le regard sévère. Elle avait eu le temps de tout mettre en ordre. Un parfum de propreté imbibait les lieux. Béatrice pointa l'index vers la salle de bains et d'un ton de cheftaine en colère assena :

— MOUMOUSSE, MÉDOR !

Un bain brûlant était coulé. Henri se laissa déshabiller en silence, et ce soir-là, il lui obéit au doigt et à l'œil.

Cette nuit, Béatrice resta à la maison et se coucha à ses côtés. Henri était aux anges.

Béatrice insista pour qu'Henri subisse une chirurgie esthétique. Les narines avaient pris une consistance grumeleuse et le nez s'était retroussé, si bien qu'on en voyait les orifices. Il fallait ôter leur pubescence aux phalanges. Le professeur Algis accepta d'opérer, bien qu'il confirmât son verdict de rémission provisoire. Henri s'absenta quelques jours, mais à son retour, il avait un nouveau naseau, avec une arête fine, ni trop longue, ni trop courte. Algis en avait également profité pour rafistoler la main droite. Il fallait faire disparaître les griffes. Henri put de nouveau écrire au stylo et taper sans difficulté sur le clavier de son ordinateur. Béatrice lui offrit des souliers neufs, mais cette fois-ci deux tailles au-dessus de sa pointure : cela permettait de loger les griffes, qui, dans la journée, s'allongeaient. Elle avait même choisi un modèle à bout large afin de garnir l'intérieur de coton, ce qui améliorait l'espace vital des orteils. Henri pouvait vaquer à ses activités toute la journée sans être incommodé par ses pieds.

Avec l'hiver, le pelage d'Henri s'épaissit. Un après-midi, Béatrice le conduisit de force à Provins, chez le toiletteur pour chiens de la ville. Derrière la vitrine, une flopée de chiots hagards s'ébattaient dans la paille, en attente d'acquéreurs. Béatrice fit entrer Henri et il fut accueilli par la tenancière avec condescendance. Des os fluorescents, des colliers à médaillon canin et des laisses écossaises s'alignaient sur des tourniquets. Des gamelles moulées et des baquets en tissu molletonné étaient proposés en promotion. Henri fut conduit par Béatrice au sous-sol de l'établissement. Un remugle de zoo surchauffé prenait à la gorge. Des bêtes esseulées et gémissantes tiraient sur leur laisse. Des tables de toilettage disposées en quinconce évoquaient des outillages médiévaux. Des tondeuses électriques, suspendues à des bras articulés, montraient leur dentition de squale. Des sangles de cuir étaient accrochées à des arceaux écaillés. Le sang d'Henri ne fit qu'un tour. L'équivoque n'était pas permise. Henri se retrouvait pour la première fois dans le camp des chiens.

— Médor, tu vas te montrer obéissant, fit Béatrice désignant du doigt un établi. On va te tondre.

— Tu es devenue folle ou quoi ? Nous sommes chez les chiens, ici !

— À poil maintenant ! Déshabille-toi. Sinon je me fâche.

Henri se déshabilla.

La toiletteuse passa une chaîne nickelée à son cou. Il se retrouva nu, à quatre pattes, sous l'œil narquois de Béatrice, les membres sanglés. La tondeuse produisait un grésillement assourdissant. Tout le corps y passa : les pattes, le râble, le thorax et même les aisselles. À l'aide d'une étrille, la toiletteuse arracha les poils morts. Elle raclait le pelage à coups saccadés, déclenchant des tressaillements. Des touffes argentées et cotonneuses s'éparpillèrent sur le carrelage.

— La queue, on la laisse telle quelle ? interrogea l'officiante.

— Rasez tout, ordonna Béatrice.

— Mais ça va faire moche.

— Cela n'a pas d'importance.

Au final, le corps animal avait perdu sa superbe. Il paraissait ridicule et sa nudité burlesque déclenchait l'hilarité de Béatrice. Elle était satisfaite : c'était uniquement pour punir Henri qu'elle l'avait emmené au salon de toilettage. Une bonne correction.

Béatrice reprit ses habitudes nocturnes. Elle rentrait au petit matin. Elle s'allongeait aux côtés d'Henri, s'assoupissant quelques heures, et se relevait pour préparer le petit déjeuner. Béatrice récupérait de ses semaines tumultueuses par une sieste prolongée le dimanche. Elle disposait maintenant un couteau à portée de main en cas d'assaut soudain du chien. Elle acheta surtout une muselière qu'elle lui enfonçait sur la gueule, le soir, à son retour du travail.

6

Un matin, Béatrice se retrouva enceinte. Les tests étaient probants. Elle avait eu pas mal d'aventures, inutile de se cacher la vérité, mais toujours avec préservatif. Henri était forcément le géniteur. La fécondation avait eu lieu la nuit du viol. Allait-elle accoucher d'un névropathe cannibale à corps évolutif ? L'échographie ne donnait aucune indication. Béatrice n'osa pas avorter. Elle n'en dit mot à Henri. Outre l'angoisse, elle lui en voulut terriblement.

Pour Henri, ce n'était plus qu'une affaire de jours. Le corps de chien gangrenait chaque jour davantage son anatomie. Même si son cerveau demeurait un cerveau de notaire, avec une intelligence de notaire, un savoir de notaire, une âme de notaire, des réflexes de notaire, Henri constatait qu'il ressemblait de plus en plus à un chien. La cause était entendue. Il avait en conséquence rédigé des lettres de démission, une à l'intention du président de la chambre des notaires, une autre pour son associé. Il n'avait pas omis de signer des procurations bancaires en faveur de Béatrice. Résigné, Henri s'abstenait de réfléchir sur son destin. C'était comme ça. Il s'était trompé sur lui-même. Sa vocation finalement n'était pas le notariat, mais de faire le chien devant Béatrice. Henri imaginait son existence immédiate : la vacuité de l'inaction, hormis quelques promenades et les séances de levée de patte.

Henri déplorait maintenant d'autant plus son sort qu'une nouvelle assistante venait d'être recrutée à l'étude : Jennyfer ajoutait à la grâce juvénile des adolescentes le genre sexy des filles à papa branchées. Henri, vu son look intime, se disait qu'il était du côté des bêtes maintenant : inutile de songer à la séduire. Tant pis ! Mais tout de même ! C'était rageant de quitter à ce moment précis l'univers des humains. Henri aurait volontiers prolongé son séjour à l'étude. Un tour de piste supplémentaire. Le temps d'une aventure. Mordre ? Mordre, pour protester contre ce putain de sort qui s'acharnait à le persécuter. Oui, mordre. Mordre Dieu et ses saints, mordre le ciel, mordre la terre, mordre les arbres, mordre les humains, les végétaux et les bêtes, mordre tout ce qui passe à portée de gueule, mordre les étoiles aussi. Putain, elle était vraiment bien foutue, cette Jennyfer. Un nom un peu ridicule avec cette consonance anglo-saxonne. Mais un postérieur moulé dans un jean qui ne demandait qu'à être mordu. Il déplorait du coup la promptitude de sa métamorphose. La fille lui plaisait comme personne. Elle venait d'être embauchée par l'associé, manière de rendre service au père de la jeune fille, un magnat de l'immobilier qui voulait caser sa progéniture. Aussi Me Blanchet avait-il spécialement confié la nouvelle recrue à Henri : il fallait lui inculquer les rudiments du métier tout en la ménageant. C'était une brune provocante, certes un peu trop typée méditerranéenne sensuelle au goût d'Henri. Trop fluette aussi. Mais surtout, beaucoup plus jeune que Béatrice, terriblement plus jeune, une chair lisse, pulpeuse, sans ride, sans affaissement, qu'Henri aurait aimé enduire de salive pour lui donner l'aspect scintillant de la glace à la vanille. Elle s'était présentée le premier matin en tailleur strict, sombre, mais qui laissait deviner ses courbes graciles. Elle arborait un sourire épanoui, blanchi artificiellement. L'attitude de Jenny n'était pas pour déplaire à Henri : elle riait à la moindre occasion, bruyamment d'ailleurs, et cela incommodait un peu Henri que la désinvolture chez les femmes avait jusqu'à présent agacé. Jennyfer était coiffée à la garçonne, et ses pupilles sombres jetaient des éclairs d'optimisme.

Lors de leur premier tête-à-tête de travail, Henri prit un air indifférent à son charme. À quoi bon s'intéresser à elle ? Bientôt, il ne serait plus de ce monde. Pourtant, elle était plus souriante que Béatrice, plus enjouée surtout. Sa gaieté effrontée rasséréna Henri. Elle n'avait pas ce regard inquisiteur de Béatrice, qui le mettait en position de prévenu devant un juge d'instruction. Devant Béatrice, Henri se sentait coupable d'exister. Le visage de Jenny respirait encore la vulnérabilité. Elle paraissait en attente de conseils, elle voulait être rassurée. Henri se sentit une vocation de Pygmalion : il reprit confiance en lui. Peut-être avait-il encore un rôle à tenir sur cette terre ? Jenny semblait se moquer, mais avec tendresse, du maintien gourmé du notaire. Henri n'était pas mécontent de ce laisser-aller. Jenny défiait les diktats de Béatrice. Au fond Béatrice prenait l'existence trop au sérieux. Henri n'était plus qu'un souffre-douleur à engueuler. Il voulait respirer. Bien sûr qu'il avait besoin de Béatrice. C'est pour cette raison qu'il commençait à la haïr. Et sérieusement.

Jennyfer montrait un mépris bon enfant des conventions. Une sorte de je-m'en-foutisme soft, mais rien à voir avec de l'avachissement. Devant elle, Henri reprenait vie. Peut-être serait-elle sa délivrance ? Au contact de Jenny, Henri oublierait-il son corps animal ? Une rémission était-elle permise ? Henri jouerait Jenny contre Béatrice. Il questionna la jeune fille sur ses études. HEC, une maîtrise en droit : ça valait bien un cursus de gynéco. Henri se sentait amoureux.

— Si vous croyez que je suis venue jouer les oisives, vous vous trompez, ajouta-t-elle. J'ai l'intention de travailler.

Henri la regardait, séduit : elle était là, qui lui faisait face, assise de l'autre côté du bureau, stricte, reins cambrés, jambes croisées, avec des seins qui pointaient comme de petits obus sous son chemisier. Son message était clair : si charme féminin il y avait, hors de question qu'il entrât en ligne de compte dans l'appréciation de son travail. Henri éprouva à son insu un frisson de désir pour la jeune diplômée, qui lui donna la chair de poule des doigts de pieds jusqu'à l'extrémité du crâne. Il dut se camper dans une dignité de sphinx pour dissimuler son émoi. Jennyfer lui adressa un regard humble, nuancé de tendresse admirative. Henri jeta un regard furtif dans la psyché. Il se trouva seyant. Et pourtant, il était amer. Si je plais, c'est grâce à Béatrice, songea-t-il. Qui suis-je, sans son façonnage quotidien ? C'est elle qui m'affuble de ce complet à raies outremer, de cette enveloppe soyeuse qui dissimule la bête. Jennyfer, elle, pressentait dans l'embarras d'Henri l'esquisse d'une attirance. Henri crut bon de mettre brutalement un terme à ce début de flirt afin d'éviter tout débordement : il se leva d'un coup et donna congé à sa nouvelle collaboratrice. Lorsqu'il lui serra la main, il jeta un coup d'œil à ses ongles. Rien ne laissait supposer que le matin même c'étaient des griffes. Béatrice les avait soigneusement limés pour les aplanir, avait égalisé les chairs, dégagé les lunules nacrées.

Jenny avait réveillé les ardeurs d'Henri. L'ondoiement de ses fesses le faisait saliver. Il dut s'essuyer les commissures des lèvres d'où coulaient des jets blanchâtres. Il aurait surtout adoré mordiller doucement les chairs de Jennyfer, éprouver leur onctuosité entre ses maxillaires, les mâcher tendrement comme des morceaux de guimauve.

— Je suis grave accro à Jennyfer, se dit Henri à voix haute, campé devant sa psyché.

Ses maxillaires dessinaient dans le vide des mouvements de préhension.

Ce soir-là, Henri se montra très docile au toilettage : il voulait être particulièrement seyant le lendemain pour séduire la nouvelle venue. Il dut très vite déchanter. Béatrice poussa un cri.

— Mais tu as un appendice de chien ce soir, mon pauvre Médor !

Henri crut d'abord à une boutade de Béatrice. Une plaisanterie de très mauvais goût. C'était pourtant vrai. Le sexe d'Henri s'était rétracté à l'intérieur d'un fourreau pubescent. Ce n'était pas complètement vilain. La version canine du pénis au repos est d'une remarquable discrétion. Rien à voir avec ce lambeau de chair flasque qui pendouille maladroitement. Henri trouvait sa nouvelle morphologie plus raffinée. Il n'en était pas moins dérouté. Le sort jouait au yo-yo avec ses nerfs. Cette poussée d'animalité surgissait au pire moment. Henri s'abîma en gémissements. Béatrice lui caressa l'échine. Henri était paniqué. Sa détresse déclencha chez Béatrice un rire sonore.

— C'est normal que le Médor, il ait un zizi de

toutou, car c'est un toutou, le Médor. Maintenant, il dépend d'un vétérinaire.

— Laisse-moi encore quelques jours de bureau, implora Henri.

Béatrice n'émit pas d'objection. Elle n'était pas à une journée près maintenant. Elle acheva la toilette d'Henri et le borda au lit. Puis elle s'apprêta pour la nuit. Elle chaussa des talons hauts, étrenna une robe en tulle, échancrée. Béatrice était plus altière que jamais, comme si la régression bestiale de son partenaire accentuait son pouvoir de séduction. Elle quitta l'appartement plus tôt que prévu.

Bye-bye, Jennyfer ! Toute idylle avec elle était vouée au désastre. Henri était meurtri dans son amour-propre. Il s'était rapproché de Béatrice par nécessité. Mais avec Jennyfer, c'était bien différent. Un coup de foudre, un vrai, maintenant il s'en rendait compte. Seul dans son lit, il fit défiler sa future vie. Une existence de cabot docile, asservi aux caprices d'un cornac en jarretelles. Et si c'était Béatrice la cause de sa régression ? Peut-être lui avait-elle jeté un sort ? Il aurait dû l'étrangler depuis belle lurette. La seule issue était de se débarrasser de cette Béatrice qui l'hypnotisait. Hélas, maintenant c'était trop tard. Henri avait manqué de courage. Il se sentait pris dans la nasse.

Lorsqu'il se rendit aux toilettes, Henri réalisa qu'il ne pouvait faire autrement qu'asperger les murs d'urine. C'était impossible, à cause du nouvel appendice, de maîtriser les jets intempestifs. Sensation désagréable. Pour arrêter les dégâts, il essaya plusieurs positions. Il leva haut la jambe droite, ou plutôt la patte comme le font les chiens. Manque de souplesse ! Le liquide jaunâtre aspergea le sol et les plinthes. Il s'accroupit sur la lunette, haussant le séant, mais l'urine gicla partout.

Des traînées dégoulinaient sur le papier mural. Il grimpa debout sur la lunette, nouveau fiasco : il dérapa à plusieurs reprises, se retrouvant les pieds dans la cuvette. Henri se mit à califourchon, la tête face à la chasse d'eau. Pas de chance ! Il s'en aspergea partout sur le pelage. Les toilettes se transformèrent en marigot qu'Henri s'efforça d'éponger.

Au milieu de la nuit, Henri se réveilla en nage. Béatrice n'était toujours pas rentrée. Henri était tétanisé d'angoisse. Mais c'était maintenant le visage de Jennyfer qui se dessinait dans son rêve éveillé et qui lui apparaissait comme une possible échappatoire. Il allongea son bras vers la place laissée vide dans le lit. Les draps étaient froids à cet endroit. Il les tapota de la main, scrupuleusement, avec la conscience d'un huissier chargé d'un constat d'abandon de domicile. Le lendemain, Béatrice vit les dégâts dans les toilettes. Elle l'engueula :

— Maintenant, tu pisseras dehors, compris Médor ?

Henri acquiesça de la tête. Il s'en voulait. C'était lui-même qu'il voulait mordre maintenant. Mordre, mordre, mordre, jusqu'à ce qu'il en crève. Il n'y avait pas d'autre solution. Henri se haïssait.

Il s'octroya une semaine de grâce avant de se résoudre définitivement à l'état bestial. Il voulait goûter d'ultimes moments de complicité avec Jennyfer. Henri lui demanda d'assister aux réunions du matin. Elle adopta un air modeste, un visage attentif, hochant la tête, fronçant les sourcils. Rien à voir avec la morgue de Béatrice ! Elle prenait des notes, en lettres onciales, alignant au cordeau ses paragraphes, les hiérarchisant à l'aide d'astérisques, de flèches, d'étoiles. Jennyfer inscrivait ensuite sur son portable les décisions prises et les distribuait aux collaborateurs. Cette initiative plut : on gagna du temps dans les réunions. Jenny réussit son examen de passage. Elle sut se faire accepter des clercs de l'étude, toujours jaloux de l'aura d'une fille de famille. Elle avait le don de rasséréner Henri, de lui faire oublier les meurtrissures de sa vie conjugale. Avec Jenny, Henri recommençait à croire en sa bonne étoile. Béatrice n'avait cessé de le traiter comme une curiosité burlesque, un farfelu handicapé dont la réussite n'était qu'une anomalie. Jennyfer était mutine, désinvolte, mais déférente aussi : elle appelait Henri « maître », avec une intonation onctueuse, et Henri en était enchanté.

(Henri, abstiens-toi. Henri, ne la mords pas. Non, Henri. Elle te plaît et tu lui plais. Tu dois simplement l'embrasser, effleurer ses lèvres avec tes lèvres, pratiquer le baiser humain, jeu de langues, mais c'est tout, tu en es capable Henri, Jenny t'aime et tu aimes Jenny, ne pas mordre, oublier l'envie de mordre, tu l'aimes, elle t'aime, oublie les morsures et ne retiens que les caresses. Ne pas mordre, ne pas mordre... Henri...)

Henri avait la frousse. Le passage de notaire à chien de Béatrice, et à temps plein, équivalait à un saut dans l'inconnu, même si le cerveau de notaire ne manifestait aucune défaillance. Henri était comme un malade avant une opération chirurgicale à risque. Il voulait qu'on le réconforte. Et pourtant, Béatrice se montrait glaciale, distante, hautaine. Sans pitié. Goguenarde.

— Il va falloir renoncer au notariat. Tu n'as plus le choix. Tu vas devoir te consacrer à des activités canines. Quand on adopte un physique de chien, on joue le jeu jusqu'au bout. Tu dois t'entraîner à prendre une attitude canine. Ne te gêne plus. Cours, aboie, gambade.

Henri préféra chercher son salut dans le travail forcené. Grâce à Jenny, son angoisse diminua. Dans les moments de déprime, elle savait le galvaniser par son ton enjoué. Elle s'occupa de son agenda de façon à grouper ses déplacements. Henri l'emmena à ses rendez-vous d'affaires. C'est elle qui conduisait maintenant la voiture. Leur entente s'affermit de jour en jour. Ils dressèrent des inventaires de succession et visitèrent des immeubles dont les actes de vente notariés devaient être rédigés par l'étude. Nul n'ignorait que Jenny était la fille chérie d'un magnat de l'immobilier. Le prestige d'Henri en était accru. Il reprit confiance. Jenny apaisait son anxiété par son sourire serein et décidé. Elle aimait précisément chez Henri les traits que Béatrice qualifiait de tares : sa vulnérabilité, sa peur de gêner, son doute, qui pourtant favorisait un discernement affûté. Henri et Jenny s'accordaient parfaitement dans le labeur. Henri était de loin meilleur juriste que Jenny, mais elle faisait preuve d'un pragmatisme féminin qui permettait d'aller au plus vite dans les affaires. Parfois, elle lui soufflait à l'oreille une solution empirique à laquelle il n'avait pas songé. Après le travail, le notaire et sa collaboratrice devisaient ensemble. Toute familiarité de ton était bien sûr proscrite. Jenny respectait à la lettre les bienséances. Henri avait du mal à se maîtriser. Demeurer avec Jenny était un supplice autant qu'un bonheur. Il rêvait de dessiner avec ses dents un long rift qui ferait perler des gouttes de sang qu'il aurait étalées tout le long du corps. (Ne pas mordre, Henri, tu sais te tenir, ne pas mordre, garder ton calme, ton self-control, ne pas mordre...)

L'étude prospérait. Le père de Jenny, ravi du stage de sa fille, y avait confié toutes ses transactions immobilières. M. Blanchet était enchanté du rôle de mentor que son associé avait accepté. Henri acquit aux côtés de sa nouvelle adjointe des qualités de meneur de jeu et même un certain charme, trait qui lui avait fait défaut jusqu'à maintenant. Une force intérieure le galvanisait au contact de Jenny. Elle approuvait ses dires par un regard appuyé et tendre. Elle mettait toute sa confiance en lui, et Henri se sentait ressusciter. Il songea à quitter Béatrice. Finalement, avait-il tant besoin d'elle ? Henri avait un physique de chien, mais le cerveau de notaire, lui, se perfectionnait de jour en jour.

Henri, ce soir-là était dans tous ses états. Pire qu'un drogué en manque. Il sentait en lui comme la pression à l'intérieur d'un volcan avant l'éruption. Il fallait à tout prix qu'il plante ses crocs dans de la chair vivante. C'était plus fort que lui. Il se rendit à la tombée de la nuit rue Saint-Denis, engoncé dans son pardessus au col relevé. Il jeta son dévolu sur une matrone à fortes mamelles, serrée dans un raglan en vinyle, qui d'un clin d'œil l'invita à la suivre dans les dédales d'un escalier abrupt et glissant. Elle gravit à vive allure les marches en bois, rendues lisses avec le temps et les processions incessantes de michetons. Henri s'accrochait à la rampe, essoufflé, le regard aimanté par le balancement houleux de la croupe en latex noir. Il voulut faire demi-tour. Il craignait maintenant le pire. Il se retrouva dans la pénombre d'une soupente décorée de lanières, de chaînes et de godemichés aux dimensions de proboscidiens. Il fut taxé de cinquante euros au titre du forfait de base, et de trois cents euros pour les « spécialités ». Se refusant à toute négociation scabreuse, il déposa une liasse de billets sur le guéridon. Sur les injonctions de la prostituée, il commença à se dévêtir. Il parvint à ôter sa veste, sa chemise, et se contenta de faire glisser son pantalon en accordéon à ses chevilles. Son cœur battait comme celui d'un puceau avant l'amour. Henri n'eut pas le temps de proférer le moindre mot que la matrone effarée poussa des hurlements.

— Je fais toutes les spécialités, mon petit gars, mais pas la zoophilie, gueula la fille en colère. Les sados, les masos, les transsexuels, mais les humains qui virent clébards, c'est pas mon rayon ! Dégage, la zoophilie, c'est à Vincennes que ça se passe ! À ta place, j'irais carrément me mettre en cage ! File !

Henri ne prêta pas attention à ces paroles. Il était concentré. Il écarta ses maxillaires et les referma d'un coup sec sur la glotte de la matrone. Elle perdit connaissance avant même de pousser un cri. La vieille succomba et s'affaissa lentement au sol. Du coup, Henri se mit à lécher frénétiquement tout le corps. Il lacéra les seins énormes et striés de veinules vertes, puis les déchiqueta comme pour se venger de leur disgracieuse flaccidité. Il planta ses crocs dans le postérieur énorme, et Henri se dit qu'il en avait tout de même pour son argent tant le mets était copieux. Il eut plusieurs érections. Il s'en prit aussi au haut des cuisses qu'il dégusta par petites bouchées. Lorsqu'il quitta la chambre, après s'être débarbouillé les lèvres avec les serviettes du lavabo, Henri avait opéré de larges prélèvements de chair et il avait aimé ça. Il avait également avalé les yeux et s'était délecté à téter, puis à déchiqueter à petits coups de dents les lèvres et les joues dont il avait lentement sucé le sang. La chair avait mauvais goût et Henri avait du mal à la digérer. C'était la première fois qu'il se livrait au cannibalisme et son estomac se rebellait un peu. Il recracha certains morceaux à la suite de spasmes vomitifs. Jenny devait certainement être meilleure en bouche, plus fraîche, plus digeste. Toute chair féminine a sa date de péremption. Il y eut une enquête de police sur le compte de la prostituée : les journaux glosèrent sur la sauvagerie du proxénète qui avait commis ce règlement de comptes. C'étaient les mœurs en vigueur dans les milieux de la prostitution. Henri se savait dangereux, il fallait vraiment qu'il fasse attention. Son cerveau de notaire ne contrôlait plus son appétit. Henri se sentait cependant rassasié. Les tête-à-tête avec Jenny ne dégénéreraient pas en festin de chair. Mais pour combien de temps ?

Henri retourna le lendemain à l'étude comme si de rien n'était. Lorsqu'il aperçut Jenny, les bras chargés de dossiers, il eut envie de tourner les talons. Il avait peur, peur de lui, même si le festin de la veille avait calmé ses envies. Mais le sourire enjoué de Jenny assorti d'un « Bonjour, maître » emphatique le rappela à la vie. Avec Jenny, il n'était plus le chien Médor de Béatrice, mais un notaire, avec de vraies allures de notaire. L'étude grouillait ces jours-ci comme une ruche. Les dés étaient-ils jetés ? Henri était-il un chien croqueur de chair humaine ? Il escomptait bien qu'en avalant les chairs d'une ou deux putes par mois, il n'éprouverait pas d'instinct cannibale à l'égard de Jenny. D'ailleurs, il irait plutôt croquer du travelo au bois de Boulogne. En pleine nature. C'était sur son chemin. Il risquerait moins de se faire prendre par la police. Il s'assit donc à son bureau et prit des notes, des directives à l'intention de Jenny. Lorsque soudain le téléphone sonna : Henri décrocha par réflexe. Au bout du fil, sa secrétaire annonça Rosenbaum, l'entrepreneur immobilier, en personne, le père de Jenny. Henri accepta la communication. Sans trop réfléchir. Mᵉ Noguerre était cordialement convié à dîner le soir même. Rosenbaum donna son adresse, rue du Bac. Henri ne s'attendait pas à cette soudaine sollicitude. Il était décidé à décliner poliment l'invitation. S'aventurer seul, chien dans la ville, la nuit, était inenvisageable. C'était le moment ou jamais de faire état d'une maladie inexorable et de prévenir les uns les autres de l'imminence de sa démission, peut-être pas pour demain, mais pour un de ces jours. Henri balbutia. Rosenbaum avait la voix autoritaire des hommes à qui on ne refuse rien. Henri n'eut pas le courage de dire non. Contre sa volonté, il accepta, esquissant des remerciements confus.

— Vous viendrez seul ? demanda Rosenbaum avec empressement.

— Seul, répondit Henri, comme si cela allait de soi.

Tant il est vrai que son flirt avec Jenny était parfaitement connu de son père.

Henri allait dîner en ville chez un homme d'affaires, de ceux qui comptent dans la capitale. C'était un très bon point pour l'étude. Et pour sa carrière. Il se sentait donc rappelé à sa vocation notariale. Il bénéficiait d'une rémission et en éprouvait le soulagement d'un condamné à mort dont l'exécution vient d'être retardée.

Henri ne s'en sortit pas trop mal avec Béatrice. Il prétendit qu'il était invité « seul » chez Rosenbaum, un « correspondant » important pour les affaires, il n'avait pas le choix : un dîner « professionnel ». Elle encaissa le racontar sans ciller et parut même réjouie qu'il fût convié à des agapes mondaines. Le nom de Rosenbaum était évoqué dans la presse comme modèle de réussite. Les lotissements Rosenbaum inondaient les banlieues verdoyantes et se vendaient comme des petits pains. Médor était invité seul en ville chez des notables. Au fond, il n'était pas si minable que ça. Un cador, son Médor ? C'était comme si son chien venait d'être primé à un concours animalier. Le prestige d'Henri rejaillissait sur elle. Béatrice apprêta Henri comme un taureau pour le salon de l'Agriculture. Elle l'épila de son mieux et tailla le fouet de sa queue. Elle régla le scapulaire au millimètre, aspergea les aisselles d'*Égoïste* de Chanel. Elle extirpa de la penderie un costume de soie neuf, à gilet de casimir, qu'elle épousseta comme un maroquin précieux. Une cravate ornée de trompes de chasse, une chemise en popeline bleu cobalt, à col blanc amidonné, furent ajoutées. Pour les boutons de manchettes, elle choisit les modèles du soir en onyx et or. Un coup de sécateur sur les griffes d'Henri, puis de lime, une couche de nacre, et l'animal était fin prêt à la parade.

— Pas question de laisser soupçonner qu'il y a de la bête en toi, ce soir, mon Médor, tu as compris ? C'est ta carrière que tu joues, ajouta Béatrice. Car avec la clientèle Rosenbaum, tu vas pouvoir enfin gagner ta vie, mon Médor, et ne plus lésiner sur nos petites dépenses.

Elle s'agenouilla et lustra à la peau de chamois les richelieus d'Henri qui miroitèrent comme des carapaces de scarabée. Elle sermonna son « poulain » d'ultimes conseils :

— Doucement sur les plats. Avale par petites bouchées, mastique lentement, compte jusqu'à dix avant de déglutir, la gueule fermée et sans bruit de lapement.

Béatrice saisit le menton d'Henri dans sa main et lui tapota le museau avec la satisfaction d'un maquignon au pesage. Elle appela un taxi.

— Ne montre pas tes crocs, mais tâche de sourire quand même. Les Rosenbaum vont te juger sur ta prestance.

Béatrice flairait à travers Rosenbaum une manne inespérée pour l'étude. Il était question d'introduire au second marché l'« Immobilière Rosenbaum ». Du sérieux. Du lourd. C'était son futur capital que Béatrice défendait en briefant Henri. Elle espérait le prolonger le plus longtemps possible à la ville dans l'état notarial, afin d'en tirer d'ultimes dividendes. Et puis, une fois Henri quadrupède, et toutou à temps plein, Béatrice escomptait que la clientèle Rosenbaum resterait fidèle à l'étude, ce qui garantirait ses revenus pour plus tard. Béatrice ne perdait pas le nord.

Les Rosenbaum habitaient un hôtel particulier au fond d'une cour pavée de la rue du Bac. Henri grimpa les marches du perron, mû par l'orgueil d'un Rastignac. Un maître d'hôtel en gants blancs ouvrit la porte et s'enquit du nom d'Henri avec la moue soupçonneuse qu'il réservait aux nouveaux venus. Maître Henri Noguerre – ainsi s'était-il présenté, en appuyant sur le « maître » – fut introduit dans le salon, où il fut reçu par Rosenbaum, qui poussa la familiarité jusqu'à l'accolade. La pièce à haut plafond n'était qu'efflorescence de lambris et de dorures. Rosenbaum avait réussi et entendait bien le montrer. Les stucs rocaille faisaient écho aux bronzes du mobilier. Des toiles de maître alternaient nymphes mythologiques et allégories bibliques. Les marqueteries brillaient du clinquant du neuf, bien que Rosenbaum évoquât pour chaque meuble de prestigieuses provenances. Des canapés garnis de brocarts et de passementerie ajoutaient à la pesanteur du décor. S'affaissant à gros bouillons sur le parquet, des rideaux gansés achevaient de feutrer l'atmosphère.

— Whisky, très cher maître ? proposa l'hôte avec une voix avenante mais autoritaire.

Henri n'osa pas refuser, bien qu'il ne bût pas.

Rosenbaum consolidait depuis deux générations un patrimoine immobilier échafaudé dans l'après-guerre et avait accru ses avoirs dans le lotissement de luxe. Il projetait à l'égard de sa fille un digne et honorable mariage. Il voyait en la personne d'Henri un prétendant respectable, docile et complémentaire en affaires. Henri serait son gendre. Logique financière oblige.

Madame mère fit son entrée. Une lippe exagérée et des bajoues tumescentes dénotaient une chirurgie esthétique récente. Une robe décolletée laissait voir des chairs piquetées de fleurs de cimetière. La soumission devant son mari atténuait un parti pris de provocation aguicheuse. Madame se plaisait à faire tinter ses bracelets et ses breloques, dont les miroitements rappelaient les dorures ambiantes. Jenny était leur fille unique, autant dire un joyau à monnayer. Celle-ci arriva la dernière, en jean effiloché, avec un négligé destiné à compenser la solennité des présentations. Henri réalisa vite que son statut était celui de gendre putatif. Ce n'était pas pour lui déplaire.

Le majordome servit le dîner. Des candélabres en argent trônaient aux extrémités de la table. Les bougies jetaient des lueurs propices aux épanchements. Madame mère échangea des regards complices avec son mari : Henri, auquel la mastication lente et forcée conférait de la dignité, réussissait son examen de passage. Rosenbaum évoqua les mérites de son hôte. Il félicita Henri pour sa carrière, glosa sur son efficacité à débrouiller les affaires épineuses. Jenny souriait avec ironie, montrant qu'elle n'était pas dupe des arrière-pensées matrimoniales de son père. Henri se prêta mal au jeu des compliments. À quoi bon ? Dans quelques jours, il donnerait sa révérence au monde des humains. Ses dénégations embarrassées furent appréciées comme preuves de modestie. Henri ne commit qu'une seule bourde. Il lapa d'un coup de langue furtif le reliquat de crème anglaise qui traînait au fond de l'assiette. Rosenbaum père remarqua cet impair, d'autant plus inattendu qu'Henri avait su montrer pendant le dîner des manières irréprochables. Rosenbaum fut d'abord surpris, puis réjoui. Finalement, Henri cachait son jeu : il pouvait se laisser aller à ses heures. Il n'était pas aussi bégueule qu'il s'en donnait l'air. Pour Rosenbaum, c'était un bon point. Henri réussit sa prestation avec mention honorable. Ce soir-là, la main de Jenny lui fut octroyée.

— Considérez-moi comme votre belle-mère, lui déclara madame Rosenbaum, sur le perron de la porte.

Résumé : Henri était perdu. Primo, il ne pouvait s'empêcher de jouer au chien cannibale, même s'il le cachait assez bien en public. Secundo, il allait épouser Jenny, donc l'avaler un jour. Tertio, il vivait plus que jamais en ménage avec Béatrice. Sans réfléchir, Henri adopta la politique de l'autruche. Il se laissa aller, vivant au jour le jour. Comment tout cela allait finir ? Autant ne pas le savoir. Il décida de demeurer en poste. Jenny le faisait saliver comme jamais. C'était atroce. Jusqu'à quand tiendrait-il ? Il voulait retarder l'échéance. Il évitait à l'étude tout geste avec Jenny qui pût le trahir. Leur indifférence simulée devint la marque secrète de leur entente. Ils formèrent à la longue un couple, sinon légitime, du moins reconnu. Henri différait chaque jour la décision d'en terminer avec la condition humaine. Il était atrocement mal à l'aise. La moindre effusion risquait de déclencher un assaut cannibale. Jenny l'excitait, et cela déclenchait des sécrétions de flots de bulles blanches. Il devait se concentrer pour ne pas esquisser de geste carnassier. À l'étude, Henri passait le plus clair de son temps vissé dans son fauteuil, immobile, les mâchoires serrées. Jennyfer interpréta ce mutisme sédentaire comme un signe de fatigue. Elle ne s'en montra que plus affectueuse.

110

Un matin, au saut du lit, alors qu'Henri dormait encore, Béatrice sortit d'un tiroir de la cuisine un couteau à viande et commença à taillader la garde-robe d'Henri. Elle s'en prit rageusement aux vestes, aux pantalons, aux chemises. Des lambeaux moirés d'étoffe virevoltaient, faseyaient avant de choir sur la moquette. Elle jeta pêle-mêle sur le sol pochettes et cravates, après en avoir saccagé une bonne partie à souhait.

— Fini la comédie ! Tu n'as plus besoin de ces défroques. Terminé l'étude Noguerre et Blanchet ! Tu n'es qu'un chien maintenant, rien qu'un chien, et les chiens, ça vit à poil. Et puis, tu es devenu crâneur, mon petit Médor. Il va falloir t'habituer à des horizons modestes.

— Tu es devenue cinglée ? protesta Henri en s'interposant énergiquement.

Béatrice ajouta d'un ton cassant :

— Et surtout, tu vas me virer cette garce.

— Quelle garce ?

— Tu sais très bien de qui je parle. Jennyfer.

Henri fut abasourdi. Comment Béatrice avait-elle eu vent de la présence de Jenny ?

— Il n'y a pas de Jennyfer à l'étude, répondit Henri, d'une voix étranglée.

— C'est que le Médor, il oserait se payer ma tête !

— Je te jure ! murmura Henri.

Béatrice lui assena une violente gifle.

— Je n'aime pas les cabots menteurs !

En fait, les cancans étaient allés bon train. On répétait que Jenny s'était officiellement fiancée avec Mᵉ Noguerre. On parlait mariage. L'été sans doute. La fortune Rosenbaum revenait sur toutes les lèvres : Henri incarnait l'élu parmi nombre de prétendants recalés avant lui. Personne n'y trouvait à redire. Un tel mariage était dans l'ordre logique. Béatrice était hors d'elle. Elle était réduite à rien. Que pesait-elle face à la fortune Rosenbaum ? Selon la rumeur, Henri avait répudié Béatrice. Il s'offrait le tremplin idoine pour sa carrière. Me Noguerre allait jouer dans la cour des grands. Un stratège hors pair, ce Me Noguerre ! Et sa suprême habileté était de ne pas le montrer.

— Comment ? Tu es au courant ? demanda Henri d'une voix chevrotante, avouant implicitement son mensonge.

— Tout le monde parle de ta liaison. Tu es un traître de cabot, Henri, un fourbe. Tu crois que je vais accepter ça ! Je vais aller de ce pas lui révéler la vérité, à cette Jenny. Qu'elle se marie à un chien !

Henri avait la gorge sèche. Il fallait à tout prix calmer Béatrice. Elle était comme une furie. Henri était sur ses gardes.

— Jenny est mon assistante, rien de plus.

— J'exige qu'avant midi elle ait décampé définitivement de l'étude ! Sinon, c'est moi qui te quitte, et tu ne me reverras plus jamais. Tu crèveras comme un chien. Sans moi tu n'es rien, rien, rien, tu entends, rien qu'une bête qui bouffe, qui pisse et qui chie comme une bête.

— Tu me mets dans un sacré pétrin.

— Il était savoureux, le dîner, l'autre soir, chez les Rosenbaum ! enchaîna Béatrice. Monsieur prétendait qu'il était invité seul ! Médor joue les princes charmants. Médor dîne dans le monde !

— Un dîner strictement professionnel.

— Et ton futur mariage ? Strictement professionnel ?

— Des rumeurs ! Il n'y a rien entre Jenny et moi, sinon que nous travaillons tous les deux dans la même étude, c'est tout !

— Ta secrétaire ne cesse de me répéter que maître Noguerre est en rendez-vous à l'extérieur.

— Nous visitons des immeubles. Nous faisons des inventaires de successions. Rien que le métier.

— Les immeubles Rosenbaum, je suppose.

— Tu ne comprends rien aux affaires, laissa tomber Henri avec mépris.

— Affaires ou pas, cette intrigante, tu me la vires.

— Tu veux flinguer ma carrière, c'est ça ?

— Ta carrière ! Mais elle est finie ta carrière ! Elle est dans le caniveau ta carrière, avec tous les autres chiens. Tu vas retourner à l'étude et me virer vite fait bien fait cette Jenny. Après, retour à la maison et dodo à la niche !

Henri poussa des grognements menaçants. Il montra les crocs. Béatrice, apeurée, s'empara d'un tison de la cheminée et le pointa devant le museau d'Henri.

— Il va falloir que je te dresse, mon petit Médor. Je vais te mater. Si tu ne vires pas Jenny, je lui raconte tout sur toi : la patte à emmailloter, les oreilles à enrouler, le zizi à désinfecter, les poils à brosser, la queue à enrouler ! Est-ce qu'elle t'a vu lever la patte, la petite Jenny ? Sexy il est, le Médor, quand il lève la patte !

L'engueulade avec Béatrice avait déclenché la fureur d'Henri et la fureur avait brusquement fait saillir la totalité de l'animal. D'un coup ! Comme ça. Ses maxillaires dessinaient un prognathisme menaçant. Des crocs jaunâtres se hérissaient sur des gencives écarlates. Quant au nez, il n'était qu'une truffe humide et grumeleuse. Henri se vit dans la glace du salon. Il se faisait peur. L'ordalie donnait raison à Béatrice. Elle était de mèche avec le destin. Impossible de lui échapper ! Henri haletait de panique, laissant pendouiller hors de sa gueule une langue blême. Béatrice avait surtout fait mouche en énervant la bête. Henri baissa la tête. Il se savait foutu. Mais foutu pour foutu, il se raccrochait à l'espoir qu'au moins Jenny ne saurait rien de sa déchéance canine. Devant elle, il voulait demeurer à jamais le prestigieux maître Noguerre. Le reste lui était égal. Il n'avait plus le choix. Il fallait qu'il se plie au diktat de Béatrice.

Henri se rendit à l'étude la mort dans l'âme, les traits canins dissimulés sous un maquillage épais, avec l'intention de mettre Jenny à la porte. Ce matin, elle lui parut plus rayonnante que jamais. Son sourire lui fit un moment oublier son état d'humain en sursis. Il osa mettre entre parenthèses les injonctions de Béatrice. Il se montra à l'égard de sa protégée plus prévenant que les jours précédents. Jenny le ramenait tout naturellement à des attitudes de pure tendresse. Leurs corps se frôlèrent par inadvertance. Leurs mains se livrèrent tout au long de la journée à un incessant ballet d'attouchements, de caresses esquissées. Henri se maîtrisait. Jenny avait des vertus apaisantes. Henri reporta d'heure en heure la question du licenciement. La journée fut gaie. Vers six heures du soir, alors qu'ils travaillaient ensemble dans le bureau, on passa une communication urgente. C'était Béatrice.

— Alors, ça y est ?

— Quoi ?

— Tu lui as notifié son renvoi ?

— Tu veux dire...

— Tu m'as très bien comprise.

— Il y a des procédures à respecter, répondit Henri sur un ton neutre.

— Comment ? Tu as eu toute la journée pour la virer ! Si ce soir ta greluche fait encore partie du personnel, primo, je cafte tout, secundo, je te quitte. Tu vas patauger dans ta merde, mon petit Médor. Bon courage !

Béatrice lui raccrocha au nez.

Le sol se déroba sous les pieds d'Henri. Il se racla la gorge. Jenny était là, souriante, devant lui, son carnet de notes à la main, irréprochable, innocente. Henri hésita. Tout déballer à Jenny ? Se déshabiller et lui montrer son anatomie canine ? Et puis non, songea-t-il. Il fallait laisser Jenny sur ses illusions ! Sauver les apparences. Sacrifier Jenny à sa dignité d'officier ministériel. La virer donc. Elle trouverait ça injuste. Mais tant pis. Henri préférait demeurer sur son piédestal plutôt que de laisser Béatrice cancaner sur son animalité.

— Voilà, Jenny, il y a un imprévu grave entre vous et moi.

La jeune fille écarquilla les yeux.

— Quel imprévu ? Je crois que professionnellement nous nous complétons bien, n'est-ce pas ?

— Disons qu'il y a un contretemps. Votre stage est terminé. Voilà, il faut quitter l'étude. M'oublier. Cette situation entre nous ne peut plus durer. Je vous signifie très officiellement votre congé.

Des larmes humectèrent les cils de Jenny. Henri fut ému. Il avala sa salive avec un mouvement de glotte. Il enchaîna.

— Vous me permettez de vous tutoyer ? Ça sera plus facile pour moi de tout vous dire.

Jennyfer acquiesça ostensiblement, comme pour pousser son interlocuteur à aller jusqu'au bout de sa pensée. Henri fut le premier étonné de sa hardiesse.

— Il faut que je t'avoue quelque chose de très sérieux. Voilà, j'ai envie de toi. Mais si fort que j'ai envie de mordre, te mordre vraiment, partout, tellement fort que je risque de ne plus pouvoir lâcher prise. Je suis un notaire cannibale, un officier ministériel anthropophage, je bouffe de la fesse de pute pour apaiser mes papilles, et je ne veux pas que tu coures le moindre danger avec moi. C'est parce que je te désire charnellement que je suis un danger public. Il faut que tu quittes rapidement l'étude, sinon tu t'exposes au risque quotidien que tes chairs soient brusquement labourées par mes crocs. Je contrôle de moins en moins ma pulsion. Ta peau satinée, tes courbes délicates, le duvet diaphane que je devine au creux de tes reins : autant de supplices de Tantale. C'est à hurler tellement j'ai envie de t'avaler crue et vivante.

Jennyfer laissa passer un long silence. Elle était perplexe. Henri était-il cinglé ? Pas tant que ça finalement, il devait sans doute parler par métaphores. Elle aima cette soudaine crudité de langage qui tranchait avec le ton impersonnel que prenait d'ordinaire Henri.

— Je ne comprends rien à tes élucubrations, répondit enfin Jenny, passant elle aussi au tutoiement, et posant ses ongles nacrés sur la patte emmaillotée du notaire. Mais sache que je préfère être dévorée vive que de m'en aller et ne plus jamais te revoir. En fait, c'est simple. Tu veux ou tu ne veux pas de moi ? lui demanda-t-elle, le fixant droit dans les yeux. Moi, c'est oui. Décide-toi. Si c'est oui, c'est pour la vie, si c'est non, je m'en vais et tu n'auras plus jamais de nouvelles de moi. Mais je ne t'en voudrai pas. Alors, prêt à m'ingurgiter crue ?

L'ultimatum était posé.

Réponds NON, Henri, compris ? Et tu t'en sors à bon compte. Bien sûr qu'il faut dire NON. C'est l'évidence même. La seule issue pour sortir de l'impasse. Et quel soulagement !

Henri pensa « NON » de toutes ses forces.

Allons, courage, Henri, tu vas dire NON, Jenny sera déçue, Rosenbaum furax, mais devant la société tu demeureras maître Noguerre, une dignité notariale de la capitale. Jenny pense que tu plaisantes. Elle est à des années-lumière d'envisager que tu es de la race des bêtes qui mordent, qu'à la maison, on te ligote la gueule dans une muselière. NON, NON et NON, ce n'est pas possible, Jenny, notre amourette est trop risquée ! Henri avait le NON sur le bout des lèvres, NON, NON et encore NON, mais il prononça OUI... C'était le regard de Jenny qui l'avait tétanisé : un regard pétillant, optimiste, victorieux.

— Quand même, tu en as mis du temps à te déclarer, commenta Jenny.

— Je ne plaisante pas, ajouta Henri. Un jour, je te dévorerai. Ta chair me fait saliver. Tu es prévenue, maintenant.

— Prévenue, fit Jenny, avec un sourire mi-inquiet, mi-optimiste.

À la maison, Béatrice alla droit au but.

— Tu l'as enfin virée ? demanda Béatrice.

— Qui ?

— Elle, bien sûr.

— Oui, fit Henri, baissant les yeux, comme un gamin honteux.

— Définitivement ?

— Définitivement, balbutia Henri.

— C'est bien, fit Béatrice. Tu as fait comme je t'ai dit. Je suis fière de toi. Nous allons fêter ensemble ce soir la fin de ta vie d'humain ! Finie l'étude, ajouta Béatrice.

— Je dois encore y retourner au moins demain matin. Je n'ai averti personne de mon départ.

— Je m'en chargerai.

Henri protesta. Il avait encore des dossiers en souffrance. Son départ exigeait qu'il prenne des dispositions spécifiques. Béatrice refusa net.

Béatrice y tenait soudain à son Médor. Qu'une pécore lui confisquât sa bête, pas question ! Médor, c'était sa propriété personnelle. Elle l'avait toiletté, bichonné, élevé, martyrisé, et ça lui donnait des droits. La présence de cette Jenny devait avoir une influence dans la rémission imprévue dont il bénéficiait. Mieux valait prendre le taureau par les cornes : dorénavant Médor resterait à la maison. Elle omit sciemment de lui ôter la muselière pour le dîner. Henri jeûna ce soir-là. Il n'avait pas osé résister, se sentant morveux devant Béatrice. Toute la nuit, il poussa des râles d'asthmatique, la muselière le gênait particulièrement pour respirer dans son sommeil.

Le lendemain Béatrice rejoignit directement son cabinet, laissant Henri au lit, livré à lui-même. Henri se leva et décida plein de fougue de rejoindre coûte que coûte sa belle à l'étude. Il se dépêcha de son mieux. L'idée de retrouver Jenny lui donna du tonus. Il réussit à se frictionner le poil et à polir ses ongles à la lime. Il dut s'y prendre à plusieurs fois pour enrouler ses oreilles, enrober sa patte, attacher sa queue en écharpe. Béatrice ne lui avait préparé ce matin aucune tenue et il choisit lui-même ses propres effets. Il prit ses vêtements au hasard de ceux qui restaient. L'ensemble lui parut satisfaisant. Une fois vêtu, il s'aspergea de déodorant. Ce matin-là, l'optimisme l'aida à reprendre bonne figure : le duvet sur son visage s'était estompé, et quant au nez, il avait perdu sa texture grumeleuse. Sauf que Béatrice avait attaché la muselière de façon si serrée qu'Henri ne pouvait pas l'ôter. Les sangles

étaient si bien entrelacées qu'il fallait un doigté de prestidigitateur pour les dénouer. Et avec sa patte et un seul
bras vaillant, Henri n'avait aucune chance d'y parvenir.
Ivre de colère, il appela Béatrice au téléphone et ne
parvint à éructer que des gargarismes caverneux. La
muselière l'empêchait de mordre, de dormir, pis, de
parler. La réponse de Béatrice fut sans équivoque :

— Médor, tu gardes la maison. Sois sage, sinon, je
ne te retirerai plus jamais la muselière et tu crèveras de
faim.

Henri était bel et bien séquestré. Il attendit le retour
de Béatrice comme un lion en cage. Il était décidé à
l'étrangler. Lorsqu'elle rentra vers six heures du soir,
à peine eut-elle franchi le seuil de l'entrée qu'Henri
bondit sur elle, enserrant sa gorge entre sa main et sa
patte. Béatrice opposa une résistance farouche. Mais
elle tint bon. Mieux : elle fit valser Henri à plusieurs
mètres. Il demeura à terre, commotionné, sans pouvoir
se relever. Henri était désarmé, impuissant, il ne pouvait plus mordre. Cette sensation d'impuissance était
atroce. Pire que Samson les cheveux tondus.

Béatrice retourna à l'entrée et ouvrit grand la porte,
d'un geste théâtral.

— Va la rejoindre, ta Jenny, puisque tu y tiens tant
que ça, lui dit-elle en riant. Je suis sûre qu'elle accep-
tera de te retirer la muselière. Elle a certainement besoin
d'un chien de compagnie.

Henri fut pris au dépourvu. Il hésita. La porte de
l'appartement était béante, plus aucun obstacle se dressait devant lui pour aller se blottir contre Jenny. Mais
il demeura cloué sur place. L'aventure lui fit peur. Le
courage lui manquait. C'était l'idée de sortir avec une
muselière au museau qui le tétanisait.

— Tu vas la rejoindre ou quoi ? renchérit Béatrice.

Henri hésita encore. C'est vrai, c'était le moment ou jamais de s'évader à toutes jambes. Peut-être Jenny prendrait-elle Henri en pitié, elle l'aimerait encore, même avec la muselière de Béatrice sur la gueule ? Elle lui détacherait cette muselière et se laisserait embrasser à petits coups d'incisives. En fait, Henri n'avait plus le choix. Béatrice triomphait. Car le faciès d'Henri, tout gainé de cuir qu'il était, s'était encore métamorphosé pendant l'altercation. Le nez retroussé présentait deux orifices noirâtres. Des crocs bistrés garnissaient des maxillaires prognathes. L'échine s'était voûtée et ses bras, amaigris, pendaient jusqu'au sol. Les jambes s'étaient rétrécies en jarrets. Henri tituba comme un vieillard podagre. Il dut se mettre à quatre pattes pour reprendre son souffle. Il eut soudain très chaud. Il fallait qu'il se débarrasse de ses vêtements. Béatrice l'aida à se dépouiller de ses habits. Henri s'allongea sur le lit. L'heure n'était plus à la bagarre. Il était épuisé, abasourdi. Béatrice lui prépara un potage. Elle lui ôta la muselière pour qu'il bût et la raccrocha aussitôt le bouillon absorbé. Elle l'emmena ensuite lever la patte : Henri croisa quelques promeneurs indifférents au quadrupède en pleine acmé névrotique.

Le lendemain, Béatrice se leva à la première heure. Elle s'habilla en hâte, s'affaira à la cuisine, puis quitta l'appartement sur la pointe des pieds, laissant Henri seul avec sa gueule cadenassée. Henri voulut tenter l'impossible. Contacter Jenny. Il fallait lui téléphoner. Henri se disait qu'en s'entraînant quelque peu, il parviendrait à articuler et à se faire entendre. Travail harassant de ventriloque ! Henri se livra à des exercices pour prononcer des paroles malgré l'impossibilité de remuer les maxillaires. Puis il se jeta à l'eau : il composa à l'aide d'une griffe le numéro de sa ligne personnelle à laquelle seule Jenny était autorisée à répondre. Il laissa sonner et miracle, un « Allô, maître ? » plein de déférence amoureuse se fit entendre. Henri se crut sauvé ! Il fit des efforts démesurés. Mais non ! Articuler correctement s'avéra une gageure. L'émotion le rendait aphasique. Henri prit conscience qu'il éructait, et raccrocha brusquement. Il ne se découragea pas pour autant. Il composa de nouveau le numéro et se promit cette fois-ci de calmer son débit. Il tomba encore sur Jenny. Il était décidé à contrôler les moindres vibrations laryngées, à détacher chaque syllabe. Le résultat fut une fois encore pitoyable : il n'émit que d'inaudibles vocalises, des gémissements grasseyants, ponctués de quintes de toux et de raclements gutturaux. Henri raccrocha, paralysé de honte. Il venait de se dénoncer : forcément, il n'y avait que lui pour appeler sur sa ligne personnelle. Angoisse ! Jenny avait-elle tout entendu de ses abois désespérés au bout du fil ? Réaliserait-elle enfin pour de bon que le digne officier ministériel qu'elle croyait aimer n'était qu'une bête schizoïde ?

Henri imaginait les ragots, les sarcasmes, les rumeurs, qui iraient bon train à son sujet. Qu'allait-on dire de la disparition inopinée de maître Noguerre ? De ses derniers borborygmes au téléphone ? Henri était cloîtré chez lui le désespoir au ventre. Il ne pouvait s'en prendre qu'à lui-même. Il aurait dû tirer sa révérence aux humains depuis belle lurette : il avait mené un combat de trop, contre lui, contre la vie ou peut-être contre Béatrice, avec cette idée de vouloir séduire Jenny. Et il était maintenant KO sur le ring : c'était sa faute, il le savait.

Henri parcourut le salon de long en large, histoire de tuer le temps. Il tourna tout l'après-midi comme un fauve en cage. Après avoir ainsi erré, il s'assoupit entre les pieds d'une commode. Henri était nu et la moquette dégageait une tiédeur moelleuse. À quoi bon se révolter finalement ? Béatrice avait précipité les choses, elle était félonne, mais pourquoi lui en vouloir ? Elle y tenait, à son Médor. Bravo pour elle, et tant pis pour Jenny ! Rien n'avait d'importance maintenant. Le monde des humains n'était qu'un souvenir qui s'estompait, un continent submergé par les eaux. Il allait sombrer pour de bon dans le nonchaloir et l'adamisme.

Béatrice rentra ce soir-là du travail plus tard que d'habitude. Elle revenait les bras chargés d'aliments. Elle n'avait pas hésité à dévaliser les rayons d'un supermarché, emportant des échantillons de *Whiskaz*, de *Pedigree Paal*, de *Canigou*, de *Frolic*, ne sachant pas trop quoi choisir. En gavant son Médor de nourriture pour chien, elle planifiait de l'achever psychiquement et de le murer définitivement dans l'animalité. Elle opta pour une recette *Whiskaz* à base de lapin en gelée. Henri lui trouva une consistance gélatineuse et un goût rance. Berk ! Il rêvait de viande rouge.

Béatrice acheta aussi des bols en plastique pour l'eau et les aliments. Sur les rebords était reproduite l'effigie du chien Pluto. Elle avait pourtant cherché des modèles avec le nom de Médor, ou même des modèles vierges, mais on lui avait dit que ça ne se fabriquait plus. L'année dernière, c'étaient les bols Idéfix qu'on vendait. Cette année l'américain Pluto prenait sa revanche. Disney effaçait Uderzo. C'est la mondialisation qui voulait ça.

Le corps d'Henri balançait de plus en plus chaque jour du côté animal. Des babines en bourrelets gluants lui donnaient des allures de chien acariâtre. Son larynx rétréci transformait ses protestations en magma de borborygmes.

— *Down*, Médor, proféra un soir Béatrice.

Elle avait utilisé le terme anglais, en pointant le doigt au sol : ça sonnait mieux que le français. Henri fut donc interdit de lit. Dorénavant, il coucherait à même le sol. Fini le pyjama amidonné, les draps à la lavande, les tisanes au miel. D'ailleurs, cette nuit-là, Béatrice la passa dehors. Henri fut pris d'insomnie. Il erra sur la moquette. Il essayait d'aboyer sa rancœur, malgré sa muselière, il avait du mal à écarter les maxillaires, et cela donnait des mugissements étouffés. Béatrice rentra au petit matin les yeux cernés, le rimmel dégoulinant, avec la mine épanouie des femmes qui ont connu le plaisir. Elle déversa en hâte une boîte de *Canigou* dans le récipient. Henri renifla la pitance et la délaissa, écœuré par la consistance huileuse. Il préférait la chair humaine, celle de Béatrice par exemple. Pour le besoin du matin, elle le fit descendre par l'escalier de service. Histoire de le casser davantage.

Heureusement, Henri avait gardé d'humain un ou deux éléments, pas grand-chose, juste de quoi garder espoir : un index à la main droite d'abord, mais surtout son cerveau notarial. Un vrai cerveau de juriste, en parfait état de fonctionnement, rempli de droit notarial, de jurisprudence notariale, de ruse notariale. Certes, Henri se déplaçait malgré lui à quatre pattes, mais il s'imposa un entraînement quotidien pour retrouver sa bipédie. Il faisait quelques pas sur l'arrière-train, retombait au sol, puis recommençait. Cette gymnastique avait le mérite d'éviter de broyer du noir. Son salut résidait surtout en ce providentiel index humain égaré dans les poils de la patte droite, neurologiquement relié au cerveau notarial. Le cerveau plus l'index fonctionnaient en parfaite synchronie, comme un dispositif autonome, une machine désirante. C'était bien assez pour lui donner envie de tapoter sur les touches d'un clavier d'ordinateur et de communiquer avec Jenny par mail. Il avait installé un iMac à domicile, doté des dernières avancées technologiques. Henri le mit en marche. Puis il posa doucement la patte sur la souris, qu'il parvint à déplacer grâce à ses coussinets rugueux. Henri réussit à se brancher sur le réseau. Puis il dirigea la flèche sur l'icône en forme d'enveloppe stylisée « courrier à envoyer » et rédigea un message à l'intention de Jenny. « J'ai pété grave les plombs depuis quelque temps à la maison. Mais ça commence à aller mieux dans ma tête. Je t'aime plus que jamais. Henri. » Il expédia la missive à son adresse Internet à l'étude. Henri vérifia plusieurs fois sur son écran que le message avait été reçu, puis il éteignit l'ordinateur. Henri se sentit ragaillardi. Puis l'angoisse reprit le dessus. Jenny aurait-elle la curiosité de consulter la messagerie d'Henri ? Rien n'était moins sûr ! Henri n'avait plus qu'à prier le ciel dans l'espoir d'une réponse. Il voulait à tout prix court-circuiter les manœuvres de sa geôlière.

Henri rejoignit sa cache sous la commode et s'endormit. Il se réveilla en fin d'après-midi. Aussitôt, il se précipita vers sa messagerie afin de vérifier s'il avait obtenu une réponse de Jenny. Rien ! Henri se résolut à patienter. Il attendit encore une heure puis consulta de nouveau ses mails. Pas le moindre envoi de Jenny. Pourtant, Henri lui avait communiqué son adresse personnelle. C'était donc sans espoir. Il songea encore une fois au suicide. Des comprimés de Gardénal étaient conservés dans l'armoire à pharmacie. Il pourrait s'en glisser un dans la gueule. Henri se hissa sur un tabouret et parvint à ouvrir la porte de l'armoire. Les tubes étaient encore fermés dans leur emballage d'origine. Henri se rua sur les médicaments. S'aidant rageusement de ses crocs et de ses griffes, il déchiqueta les cartonnages, cabossa les tubes, lacéra les bouchons. Une étagère en verre bascula et se fracassa sur le carrelage, entraînant dans sa chute tous les flacons d'onguents de Béatrice. Henri, pour effacer les dégâts, lécha les flaques de crème et entassa les bris de verre. Les éclats se mélangèrent aux crèmes de beauté en un magma visqueux et pailleté d'or.

Béatrice rentra de bonne heure.

— Décidément, tu es une catastrophe comme animal. Une calamité, mon pauvre Médor. Quel capharnaüm !

Béatrice saisit un balai-brosse et tabassa Henri qui se réfugia sous l'évier, un peu grotesque. Elle ne pouvait s'empêcher de rire de ce règlement de comptes inopiné. Henri attendit dans sa cache que Béatrice ait quitté l'appartement pour tenter une sortie. Il se traîna en silence de pièce en pièce, abasourdi, et s'échoua, désespéré, sur le carrelage. Puis, il retourna à petites étapes dans la chambre et se blottit au pied du lit. Dans son sommeil, il rêva de Jenny. Dans son rêve, il était bipède.

Le lendemain Henri attendit que Béatrice soit partie pour consulter l'ordinateur. Soulagement ! Jenny avait envoyé un message : « Le retour de Mᵉ Noguerre est attendu avec impatience. Jenny. » Sauvé ! se répétait-il intérieurement, en jappant et sautillant dans tout l'appartement. Puis il s'immobilisa. C'était le moment ou jamais de proscrire tout réflexe canin et d'activer en revanche le cerveau notarial. Il envoya à son tour un message. Il demandait qu'on lui expédiât copie des dossiers en souffrance. Il exigea des informations détaillées. Henri reçut plusieurs courriers, cliqua à chaque fois sur le trombone et eut accès à la lecture des dossiers. Henri se mit aussitôt à la tâche. Il répondit en adressant des consignes précises à Jenny. Les jours suivants, les échanges continuèrent. C'est Jenny qui centralisa puis répartit les instructions au sein de l'étude. Henri fut occupé toute la journée à rédiger des notes assorties de mots doux. Il reprit goût à la vie et jubilait du tour qu'il jouait en douce à Béatrice. Henri se fit aimable et docile afin de n'éveiller aucun soupçon. À la maison, le climat devint bon enfant.

— Brave Médor, répétait Béatrice, maintenant rassurée, en caressant l'encolure du chien.

Henri s'était mis à travailler d'arrache-pied. Chaque matin, il rédigeait ses courriers à l'intention de Jenny. Elle lui adressait en retour des réponses circonstanciées. L'étude fonctionnait presque normalement. Henri prenait soin, chaque soir, avant le retour de Béatrice, de dissimuler la correspondance sous des rubriques de jeux. De temps à autre, elle utilisait l'iMac pour ses commandes de matériel médical. Grâce à ce subterfuge, Béatrice ne voyait rien des agissements de son toutou. Son existence de correspondant clandestin l'enfiévrait comme un résistant en pleine opération. La vie de chien avec Béatrice, elle, se déroulait dans la plus stricte banalité animalière. Pipi, promenade, *Canigou*. Henri ne désespérait pas de revenir un jour à l'état d'humain. Il désirait revoir Jenny au plus vite.

Un après-midi, la gardienne glissa un pli non timbré sous la fente de la porte. Sur l'enveloppe, les coordonnées d'Henri étaient inscrites en lettres rondes avec une encre mauve. Henri la décacheta : c'était une lettre d'amour de Jenny, pleine de mots tendres, dans laquelle elle le suppliait de revenir au plus vite à l'étude. Henri était aux anges.

Il reprit courage. Maintenant sa conviction était faite. À force d'avoir été traité en chien, d'avoir joué complaisamment les chiens, Henri avait fini par se voir affublé d'un physique de chien. Ni plus ni moins. Maintenant, il était décidé à ne plus se laisser faire et à demeurer physiquement le prestigieux Me Noguerre qu'il avait été, une figure du notariat français. Il fallait trouver une réponse pour Jenny. Par mail, il envoya un message prudent. Il indiquait que son malaise était en voie de se résorber et que, d'ici quelques jours, il reprendrait son activité à l'étude.

Henri souffrit les jours suivants de diarrhées. Il supportait mal le régime à base de boîtes, malgré leur teneur affichée en vitamines. Et puis la vie pratique n'était pas facile. Si uriner dans la cuvette des toilettes avait été un fiasco, déféquer était une opération autrement plus délicate. Il grimpait sur la lunette, se tenait en équilibre à quatre pattes, abaissait son orifice dans le creux de la cuvette et expulsait d'une poussée nette l'étron qui s'immergeait dans le liquide avec un « plouf » sonore. Henri réussissait son largage lorsque la déjection était compacte, mais le lâcher perdait en précision pendant les périodes de colique. Heureusement, Béatrice se résolut à cuisiner des plats à base de riz et de granulés constipants. Très vite, Henri récupéra sa dextérité en matière de balistique fécale.

Béatrice avait acheté un baquet pour chien en tissu molletonné où se lover pour la nuit. Elle avait aussi apporté une balle en caoutchouc jaune fluo qui couinait chaque fois qu'on pressait dessus. Henri aurait pu la faire rouler et faire semblant de jouer au chien joyeux. Pour endormir la méfiance de Béatrice. Mais il se l'interdit : ça le gênait de jouer à la baballe, alors qu'il traitait dans la journée d'affaires sérieuses. Béatrice lança la boule caoutchouteuse plusieurs fois dans la cuisine. Henri demeurait immobile, dignité ministérielle oblige ! Béatrice était furieuse. Elle trouvait qu'Henri mettait de plus en plus de mauvaise volonté à faire le chien. Et c'était vrai.

L'existence d'Henri prit tout de même un cours acceptable. La journée, il dialoguait avec Jenny. Il donnait des directives, dictait des conclusions, clôturait des dossiers. Pour le reste, Henri restait dépendant de Béatrice. Le dimanche, il avait droit à une promenade sur les hauteurs boisées du parc de Saint-Cloud. Béatrice avait réduit son vocabulaire à quelques onomatopées, et Henri trouvait ce rétrécissement lexical avilissant. Mais Béatrice tenait à traiter Henri comme un animal, afin d'anéantir au plus vite les neurones du cerveau notarial. Henri commença à s'ennuyer la journée. La correspondance par Internet le frustrait de ne pas voir Jenny en vrai. Pour occuper le temps, et faire marcher son cerveau notarial, il se plongea dans la lecture d'ouvrages spécialisés. Il compulsa des publications sur les dernières jurisprudences. C'était le seul moyen d'échapper à l'emprise abêtissante de Béatrice. Les ouvrages qu'Henri avait fait dégringoler de la bibliothèque s'éparpillaient en désordre sur la moquette.

— Qu'est-ce qui lui prend au Médor ? s'irrita Béatrice. Le Médor, il a renversé tous les bouquins par terre. Mais quel foutoir ! Tu ne vas pas me dire que tu t'es remis au droit ! Pas de chien juriste à la maison. Je vais te la faire passer, moi, l'envie de faire du droit.

Béatrice lui administra une taloche. Puis elle ramassa les publications et commença à les démembrer pour les jeter à la poubelle. Henri montra les crocs sous sa muselière et poussa des grognements de loup. Béatrice sentit la menace et prit peur. Son chien réagissait plus férocement que prévu. Elle y était attachée, à son Médor, à condition qu'il demeure sa bête à elle, docile, captive. Béatrice fit une ultime tentative pour contrecarrer l'acharnement livresque de son animal :

— Ne me fais pas le coup de redevenir un notaire, mon Médor chéri. Tu me conviens comme ça. Le droit, c'est fini, et pour toujours. C'est quand tu aboies et que tu remues la queue que je t'aime.

Béatrice remit à leur place les reliures dans la bibliothèque, histoire de ne pas énerver davantage son quadrupède. Elle changea donc de stratégie et opta pour la méthode douce. Elle se montra câline. Elle caressa l'encolure de son protégé et malaxa de ses doigts effilés la toison argentée qui couvrait l'échine. Elle voulait que son chien soit content : c'était la seule façon de le maintenir en l'état. Elle se risqua à lui ôter de temps à autre la muselière. Henri poussait dans ces rares moments de grands bâillements de bonheur. Béatrice renonça aussi à ses escapades nocturnes. Henri retrouva un sommeil paisible.

— Je t'aime, mon Médor, avoua une fois Béatrice à son animal.

Henri n'avait pas renoncé à son entraînement de ventriloque. Il s'astreignit à des exercices quotidiens d'articulation et de vocalises sous la muselière. Maintenant, il parvenait à prononcer un bon nombre de mots. Pas tous, mais suffisamment pour communiquer avec Jenny. Le matin, il parvenait à articuler des propositions audibles. Le soir, c'était plus difficile. La fatigue sans doute. Un matin, Henri appela Jenny au téléphone.

— Je suis presque guéri maintenant, j'ai arrêté de débloquer, je sais où j'en suis dans ma tête, osa affirmer Henri. Je pourrai d'ici quelques jours reprendre le travail à l'étude. Et nous allons vivre ensemble.

Henri jouait de malchance. Béatrice venait juste d'entrer sur la pointe des pieds dans l'appartement. Elle avait surpris Henri en flagrant délit de conversation humaine. Cette fois-ci, c'en était trop. Elle était décidée à le mater ferme, son Médor.

— Qu'est-ce que c'est ça, Médor ? À qui parles-tu ?

— À personne, répondit Henri, bégayant sous le coup de la surprise.

Henri raccrocha doucement, sans omettre de murmurer un « à bientôt », afin de ne pas éveiller la curiosité de Jenny.

Béatrice explosa.

— Tu te mets à parler maintenant. Un chien qui parle ! Demain, je t'arrache la langue avec une pince d'obstétrique.

— Non, je ne parle pas. Je te jure que je ne parle pas, articula Henri sous l'emprise de la peur.

— Et à qui parlais-tu au téléphone ? À Jenny ? Mais pour qui se prend-il le Médor ? Il était pourtant décidé que tu deviennes un chien une bonne fois pour toutes ! Tu me l'as promis !

— Bon, je parle. Et où est le mal ?

— Un chien, ça aboie, imbécile. Compris ?

Henri n'avait pourtant plus l'intention de se laisser faire par Béatrice. Il y allait de son honneur vis-à-vis de Jenny.

Un soir, alors qu'il furetait dans les boqueteaux du bois afin de trouver un arbre où pisser tranquillement, il ressentit comme une fourmilière dans la région du sacrum. Henri s'accroupit afin de se frotter le râble contre une souche rugueuse. Le prurit vertébral ne fit qu'empirer. La démangeaison fut si vive qu'Henri tira par violentes saccades sur la queue. Rien ne céda. C'était toute la colonne vertébrale qui trinquait. Henri trépigna de rage. Il s'y prenait mal. L'intuition lui dicta de procéder non plus par traction mais par rotation. Il agrippa fermement avec ce qui lui restait de main le gras de la queue et la fit pivoter doucement, si bien que le morceau se détacha sans douleur et sans mal. Henri prit la queue à pleines griffes et la porta haut comme un trophée. Il passa le revers de la patte au bas des dorsales : la peau était lisse et sans séquelle. Henri se palpa le postérieur avec les coussinets : il trouva deux fesses glabres, rebondies et caoutchouteuses. Il songea à enterrer sa queue sur place. Puis il se ravisa. Il décida d'emporter avec lui son appendice afin de narguer Béatrice.

— Qu'est-ce qu'il a fait, le Médor ? Il a arraché sa queue de chien ! Il a honte de lui, le Médor !

— Je ne l'ai pas arrachée, elle s'est déboîtée toute seule, articula Henri sous sa muselière.

Henri ramena sa queue à la maison avec la satisfaction d'un enfant tenant dans ses bras une prise de chasse. Puis il la balança dans le vide-ordures. Il ne voulait plus jamais la revoir sa queue. Terminée maintenant la vie de chien. Il y en a marre. C'est bien décidé.

Un matin, Henri se réveilla de fait avec des jambes d'homme ; ses pieds aussi avaient repris leur voûte plantaire d'antan. Henri était ravi. Il les caressa, les palpa, s'amusa à tirer sur les quelques poils en point-virgule qui les parsemaient. Et puis ses jambes humaines étaient en bon état de marche. Henri chaussa des souliers de ville et s'acclimata aussitôt à la bipédie. Il était ravi : le destin tranchait en faveur de la verticalité. Le retour de l'humain s'annonçait comme un printemps nouveau.

Béatrice, elle, était désemparée. Ses plans s'effondraient. Museler Henri, le traiter en chien, avait eu un effet contraire à ses attentes. C'était incompréhensible. Elle ne maîtrisait plus la situation. Henri devenait outrecuidant, distant. Elle le retrouvait souvent en train de compulser des documents professionnels. Un mauvais coup se tramait-il contre elle ? Henri se remettrait bientôt au boulot et cette garce de Jenny l'évincerait pour de bon. Il fallait agir. Il y allait de sa survie. Mais comment ?

Un autre matin, il retrouva ses oreilles d'homme. Le jour suivant, sa gueule de chien s'était aplatie, adoucie, elle ressemblait presque à un visage humain. Et avec la gueule plate, la muselière avait beaucoup plus de mal à tenir, elle perdait en efficacité pour l'empêcher de parler. Sa peau d'antan était revenue, d'abord par plaques, puis sur l'ensemble du corps. Il avait même acquis un teint lisse de baigneur et ses rides de fatigue s'étaient estompées. Comme s'il revenait d'une cure de santé. Le détour par la vie de chien faisait l'effet d'une jouvence. Sa chair reprit une consistance douce, une carnation laiteuse, parsemée d'éphélides. Un jour vers trois heures de l'après-midi, Henri constata que le bras gauche avait repris sa forme et sa consistance normales. Oui, le bras gauche, là où tout avait commencé. Ce retour à la case départ était d'une valeur symbolique inestimable. N'était-ce pas précisément par le bras gauche que la métamorphose avait commencé ? Un sexe humain remplaça le zizi canin. Les mains aussi revinrent, fines et lestes. Il regarda ses doigts avec la satisfaction d'un mutilé venant d'être greffé : des phalanges effilées, avec aux extrémités des ongles opalescents ! Henri dénoua sa muselière et la jeta triomphalement à ses pieds. Il ne put s'empêcher de pousser un rire retentissant, un grand rire de bonheur vengeur à l'égard de Béatrice, le rire du prisonnier qui soudain entrevoit le ciel bleu et respire le vent de la liberté après une évasion réussie. Enfin il pouvait articuler en toute liberté, posséder le langage. Il envisagea aussitôt d'appeler Jenny. Mais mieux valait attendre que le retour à l'humanoïde soit achevé. Il était échaudé. Inutile de vendre la peau de l'homme avant de l'avoir recouvrée ! Henri appela l'étude et indiqua qu'il réintégrerait son bureau la semaine prochaine.

Ce matin, Henri se leva bien avant Béatrice. Il se prépara une tasse de café sans sucre et une tartine de pain beurré. Béatrice, réveillée par le cliquetis des couverts, se précipita dans la cuisine. Le spectacle la prit de court. Voilà que non seulement son Médor avait ôté sa muselière, mais qu'en plus il se débrouillait maintenant tout seul ! Une révolution de palais ! Un coup d'État ! C'était le moment ou jamais de frapper fort. Béatrice jouait son va-tout. Elle pointa un couteau de cuisine sous son nez et ordonna, avec des larmes de colère :

— COUCOUCHE, MÉDOR ! Compris ? Au lit, maintenant.

Henri fit semblant de ne rien voir et de ne rien entendre.

— J'ai dit COUCOUCHE ! hurla-t-elle d'une voix éraillée.

Henri saisit le poignet de Béatrice dans ses maxillaires et mordit jusqu'à faire tomber le couteau sur le carrelage. Béatrice grimaçait de douleur. C'était une prise de la Bastille.

Henri but son café dans le salon, écoutant les nouvelles à la télévision, puis il se débarbouilla rapidement et s'habilla. Il sortit de la penderie un complet droit, anthracite, sobre, le genre de tenue rigoriste proscrite par Béatrice et qu'elle n'avait pas déchiré. Henri fit mine de l'ignorer. Il choisit une chemise blanche, classique et une cravate foncée et rigide, au nœud étroit. Quant à la pochette, il la prit aussi blanche. Il haïssait les bariolages dont l'avait affublé Béatrice. La pochette blanche était la marque distinctive du sérieux ministériel. Davantage encore : le symbole vestimentaire de son émancipation.

Béatrice s'effondra en sanglots. Le départ d'Henri était une défaite. Médor quittait la niche. Et pour une autre ! La honte en somme ! Béatrice perdit soudain toute dignité et se prosterna devant Henri. Elle y tenait à son chien, autant, sinon davantage, qu'à son gîte.

— Ne me jette pas d'ici, larmoya-t-elle. Ça serait trop injuste. Qui t'a soigné, toiletté, bichonné, parfumé, promené au bois ? Moi ! Écoute, Médor, tu t'habilleras comme tu veux désormais, tu iras à l'étude, mais tu restes à la maison. Je ne veux pas que tu m'abandonnes sur le trottoir.

Henri fut d'abord ému. Il ne s'attendait pas à une déprime si brutale.

— Médor te dit merde, fit-il sèchement, endossant son pardessus en cashmere. Je suis attendu.

— Cette Jenny, c'est cela ?

— Est-ce que je te demande avec qui tu as couché les nuits où tu étais dehors ? rétorqua Henri.

Henri quitta l'appartement, coupant court à toute conversation. Au volant de sa voiture, qu'il tenait à pleines mains, Henri envisageait pour de bon d'épouser Jenny, il se plaisait même à imaginer la cérémonie officielle. Exit Béatrice.

Le retour de M\ Noguerre fut salué par un cocktail de bienvenue. M\ Blanchet prononça un discours amical. Henri s'était éclipsé suffisamment longtemps pour se faire regretter, sans pour autant se faire oublier.

Pendant sa « dépression », due au stress, au changement dans sa vie privée, l'étude avait tourné à plein régime. Et Jenny avait pris sa part dans la direction des affaires. Rosenbaum était ravi de la promotion de sa progéniture. Henri retrouva Jenny plus enjouée que jamais. La première journée se déroula sans heurt. Il maîtrisait ses dossiers. Et puis miracle, l'envie de mordre Jenny l'avait quitté, ou du moins, il n'en éprouvait qu'une vague aspiration. Il n'y avait pas vraiment d'explication. La bête était probablement demeurée à la maison, dans le giron de Béatrice. Dehors, Henri savait se montrer affable. Il invita le soir même Jenny à dîner. Elle opta pour les Bains, une boîte de nuit, son quartier général après onze heures. Il avait envie de danser, d'oublier dans les lumières des lasers ses jours à ras de terre. Il passa à la maison pour un brin de toilette. Il mit une veste bleue par-dessus un jean. Et une chemise à col ouvert. C'était une tenue assez excentrique pour lui. Une révolution. Henri se lâchait. Il jouait devant Béatrice au mâle dégourdi. Il affecta d'ignorer sa présence. Il claqua la porte en partant.

Sur les lieux, une foule était en ébullition. Jenny l'attendait assise au bar. Elle portait une jupe de cuir et un débardeur. Ses seins pointaient en relief. Ses lèvres rouges contrastaient avec son teint diaphane et sa chevelure sombre. Elle conservait pourtant une allure de collégienne, éloignée de la sophistication énigmatique de Béatrice. Jenny exhalait un parfum sensuel mais sage, qui confortait Henri, autant dans ses velléités d'encanaillement que dans ses calculs matrimoniaux. Lorsqu'ils furent assis pour dîner, des amis vinrent les saluer. Henri fut présenté comme le fiancé officiel. Il commanda un magret de canard. Il dut prendre sur lui pour découper sans s'énerver la chair du volatile. Ses doigts manquaient encore de dextérité. Il mastiqua avec lenteur, redressa la tête, évitant de grogner. Le serveur mit fin à son malaise en débarrassant la table. Henri se tira honorablement de sa première prestation publique.

Jenny et Henri passèrent le reste de la soirée à danser. Des rampes de lumières stroboscopiques éclairaient par intermittence des mines blafardes et des corps en nage. Le décor se voulait minimal : des murs bruts créaient sous les décibels une claustrophobie hallucinogène. Pris par la musique, Henri se laissa aller à des déhanchements, enserrant Jenny par la taille, avec l'énergie d'un danseur de samba. Par intermittence, il palpait son corps. Rien d'animal ne fit son apparition, ni les mains, ni les doigts, pas même les oreilles. Henri ce soir voulait être un humain. Hors de question de mordre. Il huma la fragrance moite des chairs perlées de sueur, puis il embrassa avec ses lèvres, et seulement avec ses lèvres, les volumes que dessinaient ses épaules et ses seins.

Il rentra chez lui au petit matin. Béatrice l'attendait, allongée sur le lit, lumières allumées, feuilletant, déconfite, un magazine de mode. Henri en fut presque ému. Il eut envie de lui prendre la main et de la consoler. Et puis non ! Pas question de s'apitoyer. Henri adopta un visage fermé. Il se prit au jeu et jubila intérieurement. L'affliction de Béatrice était son baume. Il n'avait qu'une envie : se débarrasser d'elle. Une balle dans la nuque aurait fait taire ses larmoiements qui l'agaçaient. Enfin ne plus mordre. Ne plus jamais mordre.

À l'étude, la rumeur du mariage prit valeur d'annonce officielle. Jenny et Henri ne cachèrent plus leur liaison. Henri fut invité plusieurs soirs de suite à dîner chez les Rosenbaum. Béatrice comprit que la partie était perdue. Elle n'essaya plus de retenir son Médor. Elle se cloîtra à la maison le soir. Elle n'avait plus le cœur à la fête. Elle s'était acheté des mules et des chemises de nuit en coton qu'elle traînait entre cuisine et télévision : répudiée, elle affichait un anti-érotisme résigné dans son naufrage.

Henri eut du mal à s'entendre au début avec Rosenbaum, qui se complaisait dans une gouaille de nouveau riche. Henri aurait aimé lui assener quelques bons coups de dents, l'amputer au mollet, à l'estomac même, histoire de lui rabattre le caquet. Car ce n'était pas un homme facile, ce Rosenbaum. Il affichait le style bourru, rusé perfide, toujours prêt à la blague caustique. Un dur à cuire ! De surcroît, Henri n'était pas son genre. Il l'appelait « mon petit Henri ». Mais il évaluait ses ouailles au résultat sur le terrain. Sur ce point, rien à redire : Henri était inattaquable, une réussite, un « sans faute ». Rosenbaum avait pour manie de faire suivre ses propres plaisanteries d'un rire gras et Henri faisait semblant de rire, par déférence, mais il n'en était pas moins exaspéré. Rosenbaum se félicitait d'ignorer le doute. Il méprisait les intellectuels, les paresseux, les pauvres, mettant les trois genres dans le même sac. Henri se sentait pris dans son collimateur. Il était notaire, gratte-papier donc, noyé dans la paperasse et le décorticage juridiques. Rosenbaum se voulait pragmatique. Malgré sa rudesse, Rosenbaum dégageait une aura de séducteur. Les dîners s'achevaient dans une ébriété conviviale. Jenny était ravie. Elle percevait les « mon petit Henri » de son père davantage comme une marque d'affection que de condescendance. Mordre, mordre Rosenbaum ?

Béatrice sombra dans une vraie dépression nerveuse, mais Henri affecta de ne rien remarquer. Elle prit l'habitude d'attendre Henri toutes les nuits. Elle lui préparait une tisane, qu'elle lui servait avec un comprimé pour dormir. Elle disposait également à la place d'Henri un pyjama imbibé de *Soupline*. Henri s'endormait vite. Pour lui, ce n'était plus qu'une question de jours. Il était décidé à faire déguerpir Béatrice. Et vite.

Une fin d'après-midi, après une journée occupée à visiter des lotissements et à dresser des inventaires de successions, Henri se retrouva en tête à tête avec Jennyfer dans l'ascenseur. Jenny pressa sans prévenir sur le bouton arrêt. La cage hoqueta puis s'immobilisa. Jenny posa son index à la verticale sur ses lèvres et fit « chut » avec un chuintement prolongé. Ses iris pétillaient d'un éclat mutin. Henri écarquilla les yeux et plaqua son dos contre la paroi métallique. Jenny ne lui laissa pas le temps de proférer le moindre mot.

— Maintenant je te viole et tu ne discutes pas.

Henri était pris au piège. Il avait terriblement peur, de lui bien sûr. Une rage animale venait de le prendre à la gorge. Mordre. Le cœur battant, il fit tout pour se dérober. Mordre. Jenny insista. Elle se blottit contre lui, appuya son genou contre l'aine et commença à le caresser doucement. Henri s'en voulait : il venait de réaliser la bourde de sa vie en prenant le risque de se retrouver seul avec Jenny. Mordre encore. Il s'attendait d'un moment à l'autre à un cri d'épouvante, une fois la première morsure entamée. Sa vie, sa carrière allaient passer à la trappe. Mordre. Henri reprit un peu de son sang-froid. Mordre. Ça ne devait pas être si compliqué que ça de résister à la pulsion de mordre. Mordre, mordre, mordre encore.

— Pas ici, tu es folle ! murmura Henri entre ses mâchoires qu'il retenait serrées.

— C'est maintenant ou jamais, répliqua sournoisement Jenny, excitée par l'affolement et les sueurs froides d'Henri.

— Non, je t'en prie. Il faut que je t'explique, dit-il, montrant les dents.

— Expliquer quoi ? Tu veux me mordre, alors mords ! dit Jenny en redoublant ses baisers.

Pour échapper aux assauts de Jenny, Henri appuya brusquement sur le bouton du bas du clavier de l'ascenseur, mais Jenny enfonça aussitôt la touche arrêt et la carlingue s'immobilisa entre deux étages. Il se savait perdu. Mordre. Mordre. C'était l'excitation sexuelle qui faisait couler la salive et déclenchait cette envie de morsures. Mordre. Henri savait que si Jenny se déshabillait, il reniflerait l'odeur de chair tendre et que ce serait plus fort que lui : il planterait ses crocs et labourerait la peau pour y dessiner des entailles et finirait par trancher dans le vif. Mordre.

Jenny se mit alors à genoux, dénoua la ceinture. Sa langue avait quelque chose d'impérieux et de tendre. Henri n'eut pas la force de s'esquiver. Jenny se releva lentement, dégrafa les boutons de la chemise d'Henri, et parcourut son torse de baisers. La sensation était atrocement délicieuse. Mordre ? Les cheveux de Jenny se répandaient sur sa chair en une pluie de fils de soie. Mordre ? S'appuyant sur sa jambe droite, serrant de l'autre la taille d'Henri, Jenny se cambra de façon à se laisser lentement pénétrer. Mordre. Mordre. Se hissant comme une danseuse sur la pointe de son escarpin, Jenny imprima à ses reins un mouvement de va-et-vient, puis accéléra la cadence. Mordre. Mordre. Mordre. Elle plongea sa langue dans la bouche d'Henri. Mordre. Des usagers impatients appuyaient de l'extérieur sur les boutons pour actionner l'ascenseur qui remontait puis redescendait par saccades. À chaque secousse, Jenny appuyait plus fort sur le bouton arrêt. L'ascenseur se mit en mouvement pour de bon. Lorsque la porte s'ouvrit, les deux amants furent inondés par le soleil du soir, qui en ce mois de mai jetait des rais de miel dans les rues de Paris. Ils se dévisageaient sans mot dire, se souriant l'un à l'autre, comme deux adolescents complices d'un forfait réussi. Ils marchèrent le long du trottoir, légèrement groggy. Ils avaient fait l'amour pour de bon. Sans morsure. Henri se sentit soulagé. Il se contrôlait donc. Il était guéri.

Deux jours plus tard, Henri se rendit chez le professeur Algis qui l'ausculta et dut reconnaître qu'aucune saillie animale n'était désormais à signaler. Il le félicita et parut s'en réjouir. Sur le pas de la porte, Henri lui annonça son mariage avec la jeune et jolie héritière Rosenbaum.

— C'est du suicide ! Ne faites pas ça, malheureux ! Dans deux mois, vous aurez un corps de golden retriever, pis, de bête vorace, et vous ne serez bon qu'à mordre, oui, j'ai dit mordre.

— Qu'est-ce qui vous fait penser cela, docteur ?

— Béatrice : elle vous tient.

7

C'est vrai qu'Henri éprouvait, dans le tréfonds de lui-même, comme une frayeur sacrée à l'égard de Béatrice. Elle avait un statut de déité qu'il aurait été dangereux de profaner. C'était pourtant simple : un bon coup de dents à la carotide, et l'affaire était terminée. Mais peut-on occire une idole ? Henri dut se résoudre à une solution plus juridique : faire déguerpir Béatrice. Un soir, il osa le sacrilège, l'affronta droit dans les yeux.

— Il est temps que tu t'en ailles. Tu n'es plus chez toi ici. Tu t'es déjà trop incrustée. Dégage.

Béatrice fronça les sourcils. Quoi ! Le chien Médor la congédiait sans préavis !

— Ça veut dire quoi, cet ultimatum ?

— Ça veut dire que Jenny et moi voulons vivre ensemble. Ta présence ici est devenue indésirable.

— Médor quitte la niche. Médor veut gambader. C'est normal, au printemps.

— Médor n'est plus Médor. Médor est redevenu maître Noguerre.

— Tu es une bête, Médor, tu seras toujours une bête, et une bête qui mord. Mademoiselle Jennyfer serait-elle une adepte de la zoophilie cannibale ?

Henri se déshabilla lentement.

— Regarde-moi. J'ai retrouvé une morphologie humaine. Mon corps est lisse. Je ressemble à un bipède aujourd'hui. Jenny et moi formons un très beau couple.

Béatrice garda le silence. Puis elle reprit la parole, doucement, sur le ton de confidence, avec un sourire angélique. Il lui restait encore une carte à jouer.

— Je voulais t'annoncer pourtant une heureuse nouvelle.

— Quoi encore ? dit Henri d'un ton agacé.

— Je suis enceinte.

Henri blêmit.

— De qui ?

— De toi. Tu vas être papa.

— Nous n'avons pratiquement jamais fait l'amour ensemble.

— Il suffit d'une fois. Le bébé a été conçu la nuit du viol. Les dates coïncident. Les tests le confirment. C'est toi le père. Parole de gynéco.

— Fais-toi avorter.

— Il n'en est pas question. Le bébé mérite de vivre même si son père est une bête qui viole les humains.

— Hors de question que je reconnaisse l'enfant.

— Je l'élèverai seule.

— Chantage ! Le mouflet qu'on sort au dernier moment d'un mouchoir !

— Tu veux assassiner un innocent ?

— Ma vie est avec Jenny maintenant. File.

Béatrice refusa la défaite et frappa le point faible.

— Tu ne peux pas t'empêcher de mordre, Médor ! Jenny va finir déchiquetée sous ta dent. Votre union est un suicide.

— Il y a une vérité que tu ignores, Béatrice. Je n'ai jamais eu de véritable passion cannibale. Je me suis prêté à une comédie, uniquement pour te plaire. J'ai joué au Médor qui mord, car c'est ce que tu attendais de moi ! Un rôle de composition. Mais maintenant, retour à la case réalité. Et la réalité est que je suis maître Noguerre, que j'aime Jennyfer et que j'ai réussi à faire l'amour avec elle, tendrement, amoureusement, et surtout avec de vrais baisers, uniquement avec les lèvres, nos lèvres, les siennes, les miennes. Toi et moi avons vécu sur des malentendus. Toi, tu voulais des morsures, je te les ai données. Tu es satisfaite ? Restons-en là ! File.

— Et le temps que j'ai passé à m'occuper de toi, Henri !

— Tu vois, tu ne m'appelles plus Médor. Ça prouve bien que tout est révolu entre nous. Je ne suis plus ton chien.

Béatrice, impuissante, fondit en larmes. Non, elle ne voulait pas quitter la maison, « sa » maison. Elle s'y sentait bien au fond. Elle y avait ses habitudes. Elle avait tout décoré, aménagé, briqué, une demeure à son image, parfumée d'encens, qui lui était soudain confisquée. C'était injuste. Et puis, elle en avait pris soin de son Médor, elle en avait fait presque un idéal masculin, un modèle de réussite. Elle ne méritait pas d'être congédiée comme une harengère. Béatrice éclata en sanglots, théâtrale, mais sincère.

— Retiens bien une chose, ajouta Henri, galvanisé par cet accès de faiblesse de Béatrice : maintenant je te hais. Tu as tout fait pour que je te haïsse. Bien sûr, j'ai été ton prisonnier. J'ai cru en ton pouvoir. Tu en as profité pour te montrer jour après jour blessante, arrogante, humiliante. Je n'avais pas le choix. Mais maintenant, regarde-moi bien, j'ai décidé d'être libre, indépendant, de me prendre en main. J'exige que tu déguerpisses, simplement, vite.

Béatrice demeura de nouveau silencieuse. Autrefois, Henri n'aurait pas osé lui tenir tête de cette manière. D'où lui venait cette morgue, froide, parfaitement maîtrisée ?

Henri se délectait de la détresse de Béatrice. Il prenait enfin sa revanche. Il existait enfin. Les larmes de Béatrice ne faisaient qu'ajouter à sa suffisance narquoise. Henri n'avait même plus envie de mordre, encore moins de dévorer son ex-tortionnaire, elle ne représentait qu'une proie négligeable, bien trop inoffensive maintenant pour susciter le moindre appétit. L'idole Béatrice était à terre.

Béatrice fit une ultime tentative d'intimidation par l'ironie.

— Je ne suis plus ta proie, c'est Jenny maintenant que tu veux croquer. Tu as raison, elle a une plus jolie peau que la mienne, une peau brune satinée, pulpeuse, tendre sous la dent. Je te la laisse. Bon appétit, Médor.

Henri claqua la porte de l'appartement et fila aussitôt chez Jenny. Elle habitait une aile dérobée de l'hôtel familial de la rue du Bac. Pendant le trajet, Henri s'efforça de chasser toute réminiscence du passé. Sa vie basculait, et cette fois-ci, c'était du bon côté. La jeune fille avait emménagé dans un rez-de-jardin, garni de meubles en galuchat céladon aux lignes arrondies. Des teintes féminines adoucissaient les volumes. Dans cet antre irréel, Henri fut délivré de tout remords. Un univers luxueux s'ouvrait à lui. Des lampes Gallé projetaient des lumières de lanternes magiques avec leur corolle en champignon. Des effluves de grumes flottaient dans l'air. Les pas étaient assourdis par d'épais tapis Arts Déco à motifs losangés. Un désordre subtil donnait une impression de laisser-aller, de liberté, comme si les contraintes extérieures de l'existence n'avaient plus prise. Au sol, des livres ouverts et des magazines d'art côtoyaient des escarpins renversés. Des lingeries soyeuses traînaient au hasard des canapés en cuir fauve. Dans la chambre, les draps défaits étalaient encore les plis de la nuit. Des collections de boîtes en porcelaine, de bibelots en argent, d'étuis nacrés, répandaient leurs feux scintillants. Jenny manifestait une insouciance du rangement, une prédisposition pour l'éphémère, le futile, le bien-être. L'anarchie domestique était son mode de vie. Henri se sentait soudain en vacances, délivré de sa chape disciplinaire, il émergeait enfin, dans un paradis feutré pour jeune fille, après un séjour en apnée dans les eaux glacées d'un aquarium pour homards. Il abandonnait la netteté javellisée d'une caserne à angles droits pour les arabesques voluptueuses d'une demeure de sultane. Il se voyait voyageur débarquant dans un palais levantin. Sans y prêter attention, il couvrit Jenny de baisers : c'étaient bien ses lèvres qui maintenant s'avançaient en une moue maîtrisée. Jenny ne fit pas tant de chichi : elle agrippa la tignasse d'Henri et colla sa bouche contre la sienne. Henri se laissa embrasser, calmement, mollement. Mordre ? Dans cet univers de luxe et de facilité, il se sentait animal civilisé. Mieux, un humain presque délicat, amateur de caresses et d'effleurements pudiques. Mordre ? Ce lancinant désir lui semblait passé.

Il fut décidé que jusqu'au mariage Henri séjournerait rue du Bac. C'était la solution la plus simple. Le chauffeur des Rosenbaum irait chercher le lendemain ses affaires laissées à l'appartement. Henri éprouvait l'exaltation d'un aventurier embarqué sur un navire en partance pour les mers de Chine.

Ce soir-là, Jenny avait concocté un dîner russe, qu'ils dégustèrent affalés dans des poufs orientaux. Henri s'autorisa quelques rasades de vodka. Sa tête se mit à tourner. Il ne prêtait plus attention aux propos de Jenny. Il entendait le rire de la jeune fille, au loin, comme les murmures d'une cascade sur des rochers. Il se sentait revivre. Il était traité avec ménagement, en hôte d'importance, et il en était enchanté. Il croyait de nouveau en sa bonne étoile : aucune patte malencontreuse, aucune oreille velue, non, plus rien, dorénavant, ne ferait obstacle à son retour chez les humains. Mieux, il était délivré de l'envie de mordre.

Un détail pourtant clochait dans le tableau. Rien de vraiment extraordinaire, un truc bizarre, une malformation ectoplasmique qui s'agitait au fond d'un miroir de la chambre. À y regarder de plus près, Henri apercevait, comme en filigrane, une vague silhouette animale qui se trémoussait de façon clownesque. La forme ressemblait bizarrement à celle d'un chien. Henri détourna le regard de la glace, s'efforçant d'oublier cette vision. N'empêche, le spectacle de cet animal velu en train de lutiner une jeune fille dans la glace le perturbait. La forme étrange calquait servilement ses mouvements sur les siens. Henri avait beau essayer de n'y prêter aucune attention, c'était plus fort que lui, son regard se focalisait sans cesse au même endroit, là où s'agitait la bête à poil, rondelette et pelucheuse. Henri crut à une hallucination, due à l'alcool. Tu es ivre, mon pauvre Henri ! se répéta-t-il intérieurement. La scène se précisait pourtant : un chien reprenait en temps réel les moindres attitudes avec un mimétisme déconcertant. Lorsque Henri s'écartait du miroir, l'animal rapetissait jusqu'à s'éclipser. Et lorsqu'il s'approchait de la surface argentée, c'était bien une tête canine qui réapparaissait, grossissait jusqu'à envahir tout le miroir. Une tête qui ne lui était pas étrangère, qu'il avait déjà vue et qu'il reconnaissait : la sienne ! Eh oui, c'était bien son ancienne tête qui se reflétait dans le miroir. Enfin, celle dont il était affublé du temps où il était chien. Henri continua son investigation : il souleva le bras droit et la créature animale lui répondit par un geste équivalent de la patte. Henri se leva et salua son reflet, et la bête inclina le buste à son tour avec la même componction. Puis il fit demi-tour sur lui-même, il présenta son séant et soudain une queue floconneuse, qui s'agitait comme un métronome, se refléta dans la vitre. Henri s'approcha de nouveau du miroir et, cette fois, scruta le fantôme canin qui lui faisait face. Il voulait en avoir le cœur net. Il plaça son visage à quelques centimètres de la glace et observa le reflet : c'étaient bien des crocs, des babines et une truffe grumeleuse qui s'offraient à ses yeux. Henri se dit qu'il délirait sous l'effet de la vodka, qu'il avait des visions folles. Tout cela ne prêtait pas à conséquence. Il s'efforça de retrouver son calme. À jeun, demain, tout reviendrait dans l'ordre. Mais il avait beau se raisonner, s'efforcer de ne montrer aucun trouble, sa gorge se serra d'angoisse. Voilà qu'à peine débarrassé de son hypostase canine, elle revenait le narguer au galop derrière le miroir. Jenny, elle, semblait ne rien remarquer des pantomimes de l'animal dans la glace. Une voix lui fit écho dans les oreilles.

— N'oublie pas que tu es un chien cannibale, répétait la voix. Tu vas en prendre pour perpète après avoir croqué la petite, terminer au chenil, le cul dans la pisse. C'est moi qui te le dis. Attention, Henri !

Hallucination ? C'était bien une voix féminine. Béatrice, bien sûr.

Les questions déferlèrent. Que signifiait la vision, même si elle était hallucinatoire ? Et cette voix, qui vaticinait le pire ? Annonce d'un retour prochain à l'animalité, de l'accomplissement de la prophétie du professeur Algis ? Un complot fomenté par des télépathes manipulateurs : Algis et Béatrice qui s'en donnaient à cœur joie pour affoler leur victime ? Il détourna les yeux du miroir et se regarda en direct : dans le réel, ou ce qu'il était en droit de considérer comme tel, il avait encore tout d'un humain élégant et raffiné. Rassuré, il palpa son visage. De ce côté-là, ça pouvait aller aussi. Ses doigts inspectèrent chaque repli de chair. Non ! Tout allait bien. Rien ne manquait à l'appel. Un bel ovale encadrait un nez rectiligne, les oreilles d'homme étaient bien là, en conque caoutchouteuse. Les joues aussi, glabres et dodues ; le menton également, lisse et carré. Il fit glisser sa main le long des omoplates et descendit jusqu'au creux des reins. Côté réalité, son corps avait gardé sa morphologie humaine. C'était du côté miroir que ça n'allait plus du tout. Henri eut des haut-le-cœur et alla vomir dans les toilettes. Jenny l'aida plus tard à se déshabiller. Ils s'enlacèrent et, d'étreinte en étreinte, firent l'amour. Mais Henri n'avait pas le cœur à l'ouvrage. Il avait du mal à garder ses esprits. Le lit de Jenny tanguait comme un navire en perdition. Dans la pénombre, Henri apercevait par intermittence à travers le miroir lyre de la coiffeuse en galuchat une forme velue et massive emboutissant un corps de nymphette. Le spectacle était obscène. Henri détourna le regard et plaqua instinctivement sa main sur les yeux de Jenny pour lui éviter d'apercevoir la scène zoophile. Pendant la nuit, il crut entendre à plusieurs reprises les sarcasmes de Béatrice. Au matin, espérait-il, tout redeviendrait normal.

Le lendemain, Henri était convaincu d'être débarrassé de ses visions spéculaires. Mais l'équivoque n'était pas possible : une gueule de golden retriever le narguait dans le miroir de toilette, au-dessus du lavabo. Un chien tout entier se tenait debout, la langue pendant de côté, les pattes appuyées sur la vasque. Pourtant, en abaissant son regard en direction de son corps, celui qu'il palpait, en le scrutant de près, Henri ne constata aucune séquelle d'animalité. Henri leva alors lentement les yeux vers le miroir : c'était bien un chien qui le toisait encore. La question se posait : Jenny allait-elle, elle aussi, apercevoir le reflet bestial de son amant dans la glace ? Le miroir se remit à parler, comme une voix intérieure, une voix féminine.

— N'oublie pas que tu es un chien, Henri.

Et puis il y eut les rires de Béatrice qui résonnèrent encore. Hallucination ? Mais oui, tout cela n'était qu'hallucination bien sûr ! Et puis non ! Son ancienne gueule de golden retriever, avec son crâne oblong, cerné d'oreilles tombantes, le dévisageait ironiquement derrière l'argenture. Henri se sentait perdu. D'ici quelques secondes, Jenny entrerait dans la salle de bains et verrait à coup sûr l'effigie animale s'agiter dans le miroir. Jenny pousserait un cri et alerterait son père qui à son tour lorgnerait à travers l'argenture l'abominable cabot qui s'y cachait. Peut-être même ferait-il venir un huissier pour constater l'image canine qui apparaissait dans les glaces toutes les fois qu'Henri s'en approchait. La nouvelle se répandrait comme une traînée de poudre. La presse en parlerait. Un procès s'ensuivrait où Béatrice irait jusqu'à témoigner à charge. Henri serait pénalement condamné. Il songea à déguerpir sur-le-champ. Le mieux était de s'habiller en vitesse, de s'enfuir à toutes jambes. Jenny fit soudain irruption dans la salle de bains... Pris au piège ?

— Tu as compris maintenant, dit Henri à Jenny d'une voie étranglée, guettant la réaction affolée de son amante.

— Compris quoi ? rétorqua Jenny en s'étirant nonchalamment.

— Tu ne vois rien dans la glace ?

— Si, toi.

Henri avait la gorge nouée. Il n'osa rien ajouter.

Jenny reprit :

— Il y a un peignoir accroché à la patère. Mets-le. Sinon, tu vas prendre froid.

Henri obéit. Dans la glace, il s'aperçut encore en chien. Il croisa de nouveau le regard de Jenny.

— Tu es superbe comme ça, lui dit-elle.

Jenny voyait-elle un corps d'homme là où Henri s'apercevait en chien ? Sans doute ! Et tant mieux ! En cette différence probable d'aperception résidait son salut momentané. Henri se sentit reprendre pied. Mais pour combien de temps encore la bête resterait-elle cloîtrée dans la confidentialité du tain ? Un jour, elle briserait la glace, bondirait hors la vitre et s'emparerait du corps d'Henri. C'était à prévoir. Henri était révolté contre ses visions qui s'acharnaient contre lui. Un mélange de colère et d'angoisse s'épaississait en lui. Mordre ? Bien sûr, mordre, mordre ce destin qui n'en finissait pas de le persécuter.

Au petit déjeuner, on fixa le mariage à la mi-juillet. Jenny paraissait détendue. C'était elle qui maintenant décidait du sort d'Henri. Aucune anomalie physique ne semblait faire surface dans le réel. Enfin quel réel ? Derrière ou devant le miroir ?

À l'étude, tout alla heureusement pour le mieux. Henri vaquait à ses dossiers avec l'alacrité d'un hussard victorieux. On lui adressait la parole avec déférence. La consigne était de s'incliner en subalterne. Un cocktail fut organisé dans les salons d'accueil du rez-de-chaussée pour annoncer les fiançailles. Henri était auréolé d'une couronne de séducteur tacticien, sans être pour autant taxé d'opportunisme. L'union de l'étude notariale Noguerre et Blanchet avec l'« Immobilière Rosenbaum », qui venait d'être cotée en Bourse, s'inscrivait dans la stratégie des affaires. L'amour y trouvait son compte.

Le seul hic était cette tête de chien qui loin de s'estomper ne cessait de le narguer dans les miroirs. Même à l'étude, elle n'avait pas disparu, non, elle était bien là, accompagnée de cette silhouette de clébard, qui se profilait inexorablement au détour des surfaces argentées. À vrai dire, Henri était bien incapable d'en donner une description précise, car il avait toujours le réflexe de détourner la tête. Il imagina un scénario effroyable. Sur le moment, Jenny ne s'était rendu compte de rien dans la salle de bains. Mais les employés de l'étude, les collaborateurs, et même son associé, si ! En vérité, son entourage voyait parfaitement les reflets d'un chien à la place d'Henri, mais personne n'osait lui en faire part. Les miroirs, eux, ne mentent pas !

Henri commença à vivre sur ses gardes. Un complot du silence s'acharnait à le plonger dans l'incertitude. Tout le monde était d'autant plus affable avec lui qu'on ricanait dans son dos, et personne, bien sûr, n'osait franchir le pas pour lui révéler la vérité de vive voix : « Maître Noguerre, arrêtez de nous raconter des histoires, c'est en chien que vous nous apparaissez dans

151

la glace ! » Henri en voulait à l'humanité entière : mordre, mordre, mordre, jusqu'au sang, tout le monde.

Il était donc un chien, on le savait, et personne n'osait le dire. Même Jenny, peut-être, avait fini par découvrir le pot aux roses. Elle avait préféré, elle aussi, se taire. Ou peut-être avait-elle demandé conseil à son père ? Il lui avait ordonné de ne rien laisser paraître de ses visions, affirmant que lui aussi les partageait, mais que mieux valait les ignorer, pour sauver l'honneur. Henri était-il victime d'une manigance collective ? Il ne pouvait s'empêcher de scruter la pupille de ses interlocuteurs afin de déceler toute lueur soupçonneuse. (Mordre, se mordre lui-même, se manger, s'autocannibaliser, se faire disparaître.)

Il y avait aussi la solution de poser la question de confiance, de demander à un ami sincère ce qu'il voyait dans le miroir. Mais qui ? D'Orignac ? L'associé ? Henri craignait l'épreuve du ridicule : il ne se sentait pas le courage de demander, comme ça, tout de go, à un interlocuteur : dites-moi, cher ami, est-ce un animal ou un humain que vous voyez à ma place dans la glace ? Consulter le professeur Algis ? De toute façon, il avait décidé de ne plus croire en son verdict.

Et si l'image dans le miroir n'était finalement que la rémanence d'un passé révolu ? Simple effigie périmée ? Il y avait bien un chien dans le miroir, mais c'était le chien d'une vie antérieure, un chien disparu à jamais. Sinon, Henri aurait détecté quelques indices à travers des conciliabules, des mines entendues, des yeux écarquillés, des sourires en coin. Mais rien de tout ça n'était apparu. Le mieux était de ne plus se poser de question. Un rêve périmé, rien de plus. Calme, Henri, calme, Henri, ne pas songer à mordre.

N'empêche, Henri prit par prudence la décision de faire décrocher les miroirs de l'étude. Des menuisiers les remplacèrent par des panneaux en chêne. Des gravures anciennes y furent accrochées. Henri fut félicité par son associé, partisan d'un décor sobre et classique. Quant à la psyché de son bureau, il l'inclina vers le mur afin d'éviter tout reflet. Certes, le monde entier était truffé de miroirs, il ne pouvait les faire ôter tous. Henri s'efforcerait de les éviter de son mieux. Chez les Rosenbaum, il se livra à des opérations de repérage afin de localiser les angles d'où son reflet risquait d'être mis en évidence. Pendant plusieurs semaines, il demeura sur le qui-vive. Pour ce qui était de la toilette matinale, Henri tâchait de ne pas se laisser surprendre par Jenny.

Les préparatifs du mariage absorbèrent toute son attention. Un authentique avenir d'humain aux lèvres douces lui souriait aux côtés de Jenny. Il n'était pas question de le rater. Ne pas mordre, ne plus jamais mordre. Cela devait être possible.

Henri repassa chez lui pour vérifier que Béatrice avait bien plié bagage. Mais elle n'avait pas bougé. Elle était là, recroquevillée sur le canapé du salon, les poings fermés, amaigrie, le visage défiguré par les cernes. Henri sentit la hargne remonter à la surface, d'autant plus violente qu'il la tenait pour responsable de son double canin. Il en rajouta cependant dans la rage, joua la comédie de la haine, manière de se donner du tonus, car il avait toujours peur de Béatrice.

— Tu te fous de moi ! commença-t-il, précipitant d'un geste brusque Béatrice au bas du canapé.

Elle demeura à terre, immobile, les yeux hagards, balbutiant un flot de paroles suppliantes. Puis elle poussa de violentes quintes de toux entrecoupées de spasmes. La salive perlait sur ses lèvres.

— Tu n'as pas le droit de me chasser. Je suis malade.

— Tu n'étais pas malade quand tu t'éclipsais tous les soirs ! La noce est terminée. File, maintenant.

Henri ne voulut rien entendre de plus. Il redoutait le regard de Béatrice. Il ne fallait pas qu'il craque. Un rien l'aurait précipité sur elle la gueule béante. Il réussit à descendre quatre à quatre les marches de l'escalier et se jura de faire éjecter Béatrice par la force. Béatrice s'incrusta encore quelques jours. Elle demandait un délai pour trouver un appartement à louer. Plutôt que revenir sur les lieux, risquer la bagarre, Henri préféra la méthode légale. Il fit appel aux services d'un huissier. Il n'eut aucune difficulté à obtenir du tribunal une décision d'expulsion. Henri envoya une première notification. Béatrice demanda officiellement un délai pour quitter les lieux. Mais cette faveur lui fut refusée par les autorités de justice. Le lendemain matin, l'huissier aidé d'un serrurier et assisté du commissaire de police débarqua sans prévenir. Béatrice entassa en vrac ses affaires dans des valises et s'éclipsa. En pleurs.

Henri s'installa donc dans la demeure de Jenny. Il était prévu qu'ils déménagent, une fois mariés, dans un plus grand espace. Henri mettrait son appartement en location. Le désordre ambiant de Jenny l'avait perturbé un peu au début. Il y avait bien une femme de ménage qui œuvrait à heures fixes, mais systématiquement le foutoir reprenait ses droits. Henri prit finalement goût à cette bohème spacieuse. Elle tranchait avec la propreté militaire que Béatrice avait imposée chez lui. Henri éprouvait l'euphorie d'un appelé du contingent recouvrant la liberté le jour de la quille.

Jenny accompagnait Henri dans les dîners en ville. Plutôt que de s'attarder au restaurant, elle préférait organiser des soirées à la maison. En dehors du bureau, elle se montrait fantasque à souhait. Elle aimait se mettre aux fourneaux et convier des amis au dernier moment. Henri fut cependant vite agacé par la kyrielle de convives festifs qui squattaient les lieux. Il prit l'habitude de quitter la table avant tout le monde pour se mettre au lit. Henri avait une bonne excuse : il était toujours le premier arrivé à l'étude. Il aimait profiter du silence matinal pour compulser en silence ses dossiers.

Madame Rosenbaum organisa un grand cocktail de fiançailles dans l'hôtel de la rue du Bac. Son mari convoqua la fine fleur de l'establishment : parvenus du Cac, assureurs arrivés, banquiers à rosette, procureurs à gousset, députés en quête de ministère. Le nom de Me Noguerre était sur toutes les lèvres. Une réussite, ce Me Noguerre ! Bravo ! On évoquait le « brillant » Me Noguerre, le si charmant Me Noguerre, l'efficace Me Noguerre, simple et discret avec ça, ce Me Noguerre, hier provincial inconnu, aujourd'hui notabilité parisienne, un « bosseur » tout de même, une pointure, ce Me Noguerre, même s'il ne payait pas de mine, pas très sûr de lui, brave type, terne au fond, mais c'était son talent d'être terne, et c'était tant mieux, au moins le mariage ne lui était pas monté à la tête : être ambitieux sans être arriviste, avoir de beaux crocs bien blancs et bien brossés, mais ne pas trop les montrer, c'était toute l'habileté de Me Noguerre.

Étourdi par les compliments et les vapeurs fruitées des coupes de champagne, Henri s'oublia un instant. Il jeta, comme par effraction, un coup d'œil dans le cadre en bois sculpté du miroir Régence, qui trônait en majesté entre deux grandes baies vitrées donnant sur le gazon d'un jardin à la française. Il y avait de quoi rire du spectacle. Dans l'argenture mouchetée de la glace, des canidés aboyaient comme une meute au débuché. Rosenbaum avait les traits d'un bullmastiff, avec des joues carnassières et une détermination féroce dans le regard. Au contraire de son mari, madame Rosenbaum respirait la suavité : elle appartenait à l'espèce mutine des bichons havanais. Jenny, elle, vêtue d'un tailleur faussement strict, affichait l'aisance souple et rieuse des épagneuls papillons. Henri se déplaça de droite et de gauche afin d'examiner dans le miroir le reste des convives. Une rookerie de cabots jabotants se dandinait comme des dindons à la parade. Il y avait toutes sortes de spécimens à la corpulence empesée s'ébrouant avec une assurance papelarde : dogues de Bordeaux, mâtins de Naples, terre-neuve devisant cérémonieusement. Un magistrat à la mine opiniâtre affichait la détermination d'un pinscher aux aguets. Un président de holding promenait la morgue tranquille du braque de Weimar. Des bellâtres endimanchés se trémoussaient avec l'élégance poseuse du barzoï. On reconnaissait les ambitieux du barreau et les intrigants de cabinet à leur mine chafouine de bouledogue, de schnauzer, de brabançon et de fox à poil dur. Le message était enfin clair : l'humanité était, ce soir, d'essence canine, la langue humide et humble qui lèche par-devant, mais le croc vif et traître prêt à mordre, mordre, mordre et mordre encore, et Henri n'échappait pas à la règle. Les femmes apprêtées dans leur décolleté du soir étaient partagées entre les grands caniches abricot, les caniches blancs et les chihuahuas. Ce raout de chiens de toutes races dans les dorures chantournées du salon Rosenbaum gonfla Henri de fierté. Car lui appartenait à l'espèce noble, celle des retrievers, chargés de débusquer et de ramener le gibier d'eau tombé après le coup de fusil. Il se plut à s'observer dans le miroir. N'était-il pas le gendre idéal, avec son si beau poil argenté, le gendre dont toutes les familles rêvent ? Il avait la prestance du saint-bernard, la fière agilité du malinois, la célérité affûtée du sloughi, la hargne opiniâtre du bull-terrier, le charme pelucheux du bobtail, l'élégance racée du caniche royal : la quintessence du génie canin en somme. Il quitta un instant l'auguste assemblée et se retira dans les toilettes pour invités. Dans cet ermitage silencieux, il psalmodia un long aboiement de satisfaction, retroussant ses babines. Une fois la vocalise éructée, il regagna le salon où les convives se goinfraient de sucreries : le miroir offrait maintenant le spectacle d'une meute à son auge.

Henri prit soudain Rosenbaum par le coude et l'attira devant le miroir Régence.

— Regardez bien dans la glace, cher ami.

— Quoi ? répondit Rosenbaum un peu interloqué.

— Vous êtes épatant en bullmastiff. C'est féroce, un bullmastiff, n'est-ce pas, arrogant parfois. Ça convient à votre tempérament, le bullmastiff. C'est votre côté bourru, jovial. Moi, je suis un golden retriever, un animal des beaux quartiers. Mais quitte à devoir changer de race, j'opterais pour le bullmastiff. C'est moins recherché que le golden, mais plus costaud.

Rosenbaum sembla ne pas comprendre. Le brouhaha avait voilé quelque peu les paroles d'Henri.

— Comment ! Vous ne remarquez rien ? insista Henri. Ouvrez bien les yeux. Qu'est-ce que vous voyez ? Moi, j'aperçois des chiens, une assemblée de cabots hagards.

Henri était ivre, ça se voyait un peu.

— Des chiens ?

Rosenbaum marqua un temps d'arrêt. Puis il enchaîna jovialement :

— Vous avez raison, je lève mon verre à cette chienne d'humanité.

Rosenbaum riait aux éclats. Son rire transperçait le brouhaha. Il semblait ne pas avoir pris au sérieux les observations d'Henri. Quoique ? Sait-on jamais ? Rosenbaum voyait peut-être des chiens lui aussi, mais ne voulait pas l'avouer par convenance devant son gendre ? Henri aurait aimé rencontrer d'emblée une complicité animale chez son beau-père. Entre chiens, on se comprend forcément mieux.

En fin de soirée, Henri eut un malaise. Il dut s'adosser à un chambranle pour ne pas s'écrouler. Maintenant il voyait des glaces partout, remplies de cohortes de cabots qui ricanaient bruyamment, le pointaient de la patte avec goguenardise, s'esclaffaient devant ses trémoussements de jocrisses en goguette. Ils se paient ma tête et ils n'ont pas tort, songeait Henri. Quoi de plus grotesque qu'un chien jouant au notaire, poussant le lazzi jusqu'à prendre l'habit d'un jeune marié de cérémonie ? Un hourvari d'aboiements, de gloussements et de jappements aigus transperçait maintenant les tympans d'Henri. On dut l'emmener titubant sur un lit. L'incident s'était produit sur le tard, alors que les salons se vidaient. On ne tint pas rigueur à Henri de cette indisposition.

Pour le carton d'invitation du mariage, Jenny n'avait pas voulu d'un modèle banal avec onciales noires sur fond ivoire. Elle avait opté pour une calligraphie contemporaine en rouge fluo qui tranchait avec le vélin blanc, manière tape-à-l'œil d'afficher une désinvolture antibourgeoise qu'elle trouvait du dernier chic. Présage qui annonçait insidieusement le sang sur la chair, la caresse avant la morsure, l'hymen comme carnage ? Henri s'interrogeait.

Les festivités du mariage se déroulèrent à la campagne. Plus exactement sous les frondaisons du manoir des Rosenbaum, situé au dévers des premiers coteaux de Normandie. Une allée de graviers blancs précédait un parvis, et l'on entendait le crissement fluide des cailloutis contre les pneus des limousines. Une façade en brique rouge ceinte de parements en pierre de taille, le tout flanqué de deux ailes protégées par des toits en ardoise, émergeait des feuillées humides. À l'intérieur, les volumes lambrissés de chêne signalaient l'aisance d'un confort campagnard. Des tapisseries effilochées empoussiéraient les murs. Un mobilier Henri II, sculpté d'oves et de griffons, imposait sa rusticité démonstrative. De hautes fenêtres donnaient sur une terrasse cernée d'une balustrade que prolongeait un parc où s'étirait en longueur un bassin garni d'une roseraie. De part et d'autre, d'épaisses pelouses s'évanouissaient au pied des futaies. Une chapelle médiévale jouxtait l'extrémité d'une aile. À l'intérieur, dans la pénombre irisée des vitraux où flottait une poussière d'or, l'effigie des premiers châtelains, seigneurs des lieux, reposait en gisants de marbre. Rosenbaum était fier de son fief historique : il l'avait acquis à la bougie d'une famille de hobereaux insolvables. Un bon deal !

Les méthodes brutales de son beau-père glaçaient Henri. Rosenbaum incarnait, avec son air rogue, la figure de l'autorité et de la roublardise. Henri était sous sa coupe. En épousant sa fille, il ne faisait qu'obéir à un nouveau maître. Il s'en voulait... Il en voulait à Rosenbaum aussi... (Mordre un jour Rosenbaum ?)

Henri était catholique et madame Rosenbaum l'était également. Il fut décidé que les mariés recevraient une bénédiction nuptiale dans la chapelle seigneuriale, décorée de lys blancs pour l'occasion.

Jenny consacra ses journées aux essayages de la robe de mariée. La traîne contrastait en longueur avec la corolle de tulle, échancrée sur le devant, et qui découvrait outrageusement le galbe de ses jambes. Elle voulait une tenue excentrique afin de rompre avec la rigidité de la cérémonie. Henri trouvait l'arrangement indécent. Il était gêné. Peut-être Jenny était-elle trop séduisante pour lui ? Il aurait préféré une épouse plus quelconque. Henri était effrayé par ce déploiement de faste. Les événements s'enchaînaient trop vite. Il avait peur. Peur de tout, de l'avenir, de lui-même, de ses crocs.

Rosenbaum ne lésina pas sur l'apparat. On hissa des tentes. Des tables fleuries furent installées sur des caillebotis en bois, pour éviter aux invités de piétiner à même la terre. Des chefs en toque et des mitrons en blanc s'affairèrent aux cuisines. Des majordomes couraient dans tous les sens, avec la mine soucieuse des grands jours. Un vieux décorateur mondain au nez en bec d'aigle disposa à grands frais des treillis de verdure inspirés des théâtres d'été de Versailles. Des musiciens tsiganes, russes et mexicains devaient se succéder avant de laisser place à un orchestre. Allait-il pleuvoir cette nuit du quinze juillet ? Cette hypothèse déclencha force cabales. Les optimistes, pariant sur la clémence des éléments, se montraient favorables à une fête en plein air. Les prudents préconisaient d'installer l'orchestre à l'intérieur du château. Les uns furent taxés de défaitisme, les autres d'inconséquence. Il y eut des disputes. Le « temps variable avec éclaircies » de la météo nationale ne fit qu'envenimer le débat. Henri se rangea du côté des prudents. Rosenbaum prit le parti des optimistes. On ne discuta pas son pronostic. Les éléments lui donnèrent raison.

Henri suffoquait. Il aurait préféré une cérémonie plus discrète. Pourtant il portait beau, ce soir-là, la taille prise dans une redingote à rayures perle. Elle lui avait coûté cher, cette redingote, Henri n'avait pas lésiné, une redingote aux nuances de ciel hollandais, mais il se sentait un tantinet burlesque, figurant de théâtre dans un rôle de mirliflore. Le mariage civil se déroula comme prévu. Seuls les intimes et la famille avaient été conviés. Le reste des invités devait se retrouver pour le dîner. Au retour de la mairie, Henri fut pris de défaillance. Il demanda discrètement au prêtre venu pour la bénédiction à se confesser. Dans l'intimité du confessionnal de la chapelle, alors que les invités devisaient dehors, Henri fit part de son angoisse :

— J'ai menti à Dieu et aux hommes. En vérité, mon père, il y a du chien en moi. Ce sont les miroirs qui me le rappellent tous les jours. J'ai beau m'esquiver : pas une journée ne se passe sans que j'aperçoive en reflet mon fantôme en peau dc bêtc. Je suis dangereux. Je mords.

— Dieu aime les fantômes et les bêtes, mon fils, dit le prêtre avec sang-froid, mais assez décontenancé.

Henri ressortit de la chapelle réconforté. L'homme d'Église avait sans doute raison.

On ouvrit en grand les battants du porche et les invités s'installèrent peu à peu sur les bancs garnis de lys. Rosenbaum avait convoqué les sonneurs de trompe en tenue d'équipage. L'entrée de Jenny au bras de son père fut émouvante. Les parents d'Henri étaient venus tout spécialement du Périgord. Sa mère se montra digne et modeste à côté de son fils. Pendant la bénédiction, Henri se sentit comme éclairé par la lumière du Tout-Puissant. C'est vrai, Dieu l'aimait, même en version chien, et il l'honorait en conséquence. À la sortie, Jenny et Henri furent applaudis sur les marches inondées de pétales de rose. Rosenbaum essuya quelques larmes sèches, histoire de montrer qu'un dur de sa trempe recélait un père émotif. D'Orignac était également de la cérémonie, comme témoin du marié. Il affichait la sérénité enjouée de l'ami de toujours. Il lança gaillardement un « hip hip hip hourra » repris en chœur par l'assistance. Henri était indisposé par ces démonstrations de liesse. Le flot des félicitations dont il était assailli le plongea dans l'hébétude. (Mordre, mordre dans le tas, au hasard, mais mordre.) Il marchait comme un boxeur sonné par une série de crochets. Certes, Dieu aimait les bêtes, et en ce moment il le lui montrait bien. Mais si d'aventure son état canin faisait brusquement irruption au grand jour ?

Le moment des discours fut le plus éprouvant. D'Orignac se voulut ironique. Il minimisa le mérite d'Henri, et fit l'éloge de la mariée. Elle était la providence d'Henri. La cruauté narquoise de d'Orignac, perçue comme un trait d'esprit, fut ponctuée de rires appuyés. (Mordre, mordre l'exécrable d'Orignac.) Le discours de l'associé fut banalement élogieux : un parcours opiniâtre et le bonheur conjugal en récompense. (Mordre l'associé aussi.) Le procureur de la République disserta sur la responsabilité de l'officier ministériel face à l'institution judiciaire. (Mordre le procureur, tant qu'on y est.) Le chef de cabinet du garde des Sceaux balbutia dans l'indifférence quelques compliments au nom de son ministre. (Mordre le chef de cabinet, mais au mollet simplement, il ne mérite pas plus.) Henri était le point de mire obligé de la fête. Il s'astreignit à papillonner de table en table avec une mine empreinte de gravité affable. Le dîner traîna en longueur. Jenny laissa couler ses larmes au moment de découper la première tranche de la pièce montée. Henri se servit abondamment et lécha à grands lapements les miettes restantes dans l'assiette. Personne ne lui en tint rigueur. Me Noguerre n'avait-il pas droit à quelques fantaisies ? Certains invités un peu ivres crurent de bon ton de l'imiter. Henri éructa un long aboiement rauque, s'achevant dans des raclements gutturaux, qu'on prit pour l'imitation d'un cri de réjouissance à la mode apache... (Mordre, les mordre tous, sans exception.)

Le scandale vint de Béatrice. Elle fit irruption en grand arroi aux environs de minuit. Un vrai coup de tonnerre ! Elle tenait théâtralement sous le bras un moïse en osier recouvert de langes. Elle se dirigea vers la table que présidait Henri, promenant l'image inflexible d'une Érinye outragée. Pour éviter toute altercation, Rosenbaum prit les devants et proposa à l'intruse de s'asseoir à une table.

— Je ne suis pas venue pour les réjouissances, répondit-elle sèchement, mais simplement pour apporter un cadeau de mariage.

Henri était blême. Béatrice avait la mine indignée des grands jours. Une sacrée gifle pour Henri. Un scandale même ! Dans l'instant, il prit sur lui de conserver son flegme et de minimiser l'incident.

— Je te demande de ne pas faire de grabuge, esquissa-t-il.

— Oh, rassure-toi, je ne vais pas m'incruster. J'ai ton cadeau.

— Mon cadeau ?

— Mieux qu'un cadeau. Le sang de ton sang, la chair de ta chair. Devine.

— Non, je ne vois pas.

— Ton fils. Tu es père d'un enfant, de ton enfant, de notre enfant.

— Un enfant ?

— J'ai accouché, il y a quelques jours. Je t'ai bien dit que j'étais enceinte de toi avant que tu ne me chasses de chez toi.

Henri était bouche bée. Il n'avait plus la force d'en vouloir à Béatrice. Jenny assistait à la scène, médusée. Les parents aussi. D'Orignac ricanait en douce. Cette Béatrice était décidément une mégère, mais avait le sens de la mise en scène. La cérémonie tournait au vinaigre.

— Je n'ai pas eu le courage d'avorter, enchaîna-t-elle, d'un ton de tragédienne. Je ne me suis pas cru le droit de priver de vie un innocent.

Henri s'affaissa sur sa chaise. On le fusillait du regard. Un silence de mort pesa comme une chape. Qui était finalement ce Me Henri Noguerre qui laissait choir les femmes enceintes ? Un pur imposteur, un intrigant d'alcôve, un coureur de dot ? Les Rosenbaum ne savaient s'il fallait en vouloir à l'inconséquence de leur gendre ou bien à cette Béatrice éconduite et apparemment malheureuse. Jenny s'effondra en larmes : son mariage tournait au fiasco.

Béatrice, avec un calme mortuaire, entreprit d'ôter les langes qui dissimulaient la créature endormie.

— Tu dois en être fier, c'est ton enfant, un mâle, je l'ai appelé Alfred, s'écria-t-elle, d'une voix douce et grave, assez distinctement pour se faire entendre de tout le monde.

Le petit Alfred sortit d'un léger bond du couffin et vint s'ébaudir sur la nappe. Il semblait penaud et désemparé. Mais il reprit assez vite goût à la vie, et lorsqu'il approcha d'une assiette où traînait un reste de crème anglaise, il lapa goulûment la substance laiteuse. Puis, il s'orienta vers des miettes qu'il lécha en s'étranglant, avec la maladresse d'un bébé animal.

— C'est un golden retriever, comme son notaire de père, précisa Béatrice. Il est mignon, n'est-ce pas ? Et je trouve qu'il te ressemble. Il y a un air de famille entre lui et toi, indéniable !

Pour un cadeau de mariage, l'intention fut jugée originale. On interpréta l'irruption de Béatrice comme le geste saugrenu d'une femme meurtrie. On passa sur la teneur ironique de ses propos. Des murmures de soulagement se firent entendre. Pour faire bonne figure, Jenny prit le chiot dans ses bras et le câlina. Rosenbaum ne fut pas indifférent au charme de cette Béatrice, un peu cinglée, mais non dénuée de culot et de sens de la dérision. Il lui suggéra poliment de demeurer à la soirée. Mais elle déclina l'invitation.

— Le retour de la bête est imminent. Dans un mois, tu auras croqué Jenny. Bon appétit, susurra Béatrice à l'oreille d'Henri.

Puis elle tourna les talons et disparut, énigmatique.

8

Pour leur voyage de noces, Jenny choisit une plage blanche avec paillotes dans une île des Caraïbes. Henri n'était ni pour ni contre. Il acquiesça sans commentaire.

Le matin, il était le premier à se précipiter vers la mer turquoise. Il aimait courir pieds nus à perdre haleine, bondir au milieu des rouleaux, s'ébattre dans l'écume, courser le jusant. Jenny découvrait un autre Henri, tout en vigueur animale, s'adaptant à la vie en plein air avec un naturel déconcertant. Ça la changeait du notaire gourmé qu'elle avait connu à Paris. Henri aimait s'aventurer dans l'épaisseur des feuillées qui longeaient la plage. Il mordait à pleines dents l'écorce des goyaves suspendues aux branches, s'en mettait plein la bouche, jusqu'à faire dégouliner le jus par les commissures des lèvres. Parfois, il aboyait des vocalises qui se mêlaient au vent du large. Jenny s'offusqua de ses moments d'égarement. À regret, Henri mit un terme à ses pérégrinations tropicales et revint à un comportement plus ministériel. Dorénavant, il s'interdit toute aventure en forêt, renonça à croquer de la goyave et mit un terme aux ébats aquatiques du matin. Il se contenta de quelques mouvements d'une brasse hautaine et de courtes promenades avec Jenny sur le sable.

Le corps d'Henri ne bougea pas d'un iota. Grand soulagement. Henri se sentait provisoirement tiré d'affaire. Il ne se faisait pas faute d'inspecter son anatomie chaque matin. Il passait la main sur sa chair hâlée par le soleil et l'eau salée. Il vérifiait avec force contorsions qu'aucune villosité suspecte n'était apparue. Il commençait en général sa palpation par les oreilles, élastiques comme des endives crues. Des oreilles astucieuses même ! Il s'amusait souvent à en replier la conque vers l'avant, puis à la lâcher soudainement pour la faire revenir en arrière, par un effet de catapulte. Son nez, également, était source de satisfaction. Oubliée, l'horrible truffe suintante qui pointait sans cesse du temps de Béatrice ! Au contraire, un bel appendice aquilin, un nez bourbon et autoritaire, un tarin de conquistador ou d'écuyer cavalcadour. Et les fesses, ah, les fesses, une merveille ! Lisses et mafflues, un peu molles certes, mais d'authentiques fesses humaines, piquetées de légers furoncles, provoqués par la saumure du caleçon. Henri présentait le spectacle d'un homo sapiens s'adonnant à l'ère de la société de consommation aux joies de la baignade tropicale. Sa peau de roux était sujette aux coups de soleil et Jenny l'enduisait consciencieusement de crème à protection renforcée. Une peau glabre, de citadin en villégiature.

Henri faisait l'amour avec Jenny en évitant tout épanchement trop appuyé. Les amants se retiraient dans la pénombre de leur case et se livraient l'après-midi aux ébats d'usage. Il arrivait parfois à Henri de s'oublier, de lâcher çà et là quelques morsures, à l'épaule ou au creux des reins, mais il parvenait toujours à ravaler in extremis ces remontées d'appétits cannibales. Henri était d'autant plus à l'aise qu'aucun miroir n'était suspendu aux parois. La bête était ici interdite de séjour.

Le mobilier se voulait rudimentaire, vie exotique oblige. Il n'y avait en tout et pour tout qu'une seule glace tachée de rouille au-dessus du lavabo, à peine utilisable. Une providence. Ne plus s'apercevoir en animal ôtait à Henri l'envie de mordre.

Henri et Jenny séjournèrent deux semaines dans ce microcosme de carte postale, où l'eau brasillait la nuit sous les étoiles. Henri se laissa aller, c'était merveilleux : il oublia les douloureuses mutations des mois passés. Médor, Béatrice, Algis, ces noms s'estompèrent de sa mémoire. Henri songeait surtout à préparer sa rentrée. Il consacra ses après-midi à compulser des mémoires relatifs à sa profession. Il mit au point la dernière mouture d'un rapport qu'il devait remettre à la chambre des notaires, sur l'élargissement de la profession dans le contexte européen. Les après-midi devinrent studieuses. Ce zèle énerva Jenny qui aurait préféré davantage de prévenances. Elle rêvait d'enfants. Pour le moment, la tête sous un bibi en coton blanc, assis à califourchon sur son transat, Henri, concentré, griffonnait, biffait, réécrivait ses notes. Mᵉ Henri Noguerre tenait à sa réputation. Il songeait à sa carrière : le mariage avec Jenny représentait une avancée. Il fallait transformer l'essai, comme on dit. Dans l'immédiat, l'important était de ne pas décevoir Rosenbaum. Il devait être à l'image de ce qu'on attendait de lui : un gendre impeccable, un notaire industrieux, une tête pensante de l'establishment.

Jenny prévint Henri qu'elle s'abstenait de toute précaution pour avoir un enfant. Henri fut inquiet. L'ADN canin était-il transmissible par hérédité ? Son moral s'assombrit. Cette histoire d'enfant à venir le perturbait. Jenny risquait-elle d'accoucher d'un corps hybride ? Henri se voyait en géniteur tératogène. Il fut pris de nostalgie : il se remémora l'époque où il vivait avec Béatrice. Elle, au moins, connaissait sa monstruosité dissimulée. Il n'avait pas de secret pour elle. Cacher son embarras auprès de Jenny le gênait comme une écharde au pied qui chaque jour s'infecte davantage. Son union se nourrissait d'un insoutenable non-dit. Pas question de procréer. Trop risqué ! Henri prit l'habitude de se dérober sans explication aux câlins de Jenny. Son comportement rétif à tout acte sexuel provoqua un malaise diffus dans le couple.

À son retour, Henri fut absorbé par les affaires de l'étude. Les contrats et les signatures affluèrent. Henri fut invité à produire des éditoriaux dans les journaux. Il rédigea des articles pour les pages économiques des quotidiens. Les hebdomadaires se disputèrent ses analyses. Henri devint le consultant attitré des décideurs. On s'adressait à lui avec ce ton de connivence qui sied aux hommes d'influence. Il fut introduit dans les machinations de banquiers activistes, les combinaisons d'entrepreneurs avides, les luttes intestines pour les récupérations d'hoiries. On le sollicitait pour ses arbitrages. Il fut chargé de cours à HEC. Henri prit de l'assurance, adopta un ton grave et des postures académiques. On le vit en photo dans la presse avec des secrétaires d'État. Il fréquentait les déjeuners du Siècle, où l'on parlait politique, et les dîners des Cent, où s'échangeaient délits d'initiés contre recettes gastronomiques. On lui suggéra de se porter candidat au « petit bleu » : il fut nommé chevalier de l'ordre national du Mérite. La cérémonie de remise de décoration se déroula place Vendôme, dans les salons du garde des Sceaux. Henri fut honoré de la sollicitude de ses confrères, qui l'élirent trésorier de sa corporation. Il rédigeait chaque semaine une note d'humeur pour le bulletin du notariat français. Il consacrait à cette rubrique un soin particulier : l'ambition d'Henri ne visait pas tant les paillettes du vedettariat que la considération pérenne d'un ordre séculaire. Il était maître Noguerre, « maître » le matin, « maître » l'après-midi, « maître » le soir, « maître » tout le long du jour, « maître » toujours, « maître » encore, ne pas appuyer sur le « m », mais traîner sur le « aî », prononcer maîaîaîaître, comme un bêlement orgastique... Il s'épanouissait.

Henri fut atteint progressivement de calvitie. Jenny voulut ralentir la chute des cheveux avec des lotions capillaires, mais il s'y opposa. L'apparition d'une tonsure n'était-elle pas un signe d'éloignement de la condition de bête velue ? Il prit pour manie de se tapoter le sommet du crâne pour en éprouver le glabre bosselage. Autre motif de réjouissance : il devint presbyte et porta des lorgnons cerclés de métal. Voilà qui le sortait de l'animalité.

Henri s'était donné pour religion de ne jamais penser à Béatrice. Elle incarnait un passé révolu et douloureux. Henri se voulait homme d'avenir. Cependant, les relations avec Jenny se détériorèrent. La distance s'accroissait de jour en jour. L'envie de mordre faisait soudain irruption dans le larynx. Henri redoutait la fatale morsure, surtout lorsqu'elle venait de se pommader de crème après-soleil. Le coup de dents était tentant. Le chien dans le miroir le fixait sans cesse. Henri était désemparé. Afin de conjurer toute animalité, il se montra en public d'une extrême prévenance avec son épouse. Jenny devenait, elle, irritable. À vrai dire Henri assurait déjà ses arrières : il fallait donner l'image d'un époux modèle. En cas de rupture, ce serait Jenny la frivole. Rompre ? Eh oui, Henri y songeait malgré lui. Henri se surprit à laisser ses pensées de temps à autre divaguer vers le souvenir de Béatrice. Comme ça ! Sans savoir pourquoi. Ou plutôt si ! Il avait des remords. C'est vrai qu'elle avait voulu provoquer un scandale, avait procédé à des chantages, s'était montrée arrogante. Mais son visage parfumé et doux se dessinait en filigrane devant ses yeux lorsqu'il abaissait les paupières. Elle s'était montrée secourable avec lui. Henri se sentait coupable et il voulait expier. Coupable de quoi ? De rien. Mais si ! Coupable d'avoir jeté sa protectrice à la rue ! C'était comme s'il venait de chasser du temple une divinité. Une profanation ! Henri tâcha de se raisonner. Tout cela n'avait plus d'importance. Béatrice ne serait qu'un « cadavre », comme on dit cyniquement, caché dans un parcours jusqu'à présent sans faute. Et alors ! Qui n'a pas de cadavre ? Pas question de revenir en arrière pour autant. Il était notaire, que diable ! Il était donc urgent de faire le deuil de Béatrice. Ne pas se laisser envahir par la nostalgie ! Mais il y avait toujours ce putain de chien qui le narguait dans le miroir. Un golden retriever ? Non, plus vraiment. Une forme vague. Plutôt un tervueren, avec une gueule de loup. Il haïssait cette bête, comme il se haïssait lui-même.

Un soir Henri fit pivoter la psyché Empire remisée dans un coin du bureau. Il la plaça en évidence au milieu de la pièce, et scruta son faciès animal. Henri s'en voulait de céder à un tel accès de faiblesse. Dérive identique à celle d'un camé en rémission s'autorisant, à titre exceptionnel, une piquouze d'acide ? Il songea à faire déménager la glace à un autre étage. C'était plus fort que lui, il ne pouvait s'empêcher de s'enfermer dans son bureau et de passer du temps à se dévisager. Une manie qu'il se reprochait, mais qui le soulageait de son angoisse. S'aimait-il finalement en bête mutante, avec cette férocité nouvelle dans le regard ? Il se dévisageait avec la fascination de Narcisse pour un double sauvage dont il ignorait la destinée.

Pourtant, l'humeur n'était pas aux états d'âme. Les affaires affluaient. Henri se devait d'être un patron à poigne. Il se méprisait de perdre ainsi du temps à s'apitoyer sur ses antécédents. Il avait l'impression de mollir, de perdre ses moyens. Il fallait se débarrasser de tout ça. Mais comment ? Le verdict du professeur Algis cognait dans sa mémoire. Et ça ne l'aidait pas pour se donner du tonus. La créature derrière le miroir trépignait chaque jour avec une insistance accrue pour faire exploser la paroi de verre, une créature au poil guerrier, plus vraiment un golden retriever, non, une bête maligne, qui n'était autre que lui-même.

Henri n'avait maintenant plus personne à qui confier ses craintes. Jamais il ne s'était senti aussi seul. Et c'était insupportable. Ce béjaune de Jenny était-il en mesure de partager un secret aussi troublant ? Le divorce n'était-il pas inéluctable à la longue ? Henri en avait le pressentiment. Il songeait à revoir Béatrice. Bien sûr, il voulait l'oublier. Pas tant que ça, finalement. Henri baissait pavillon. Il n'avait plus le courage de faire face, seul, à l'animal du miroir. Il devait se résoudre à la défaite. Et pourtant, oui, et pourtant, était-ce une défaite ?

Curieusement, pas le moindre écho de Béatrice ! Morte ? Exilée ? Envolée ? Henri ne pouvait s'empêcher d'échafauder toutes sortes de scénarios. Sa disparition lui conférait un surcroît d'aura et ajoutait à l'envie de la retrouver. La curiosité inassouvie dégénéra en jalousie obsessionnelle. Il aurait voulu disposer d'informations, percer l'énigme de ses frasques. Il songea à mettre un détective sur ses traces. Il y avait quelque chose d'interlope derrière son look de similibourgeoise. Il rêvait sans cesse d'un secret affût d'où il pût tout voir, tout entendre, tout découvrir d'elle. Quoi de mieux adapté que le statut de bête d'alcôve pour pénétrer au tuf des dissimulations féminines ?

Les manifestations de déférence que lui prodiguait son personnel finirent par agacer Henri. En vérité, sans l'approbation de Béatrice, ses succès perdaient de leur sens. Henri avait épousé Jenny pour défier Béatrice. Lui prouver qu'il était en mesure d'emporter seul des trophées qu'il lui dédiait, à elle, qui l'avait humilié, et pour laquelle il voulait relever le gant. Mais voilà : elle n'était plus là pour assister à son ascension notariale. À quoi bon alors s'être donné tant de mal ? Sans Béatrice, tout n'était que vanité ! Henri n'aspirait maintenant qu'à la déchéance.

Pis, il se sentait terriblement morveux. Il s'en voulait chaque jour davantage d'avoir expulsé Béatrice de chez lui, comme ça, sans ménagement, lâchement, par huissier interposé. Il ne trouvait plus d'excuse à sa veulerie ! Pas même du bonheur avec Jenny. Pour expier, il était disposé à dégringoler au plus bas de la condition canine. Il se ferait teckel podagre, bichon bancroche, pékinois lépreux, basset arthritique, terrier bigle. Il en avait sa claque de jouer les gendres modèles. Tricher devenait un supplice. Les miroirs ne mentent jamais, se répétait-il sans cesse. L'imposture n'était pas là où on croyait. Elle se trouvait dans le simulacre de notaire policé auquel il s'adonnait. La seule vérité, c'était ce chien menaçant, qui risquait, d'un jour à l'autre, de bondir hors du miroir.

Une nuit, Henri prit Jenny en levrette, froidement, sans prévenir, il l'assaillit de coups de rein. Il s'était laissé aller jusqu'au bout de son désir et avait craché toute sa semence. Et le pire justement se produisit ! Jenny se retrouva sur un lit d'hôpital, en larmes, horrifiée par le monstre qui rampait sur elle. La parturiente venait d'accoucher d'une créature indéfinissable, mammifère à tête humaine, ou le contraire, va-t-on savoir, une créature à pattes griffues, recouverte d'un duvet gluant. La gueule du fœtus exhibait une rangée de quenottes noires et la bête n'avait de cesse de dévorer les zones pubiennes. Il fallut l'enfermer dans une couveuse cadenassée. Les reins de Jenny se cambraient sous l'effet des spasmes et retombaient soudain, inanimés. Sa tête ballottait de côté et d'autre de l'oreiller. Une équipe de médecins et d'infirmières lui injectait des doses d'analgésique.

Le plus abasourdi avait été Rosenbaum. Pour lui, pas de doute : sa fille n'était pour rien dans la mise à bas de la sinistre créature. Le père de Jenny avait mené son enquête. Il avait contacté Béatrice qui lui avait tout révélé. Elle avait même pris des photographies d'Henri lorsqu'il était aux trois quarts animal. Le professeur Algis avait confirmé les dires de Béatrice : Henri avait un corps de chien et tout accouplement avec lui était tératogène. Sous ses costumes de notaire policé, Henri dissimulait un organisme instable. Le mieux était de l'abattre. Le crime d'Henri était plus abject qu'un acte pédophile. Son entourage avait tourné casaque. Les thuriféraires d'hier se muaient en sycophantes. Henri dut démissionner de ses fonctions notariales. Le procureur intenta une action pénale pour dissimulation de bête. Il fut mis en examen par un juge tératologue et un tribunal correctionnel le condamna à la cage grillagée à perpétuité. Henri fut jeté ligoté dans une bauge nauséeuse.

Henri se réveilla ce matin en nage. Bien sûr il n'avait pas fait l'amour avec Jenny. Tout cela n'était qu'un rêve. Un cauchemar prémonitoire ? Il était hors d'haleine et mit du temps à reprendre ses esprits. Il tâtonna fébrilement les draps du lit pour s'assurer qu'il était bien réveillé. Jenny venait d'ouvrir l'œil, tirée de son sommeil par les soubresauts de son mari. La vérité était que la bête venait cogner à la porte de ses rêves. Un avertissement ! Il fallait le prendre au sérieux. Il n'y avait que Béatrice maintenant pour le secourir in extremis. Plus de temps à perdre ! Henri annula donc ses rendez-vous de la journée et fit route en catastrophe vers Provins.

Il stationna sa voiture à quelques encablures du cabinet de Béatrice. L'appréhension lui nouait l'estomac. Pouvait-il débarquer comme ça, sans prévenir ? Béatrice ne manquerait pas de le mettre à la porte. Mieux valait tenter une approche diplomatique. Mais laquelle ? Henri resta assis, seul, les mains agrippées au volant, la gorge sèche, perplexe. Il songea à redémarrer, quitter la ville, disparaître. Non, il fallait jouer serré. Approcher coûte que coûte Béatrice. Henri fut récompensé dans son attente. Il aperçut sa silhouette dans son rétroviseur. Elle sortait de son cabinet. Puis elle trotta en hâte vers sa voiture, claquant ses talons contre le bitume. Elle avait cet air pressé des femmes décidées. Pressé de quoi ? Elle s'engouffra dans sa voiture et démarra en trombe. Henri fit aussitôt demi-tour, s'engagea sur l'artère principale et zigzagua à sa poursuite. Après quelques décrochements, il se retrouva derrière le pare-chocs de Béatrice. Il l'aperçut de dos, elle tenait le volant d'une main et de l'autre se poudrait les pommettes. Henri ouvrit la portière et descendit de sa voiture pour l'aborder, mais un concert de klaxons lui

fit rebrousser chemin. Entre-temps, Béatrice s'était éva-
nouie dans le flot des voitures. Henri accéléra et dut
jouer du volant pour l'approcher de nouveau à quelques
mètres dans une file voisine. Mais elle fila sur la droite
tandis qu'il demeurait bloqué par un camion. Il déboîta
par surprise, remonta jusqu'à elle et parvint à lui filer
le train à quelques mètres de distance. Il apercevait sa
silhouette, tantôt de trois quarts arrière, tantôt de dos,
parfois presque de profil. Béatrice, absorbée dans ses
manœuvres, ne prêtait aucune attention aux zigzags de
son poursuivant. Henri éprouvait la frénésie d'un
voyeur de série noire.

Sur la nationale, Henri accéléra. Après plusieurs
acrobaties, il plaça sa voiture à hauteur de celle de Béatrice. Mais elle ne détourna pas son regard. Pour
échapper à l'importun, elle accéléra. Henri se retrouva
semé. Béatrice n'avait pas froid aux yeux et montrait
un don pour le pilotage. Pourquoi roulait-elle si vite ?
Pour rejoindre qui ? Pour aller où ? Sa jalousie de
naguère refit surface, comme sortie de la glace, repre-
nant vie après cryogénisation, mais plus violente
encore. Le serrement de gorge qui l'étreignit le galva-
nisa. L'épisode où il avait cru apercevoir Béatrice
allongée dans les bras d'un inconnu effleura sa
mémoire. Mordre ! Maintenant il voulait tout savoir de
Béatrice. Son cœur, comme électrocuté, s'accéléra. Et
si Béatrice n'était qu'une dissimulatrice, qui occultait
ses turpitudes sous ses airs angéliques ? Mordre ! Henri
éprouvait une haine délectable à l'idée qu'elle n'avait
cessé de se payer sa tête. Il souffrait. Il était aux anges.
Il retrouvait l'enfer. Mordre !

Au bout de quelques kilomètres, il rattrapa la BMW
au détour d'une courbe. Il fit des appels de phares et
colla au pare-chocs. Henri crut voir les yeux de Béa-

trice dans le rétroviseur. De crainte d'être reconnu, il ralentit et se laissa distancer. Il regretta aussitôt sa manœuvre et accéléra. Mais d'autres voitures s'étaient intercalées. Henri se déporta sur la gauche, prit des risques et, à grand renfort de klaxon, dépassa les importuns. Il réussit enfin à doubler Béatrice et roula devant elle. En jetant un œil dans son rétroviseur, il eut tout loisir d'observer son visage dans les ombres des vitres. Il lui paraissait étranger, lointain, énigmatique. Pourtant, cela ne faisait que quelques mois qu'ils s'étaient quittés. Une teinte abricot adoucissait l'ovale de ses joues. Son regard tirait sur le vert. Béatrice était autrement plus fascinante que Jenny. Ses lèvres dessinaient une moue appliquée. Henri avait ralenti, l'œil rivé au rétroviseur. Béatrice actionna son clignotant et entreprit un dépassement. Les deux voitures se retrouvèrent côte à côte. Cette fois-ci, Béatrice tourna la tête et adressa un sourire aguicheur. Les yeux d'Henri plongèrent dans ceux de Béatrice. Béatrice acheva aussitôt son dépassement. Henri crut qu'elle le dévisageait à son tour par rétroviseur interposé. Elle lui souriait avec insistance. Mais il n'eut pas la témérité de continuer sa course-poursuite. L'avait-elle reconnu ? Ou bien était-il dans ses habitudes de répondre aux avances des dragueurs au volant ? Qui était cette Béatrice qui faisait du gringue sur la route au premier téméraire venu ? Son coup d'œil, pour furtif qu'il fût, piqua Henri au vif. Il fallait à tout prix qu'il perce l'énigme Béatrice. Pour cela, il renoncerait au notariat, épierait en douce sa vie secrète, quitte à se faufiler dans un corps de chien. Quelle meilleure planque pour espionner impunément les égarements d'une dévoyée ? Il espérait de terribles déconvenues, des humiliations incandescentes, des meurtrissures ! C'était le prix à payer pour voir. Et il paierait !

Henri écrivit plusieurs missives à Béatrice. Pas de réponse. Il ne cessa alors de lui envoyer de déchirantes lettres de pardon. Au bout d'un mois, elle accepta enfin de déjeuner en tête à tête. Elle choisit pour l'occasion un Relais et Châteaux, non loin de son cabinet. Il était temps ! Car le chien avait entamé sa sortie du miroir et commençait à contaminer, comme une lèpre insidieuse, les extrémités du corps d'Henri. Des coussinets rugueux avaient poussé sous ses paumes et ses ongles s'épaississaient. Le prognathisme s'affirmait. La villosité gagnait du terrain : les chevilles d'abord, les mollets ensuite, puis les cuisses et les avant-bras. Vint alors ce timbre de rogomme comme prémice aux grognements. Dans l'intimité, Henri faisait maintenant chambre à part. Jenny ne remarqua rien des mutations physiques de son mari. Elle le trouvait simplement d'humeur atrabilaire.

Henri arriva en retard au déjeuner, à cause de la pluie qui n'avait cessé de tomber. Le restaurant déployait cette ostentation qui plaisait tant à Béatrice. Elle s'était assise à une table et se donnait une contenance en examinant la carte. Elle portait un tailleur de laine, dont la veste boutonnée jusqu'au cou durcissait sa silhouette. Henri fut frappé par son teint chlorotique. Elle était affaissée sur son siège, les épaules voûtées, en signe d'épuisement. Henri s'assit en face d'elle, sourire crispé, hésitant. Il lui dit bonjour d'une voix sèche que Béatrice lui rendit en cillant imperceptiblement. Un maître d'hôtel vint décliner les spécialités de la maison. Béatrice se fit détailler la composition des mets. Elle opta pour les plats les plus dispendieux et Henri, pour ne pas être en reste, fit de même. Un sommelier leur recommanda un cru classé qu'Henri fit semblant d'apprécier. Béatrice mit un point d'honneur à invectiver les garçons de table au moindre impair. Elle renvoya les vinaigrettes, critiqua les sauces, mit en cause la cuisson du turbot. Quant au vin qu'Henri avait approuvé, il était bouchonné et Béatrice exigea une autre bouteille. Henri était indigné face à cet autoritarisme capricieux, mais il ne rêvait, au fond de lui, que de s'y soumettre. La conversation fut d'abord anodine et entrecoupée de silences. Il n'osait pas aborder le vif du sujet. Au dessert, il posa sa main recouverte d'un léger duvet sur celle de Béatrice.

— Béatrice, douce Béatrice, j'ai besoin de toi. Je veux finir mes jours chien fidèle blotti sous tes jambes. Sans toi, j'ai peur de ce que je vais devenir. Il n'y a qu'à l'abri de ta robe que la vie ne me terrorise pas trop. Je m'efforcerai d'être doux. Tu n'auras pas à te plaindre de moi. Nous allons terminer nos jours ensemble. Nous ferons un très joli couple. Accepte, je t'en supplie.

— Trop tard, je vais bientôt mourir.

— Mourir ? Mais de quoi ?

— Cancer. J'ai des métastases. Les médecins ne m'en donnent plus que pour quelques mois. Je n'ai plus de force. J'ai mis en vente mon cabinet. Et je ne trouve pas d'acquéreur.

Le cœur d'Henri se mit à tambouriner dans sa poitrine. Il esquissa une question.

— Depuis quand ?

— Depuis que tu m'as chassée ! Le contrecoup psychologique sans doute. Tu sais, la cause principale du cancer est d'origine somatique. C'est toi qui m'as mise dans cet état. Avant de te connaître, j'étais forte. Aujourd'hui, je n'ai plus la force d'assurer mes consultations. Tout est ta faute. Tu es un criminel, Henri, simplement un criminel.

— Mais je suis là, maintenant, à tes côtés.

— Toi ? Mais qui es-tu ? dit-elle avec ironie.

Béatrice avait réussi à ébranler Henri. Elle retrouvait l'avantage. Henri s'était lui-même jeté dans la gueule de l'ennemi. Béatrice ne s'était pas attendue à revoir Henri de sitôt. Elle comptait en profiter. C'était l'occasion ou jamais de le réduire en charpie. Pas d'impunité pour le traître. Elle l'humilierait jusqu'à ce qu'il en crève. À petit feu. Elle jouerait de tous les ressorts de la torture mentale. La partie ne faisait que commencer. Que la bête meure, qu'elle crève, se répétait-elle intérieurement.

— Je vais tout faire pour te sortir de la maladie, dit Henri.

— M'aider ? Tu n'es qu'un chien, une ordure de chien, hurla-t-elle pour être entendue par toutes les tables.

— Moins fort, je t'en supplie. Officiellement, je suis toujours Mᵉ Henri Noguerre, notaire. Respectable et respecté.

Béatrice se mit à rire bruyamment.

— Respectable et respecté, le maître Noguerre ! Une notabilité, le maître Noguerre. Tu parles ! Une saloperie de cabot, surtout. Une horreur de toutou vaniteux. Qui laisserait tout le monde sur le carreau pour sa carrière. Il a sa petite fierté, le maître Noguerre. À part mordre, il ne sait rien faire.

Béatrice observa une pause, le temps de se composer un masque tragique.

— Ouvre grand les yeux maintenant. Regarde-moi bien. Juge du résultat.

Elle porta la main au sommet de sa chevelure qu'elle souleva, laissant apparaître un crâne chauve. Elle venait d'ôter une perruque, qu'elle déposa en corolle sur la nappe amidonnée, comme un cadavre de mygale. Les oreilles de Béatrice pointaient en lynx. Ses yeux exorbités semblaient contempler l'enfer. Ses lèvres, furieuses, se mirent à trembloter. Béatrice fixa Henri.

— Je suis en chimiothérapie à la clinique Hartmann de Neuilly. Je lutte. Tout est fini maintenant. C'est tout. Ta seule sortie honorable est de te suicider. J'aurais tellement honte à ta place.

Béatrice sortit un mouchoir pour s'essuyer le front et fit mine d'étouffer des spasmes. Les convives attablés jetaient des regards furtifs, hésitant entre la répulsion face à l'étalage des stigmates de la maladie, et la compassion devant la souffrance.

— Et dire que tu m'as chassée de chez toi par huissier.

— Où habites-tu maintenant ?

— Nulle part. Je n'ai plus les moyens de régler un loyer.

— Mon étude peut t'accorder un prêt à taux réduit.

Béatrice lui assena une gifle.

— Sale bête ! hurla-t-elle, devant la clientèle de notables affalés et joufflus. Je vais crever, et tout ce que tu me proposes, c'est un échéancier comptable !

Béatrice avait mis Henri à quia. Elle multiplia les invectives. Maîtres d'hôtel, garçons de rang et clients assistèrent, cois, à la scène. Le silence tétanisait l'assistance. Béatrice se leva et désigna Henri du doigt à la vindicte générale.

— Regardez la bête qui enfouit la tête dans les épaules. Ça se fait appeler maître Noguerre, et ça se veut notaire arrivé, avec le Mérite à la boutonnière. En vérité, c'est un chien sans scrupule, vaniteux, hypocrite, fourbe, lâche, veule, menteur, dissimulateur, le plus fourbe des êtres sous ses airs de corniaud. Observez le spécimen. C'est le chien Médor ! Ça aboie, ça veut mordre, mais c'est la servilité incarnée, ça n'a pas son pareil pour faire le beau devant ses maîtres, les Rosenbaurn. Médor, allons, fais le beau et dis merci. Montre à tes maîtres comme tu sais faire le beau. Tu fais ta mauvaise tête, Médor ? Pourtant, le chien Médor adore renifler le cul des héritières. Sale cabot, va, et tu crois que je t'admire, moi ! Pour qui tu te prends ? À la niche maintenant !

Béatrice s'affala sur son siège. Elle inspirait une commisération navrée avec sa tête bosselée. Henri, trempé de sueurs froides, craignait d'être reconnu par des clients de l'étude. Béatrice quitta la table, s'appuyant de chaise en chaise, titubante, avec des airs de diva épuisée. Des garçons de rang s'empressèrent de la soutenir par le bras. Béatrice n'avait pas remis sa perruque et exhibait l'orbe d'un occiput luisant. Son passage déclenchait de table en table des murmures. Henri demeura seul à table, abasourdi, les yeux rivés sur son assiette.

Henri fixa ses mains, comme s'il venait de commettre un crime dont il mesurait soudain la gravité. Les paumes étaient entièrement garnies d'une texture rugueuse et noire. Les doigts avaient rétréci et formaient une continuité fuselée avec les ongles devenus griffes. Le châtiment commençait et Henri savait que Béatrice en était la juste ordonnatrice. Il palpa aussi le lobe de ses oreilles afin d'en tester le cartilage devenu villeux. Il remua ses doigts de pieds dans ses souliers. Il sentit des griffes transpercer le cuir. Signe prémonitoire : le corps de chien allait gangrener, centimètre par centimètre, ses membres. La vérité du miroir se cristalliserait pour de bon. Légitime vengeance d'une femme éconduite ! Henri se leva discrètement et paya l'adition au comptoir afin d'échapper aux regards des convives soupçonneux. Il rentra à Paris, roulant à petite vitesse. Il était prêt à d'humiliants sacrifices pour obtenir l'absolution de Béatrice. La crucifixion lui parut une fin désirable.

Les jours passèrent et Henri s'interrogeait. Quelque chose pourtant sonnait faux dans la prestation de Béatrice. Une théâtralité excessive ? Ne lui avait-elle pas monté un numéro de grand-guignol ? Henri soupçonna un exhibitionnisme calculé. Une pure comédie destinée à l'ébranler ? Dans son métier, Henri avait assisté à toutes sortes de pharisaïsmes aux fins de détournement de succession : chantage au suicide, séances de larmes, excès de colère et faux serments. Béatrice avait montré davantage d'acrimonie vengeresse contre Henri que de désarroi face à la maladie. Son but avait été de l'anéantir sous le poids des remords, de lui pourrir l'existence avec Jenny. Pur acte de vengeance, en somme. C'était de bonne guerre. L'erreur eût été de tomber dans le panneau. Si elle avait été réellement malade, aurait-elle eu l'énergie d'une telle mise en scène ? Henri songea à téléphoner à la clinique Hartmann afin de vérifier les dires de Béatrice. À quoi bon ? Béatrice lui avait assené un monstrueux bobard. Voilà tout ! Inutile de poursuivre plus avant les investigations. Le déjeuner avait été une erreur. L'important était de se concentrer sur sa vie avec Jenny et sur sa carrière de notaire. De ne pas tomber dans la chausse-trappe des récriminations de Béatrice. D'ailleurs, aucune nouvelle poussée canine n'était apparue depuis le fameux déjeuner. Henri avait toujours les coussinets sous les mains, mais ils ne le gênaient guère, pas plus que les plaques duveteuses qui avaient essaimé par endroits. Quelques griffes aussi. Pas de quoi s'alarmer encore.

Henri prit la résolution d'éradiquer définitivement de sa vie cette Béatrice mythomane.

Oui, mais pas facile ! Henri éprouvait l'obscur besoin de gober ses balivernes. Un goût secret pour le pathos l'incitait à donner crédit à ses spectaculaires simagrées. Elle avait assené avec brio un spectacle de théâtre et Henri brûlait de monter sur les planches pour lui donner la réplique. Elle lui avait dicté un rôle, un rôle auquel il se croyait prédestiné : celui du coupable parfait, s'abîmant en repentance. Henri allait s'y glisser avec délectation. Il était disposé à exceller dans l'emploi que Béatrice lui ferait jouer. Elle le manipulerait comme une marionnette à fil, car son consentement serait total, et il en redemanderait dans la soumission. Mais il fallait une entrée en matière, une occasion idoine. La maladie de Béatrice venait à point. Henri laissa divaguer son imagination. Il voyait Béatrice peinant au travail pendant que les métastases progressaient. Henri montra des dispositions théâtrales : il laissa monter en lui l'émotion et pleura pour de bon. Les larmes lui firent du bien. Compatir aux souffrances de sa future tortionnaire, pour fictives qu'elles fussent, lui procura comme un soulagement. Henri était plus que jamais disposé à rejoindre Béatrice sur la scène intime de sa mythomanie. Il fallait une bonne raison pour qu'Henri pût en toute légitimité reprendre ses liens avec Béatrice. Ce prétexte, elle le lui avait apporté sur un plateau : son cancer. Henri n'y croyait pas. Mais ça l'arrangeait d'y croire, et donc il y croirait. Mordre ? Oui, mordre, mais c'était lui qu'il voulait mordre, une manière d'automutilation, il voulait se faire saigner le ventre, procéder à un hara-kiri version animale, jusqu'à ce que Béatrice lui dise stop, jusqu'à ce qu'elle pardonne.

Du coup, Henri mit son point d'honneur à prendre au sérieux la « détresse » de Béatrice. Il se fit doctement la morale. Il fallait la rejoindre au plus vite. Non, Henri, on ne transige pas avec la mort ! Ton devoir est d'assister la moribonde jusqu'à son dernier souffle. Il méprisa cette Jenny pimpante et en bonne santé à qui la vie n'avait cessé de sourire. Béatrice faisait face à un drame, elle, et Henri ne lui en trouvait que plus de dignité. Bien sûr, dans ses éclairs de lucidité, il réalisait que se soumettre ainsi à la férule d'une intrigante au prétexte d'un cancer fictif relevait d'une dégradante attrition. Que pouvait-il y faire ? Béatrice était son destin.

Un soir Henri fila en Normandie où se trouvait Jenny, qui passait de plus en plus de temps à la campagne chez ses parents. Elle avait physiquement peur d'Henri, qui s'était montré ces derniers temps d'humeur acariâtre. Henri gara la voiture assez loin du château des Rosenbaum, de manière que personne ne pût l'apercevoir. Et sur le rebord d'une route aussi, afin de ne pas laisser de trace de pneu. Puis il s'approcha à pied de la bâtisse et se mit à épier les allées et venues de Jenny. La chance sourit à Henri. Jenny sortit de la maison et entama une promenade à la tombée de la nuit dans les chemins de sable de la forêt attenante. Elle avait revêtu un loden vert, un chapeau de feutre orné d'une plume de canard, des bottes en caoutchouc. Elle s'aventura dans une sente étroite, prit ensuite des chemins de traverse, cueillant çà et là des fleurs sauvages. Henri se présenta face à elle. Jenny fit un pas en arrière, prise de légère panique.

— Qu'est-ce que tu fais là ? Pourquoi n'es-tu pas venu d'abord au château ?

— Je voulais te voir en tête à tête.

Henri commença à embrasser Jenny, doucement, puis à pleine bouche. Elle se laissa faire, et d'autant plus volontiers qu'elle était en attente de ce genre d'assaut imprévu. Puis ils firent l'amour, se déshabillant à peine. Jenny trouvait excitantes ces effusions en pleine nature. Henri avait commencé par se montrer très doux.

— Jenny, tu es ma Jenny adorée, tu ne vas pas souffrir, car je t'aime, laisse-toi faire mon amour, laisse-toi faire, ce n'est pas ta faute si j'appartiens à Béatrice, mais tu ne dois pas m'en vouloir, je veux pour toi l'extase en quittant la vie, c'est la plus belle façon de mourir, sous les morsures de l'érotisme cannibale.

Lorsque Jenny fut étourdie, lorsque son corps apaisé se relâcha après la déferlante du plaisir, Henri commença à planter ses crocs au creux des reins, puis remonta par le ventre et sectionna la carotide. Jenny n'eut pas le temps de pousser le moindre cri. Elle s'affaissa, sans vie, au sol, avec la légèreté d'une feuille d'érable. Henri la traîna en pleine forêt, là où la végétation était la plus dense. Il la déshabilla et brûla ses vêtements. Puis il commença à la déchiqueter avec ses crocs et à aspirer son sang. Cela lui prit une bonne partie de la nuit.

Il la croqua lambeau par lambeau. Il mit du temps, car il aimait éprouver sous la dent la consistance caoutchouteuse d'un tendron de vingt-cinq ans. Henri croqua Jenny à petits coups de dents répétés, comme s'il avait voulu téter la moindre excroissance charnue. Il réussit à l'absorber totalement. Il concassa les os et avala la moelle. La cervelle était goûteuse et molle, il n'eut pas de mal à l'ingurgiter entière. Il enterra profondément toutes les parties non comestibles : viscères, squelette, dents. Au matin Henri regagna son bureau et reprit le travail avec calme. C'est en fin de journée qu'il fut officiellement averti de la disparition de Jenny. Henri sut prendre en public la mine atterrée de circonstance.

Le lendemain, il annula ses rendez-vous et se rendit à Provins. Il débarqua dans le cabinet de Béatrice, signifia à l'assistante qu'il désirait parler au docteur. L'assistante s'absenta et réapparut.

— Le docteur ne peut pas vous recevoir et vous prie de quitter le cabinet. Pour une consultation, voici l'adresse d'un confrère, ajouta-t-elle en tendant une carte.

— Je vous demande d'insister. Je sais que le docteur est occupé. Dites-lui que je désire lui parler de toute urgence.

L'assistante s'éclipsa de nouveau. Ce fut Béatrice qui se présenta.

— N'insiste pas, s'il te plaît ! File, maintenant. Je ne veux plus te voir, plus jamais. Disparais.

Henri n'insista pas. Il quitta le cabinet et, désespéré, marcha au hasard des rues, happé par les venelles de la vieille ville. Paris, Provins, son métier, sa vie d'homme, tout perdait son sens. Henri voulait fuir, mais où ? Il déambula devant les étals du marché, s'enfonça dans la cité médiévale, accéda au quartier piétonnier, trébuchant à chaque foulée sur les pavés déchaussés. Le sol se dérobait sous ses pieds. Après une bonne heure de pérégrination titubante, il déboucha sur le parvis de la cathédrale et s'affala sur un banc. Il voulait tout oublier, demeurer là, sans bouger, donner libre cours à son désespoir, attendre la nuit et se laisser mourir. Les échos de la messe faisaient entendre leurs arpèges. Les voix d'un chœur égrenaient des vocalises cristallines sur un fond d'orgue. Un introït majestueux semblait irradier les vitraux et laissait percer au-dehors ses accords. Henri ne put résister à l'appel de ces sonorités diaprées. Il s'engouffra dans le tambour ménagé sous le porche et fit irruption dans la pénombre du narthex. Les nuées d'encens flottant sous les arcatures de la nef exhalaient un parfum d'éternité. Henri, apaisé, aspira à pleins poumons les effluves tièdes avec la délivrance d'un asthmatique recevant un masque d'oxygène. Une assemblée de bégueules contrites et de bigots assoupis écoutait le préambule d'une homélie. Henri s'achemina sur la pointe des pieds au premier rang des travées et s'affala, exténué, sur le siège paillé d'un prie-Dieu. Vidé de toute substance, il se laissa glisser dans une torpeur amnésique, hypnotisé par la mélopée du sermon qui résonnait en écho dans l'abside. Il était question de la trahison de Judas. Henri tendit l'oreille.

— Judas a trahi le Seigneur, mes frères. Il faut pardonner aussi à Judas, car en trahissant le Christ, il a servi les desseins de Dieu.

Henri se laissait bercer par les rêves que lui inspirait l'homélie. Il était là-bas, loin en Palestine, près du mont des Oliviers, hypnotisé par les incantations du prêche. Ses nerfs étaient détendus, il somnolait. Et puis ce fut un choc. Il fut tiré de sa torpeur comme étreint à la nuque par une main divine. Une décharge électrique lui enjoignit de se lever. Chancelant, dégoulinant de sueur, s'appuyant maladroitement aux appuie-bras des prie-Dieu, il s'achemina à pas lents vers les degrés en colimaçon menant au sommet de la chaire. Il gravit l'escalier, haletant, marquant à chaque enjambée un temps d'arrêt, les mains moites agrippées aux rampes en chêne poli. Trahison, Judas, rédemption : ces mots tambourinaient dans sa tête comme la clé de son existence. Une pulsion irrépressible le poussait à se confesser en public. Il fit soudain irruption à la tribune et s'offrit au regard médusé des fidèles. Il prit la parole et sa voix rauque couvrit celle du prêtre qui dut s'interrompre. Dans la pause du saint Jean de Léonard de Vinci, l'index pointé vers le ciel, Henri entama devant l'audience éberluée une homélie enfiévrée, expectorant une pluie de postillons.

— Moi aussi, je suis coupable, mes frères. Ne vous fiez pas aux apparences. Sous l'humain qui vous parle se cache une bête, mes frères, pas n'importe quelle bête, la pire race des bêtes, celle du chien cannibale. Car, en vérité, j'ai absorbé de la chair humaine, de la chair féminine. Car j'aime atrocement la femme, non pour l'embrasser, non pour la caresser, mais pour la déchiqueter, la dépecer, me repaître de sa chair tendre et caoutchouteuse. Il y a deux jours, j'ai dévoré un tendron innocent, la jeune Jenny, mon épouse fidèle devant Dieu, et à peine âgée de vingt-cinq ans. Le meilleur âge pour la dégustation, soit dit entre nous, le moment où la chair est à la fois veloutée et abondante. Avant vingt-cinq ans, la croupe féminine est trop tendue, trop ferme, résistante à la dent, après la trentaine, elle devient trop étirée, flasque, zébrée de vergetures, et perd autant de son élasticité que de sa saveur. Je n'ai pas eu à me plaindre, en matière de plaisir gustatif, j'ai goûté au mets le plus savoureux, une nymphe à la peau d'ambre, ventre dodu, cuisse pleine, mollets souples. Elle était aussi mon épouse, oui mes chers frères, j'ai dévoré ma propre femme, crue et sans assaisonnement, tout en la forniquant. Et j'ai connu l'extase, celle de l'absorption de la chair et du sang. J'ai célébré la messe avec le corps vivant de la femme adorée, comme vous-mêmes avec le corps du Christ. Mangeons-nous les uns les autres, mes frères, comme nous célébrons l'Eucharistie. Je dédie mon festin cannibale à la seule élue de mon cœur, la sublime Béatrice, à qui je demande pardon. J'ai renié celle qui chaque matin me parfumait d'onguents balsamiques, me brossait et me lustrait le poil. Le Tout-Puissant, dans son infinie miséricorde, m'a doté d'un corps de bête anthropophage, d'ogre canin à la dent coupante, et je dédie mon festin à la déesse Béatrice, incarnée ici-bas sous les traits du docteur Béatrice de Fourvière, gynéco respectable en notre bonne ville de Provins. Oui, mes frères, Béatrice vit dans nos murs. Elle a choisi la médecine pour alléger nos maux. Et c'est par amour pour elle que j'ai croqué Jenny, pour la lui offrir en holocauste.

Henri ôta sa veste, dégrafa les boutons de sa chemise, se dépoitrailla et offrit aux regards un thorax recouvert d'une toison naissante. Henri enchaîna de plus belle :

— Heureux celui d'entre vous qui le premier verra des pattes, des griffes et des crocs émerger de lui.

Henri entonna une série d'aboiements, modulant des sonorités dont la tessiture alternait aigus et graves.

Il n'eut pas le temps de voir les deux CRS qui venaient de gravir les marches et le ceinturèrent brutalement, le contraignant brusquement au mutisme. Pour plus de sécurité, les pandores ajustèrent une camisole de force et le bâillonnèrent. Étendu manu militari sur une civière, Henri fut évacué de l'office religieux. Dehors, des médecins du Samu prirent le relais. Béatrice, alertée par les pompiers, s'était rendue à l'église. Il fut question d'expédier Henri aux urgences de l'hôpital psychiatrique le plus proche. Mais Béatrice intercéda pour qu'on ôtât sa camisole et son bâillon, et convainquit le médecin responsable de convoyer Henri à son cabinet. Béatrice affirmait connaître le dément et être en mesure de lui calmer l'esprit, de lui administrer les tranquillisants adéquats. On fit confiance à l'ancienne interne des hôpitaux de Paris.

Une fois arrivé au cabinet de gynécologie, Henri fut allongé sur le fauteuil de consultation, les pieds dans les étriers. Il était enfin apaisé : Béatrice lui prodiguait ses soins. Elle signa une décharge et les médecins du Samu s'éclipsèrent.

— Tu débloques vraiment, tu ne crois pas ? lui dit Béatrice.

— Je ne débloque pas : j'ai croqué crue Jenny avant-hier soir. Pour que tu me pardonnes. Parce que je t'aime, Béatrice, et parce que je ne veux plus jamais que tu m'abandonnes. Je suis ton chien, ne l'oublie pas.

Béatrice acquiesça.

Elle fut convoquée le lendemain à la brigade crimi-nelle de Paris, comme témoin. L'enquête piétinait. Nulle trace de Jenny n'avait été retrouvée. Encore moins de potentiels ravisseurs ou d'un assassin. Impossible pour le moment de procéder aux tests ADN auprès d'éventuels coupables. Béatrice aurait pu dénoncer Henri. C'était un bon moyen de se débarrasser de lui et d'assouvir sa vengeance. Mais elle se sentit solidaire de sa bête. Fina-lement, elle l'avait eue, la peau de Jenny. Elle jubilait. Médor, il avait fait fort, pour une fois. Les journaux relatèrent l'affaire. Le cas de Me Noguerre s'avérait vraiment pathétique. C'est à son bureau, en plein tra-vail, que le brillant notaire avait appris la disparition de sa jeune épouse. L'émotion avait dû déclencher une crise paranoïaque. D'où les délires dans l'église de Pro-vins. Un rapport psychiatrique conclut à un cas de schi-zophrénie somatique due au choc psychologique. Logique en somme. Henri avait peur qu'on découvre la vérité. Il se sentait monstre, assassin. Il risquait la cour d'assises, la prison à vie, l'opprobre. Il songea d'abord à se dénoncer avant que les enquêteurs ne retrouvent les restes du cadavre et procèdent à un test ADN à son encontre. Béatrice l'en dissuada. Il y avait peu de risque qu'on retrouve les parties non comestibles de Jenny qu'Henri avait enfouies en profondeur.

Une juridiction civile confia en toute logique le malade mental à la tutelle juridique de Béatrice, en attendant que Mᵉ Noguerre recouvre ses esprits. Elle accepta. Oui, elle le tenait son Médor.

9

Béatrice déposa Henri quelques jours plus tard dans son appartement de Boulogne, déserté depuis quelques mois. La tutelle que lui avait confiée le juge impliquait une obligation d'assistance, non de présence continue. Elle s'acquitta donc des formalités indispensables auprès des autorités médicales, notariales, judiciaires, et décida ensuite d'abandonner Henri.

— Débrouille-toi sans moi, maintenant. J'ai fait le nécessaire, adieu, lui dit-elle un soir, après lui avoir fait signer les derniers documents.

En partant, elle claqua la porte. Il y eut un silence. Henri se retrouva seul. Béatrice l'avait donc lâchement abandonné. Il ne lui restait plus qu'à dépérir. Une solution comme une autre. Honorable en tout cas. Mieux qu'un procès aux assises. Henri se mit à somnoler. Le temps lui échappa. Il se noya inexorablement, en profondeur, loin, là-bas, dans l'eau glacée du miroir.

Et de fait, le chien du miroir rongea plus tôt que prévu le corps d'Henri : les bras, les hanches, les épaules, puis tout le reste. Henri paniqua. Il fallait vraiment retrouver Béatrice. C'était urgent. Mais où était-elle ? Il se rendit à tout hasard à la clinique Hartmann en taxi, déguisé en humain, imperméable, lunettes teintées et borsalino enfoncé sur le crâne. Il évoquait l'arsouille en cavale. À la clinique, l'infirmière d'accueil prit un air sceptique, puis effaré, lorsqu'il déclina ses titres professionnels. Elle lui répondit sèchement qu'il n'y avait personne sous le nom de Béatrice de Fourvière. Henri insista, conscient d'être éconduit à cause de son allure de nervi traqué. La réponse était toujours négative. Henri crut que Béatrice était descendue sous un autre nom. Il donna d'elle un descriptif détaillé, mais personne ne correspondait à ses indications. L'infirmière le questionna sur les coordonnées de la malade. Henri resta coi. Il ne connaissait quasiment rien de Béatrice. Ni ses parents, ni ses amis, ni son adresse. Il téléphona de nouveau à Provins. Il tomba cette fois-ci sur un répondeur téléphonique. Il se rendit au centre hospitalier de Villejuif. Personne n'avait vu ou entendu parler d'une Béatrice de Fourvière. Henri visita toutes les cliniques de la région parisienne. En vain. Il était exténué.

Henri sombra dans la déprime. Il en voulait à Béatrice de sa désertion. C'était pour elle qu'il l'avait bouffée, Jenny ! Et voilà comment il était remercié. Il en avait des haut-le-cœur. Il ne quitta plus son domicile, sinon pour avaler au bar du coin quelques rares sandwichs servis par un loufiat suspicieux. Avec son museau bandé, son imperméable et son galurin, le nouveau chaland inquiétait les habitués du zinc. Le patron l'avertit un jour qu'il devait déguerpir. Henri renonça à fréquenter le bar. Sa fin approchait. C'était le mois d'août. Plus personne ne voulait de lui. Son destin était de disparaître.

Henri se traînait à quatre pattes. Il commanda des pizzas par téléphone. Lorsque le livreur sonnait, Henri entrebâillait la porte, glissait un billet et faisait déposer l'emballage sur le paillasson. Il déchirait ensuite le carton et déchiquetait le plat. Béatrice avait prélevé du liquide pour lui au distributeur, il avait de quoi tenir. Une fois ces ressources épuisées, il quitterait définitivement l'appartement et irait n'importe où, sur le pavé de Paris.

Pour tuer le temps, il dessinait des stries sur la moquette blanche, traçait des chevrons ou des motifs en claie. La gardienne de l'immeuble lui portait toujours son courrier. Des lettres de condoléances qui le laissaient indifférent.

— Le maître, il n'a plus figure humaine, constata madame Lopez, avec une moue navrée, mais nuancée de respect, car le titre de « maître » sur les enveloppes l'impressionnait encore.

Henri, pour toute réponse, émit un regard mélancolique. Madame Lopez poursuivit ses remarques, avec son accent portugais.

— Le maître, il lui faut la femme à la maison. Le maître, il était très heureux avec madame Béatrice. Car madame Béatrice, elle savait tenir la maison, et quand la femme tient la maison, elle tient le maître.

Henri acquiesça tristement. Pour lui, c'était sans espoir maintenant, Béatrice l'avait trahi, elle ne reviendrait plus. Ingratitude des femmes !

Découragé, il cessa de commander des pizzas par téléphone. Ses indications se transformaient en d'inaudibles gargarismes et le préposé demeurait hermétique à toute sémantique du râle. Henri connut la faim, celle qui donne le vertige.

Vers les premiers jours de septembre, Henri ne percevait d'humain en lui que les yeux et le front, dissimulés sous des touffes de poils sanieux. Henri jeta l'éponge. Il quitta l'appartement, par l'escalier de service, pour ne pas être vu. Henri se retrouva seul sur le bitume et éprouvait ses premières impressions de chien errant. Il fourragea dans les poubelles, bête efflanquée à la recherche de sa pitance. Il dégota dans une décharge des restes de pain, des épluchures de saucisson et des noyaux d'olives qu'il rongea fébrilement. Ce n'était vraiment pas dans ses habitudes. Il faut se faire à tout, songeait-il. Heureusement, c'était encore l'été, Henri n'avait pas à souffrir du froid. Il trimarda plusieurs jours sur le trottoir.

Henri était particulièrement mal préparé à la vie de chien errant. Il se heurtait à la malveillance des badauds. Lorsqu'il quémandait aux portes cochères, des pipelettes en robe de chambre et bigoudis le chassaient à coups de faubert. Les clochards le faisaient décaniller avec des jets de pierres. Alléché par des effluves de chili con carne, Henri tenta de s'approcher d'un groupe de rappeurs. Il reçut des boîtes de conserve à la figure. Il passa plusieurs nuits sur les voies ferrées de la gare Saint-Lazare, errant entre cabanes d'aiguillage et locomotives en stationnement. Les cheminots lui jetaient des quignons de pain beurré, restes de sandwichs pris sur le pouce. Henri poursuivit ses pérégrinations urbaines, dans l'espoir d'une secourable rencontre. Une fois, il crut tomber nez à nez avec Béatrice au coin d'une rue. Il bondit autour d'elle, mais finalement, ce n'était qu'un sosie. Au bout d'une semaine, il fut terriblement abattu. Il perdit l'envie de se nourrir, de vivre, et surtout de mordre. Bientôt sa carcasse étique serait jetée dans une benne à ordures entre sacs-poubelle et plastiques puants.

Une nuit, il tomba des trombes. Henri pataugea dans les flaques jusqu'au petit matin. Il en eut soudain assez de la rue et de ses pavés humides. Henri changea ses plans. Quitte à crever, autant crever au sec. Il trotta jusqu'à l'immeuble de Boulogne. Profitant de l'entrée d'une voiture dans le garage, il se glissa subrepticement derrière les roues et piqua un sprint vers l'escalier de service. Il gravit les marches jusqu'à la porte. Il n'avait fait lors de son départ qu'entrebâiller le battant sans enclencher le déclic de la serrure et il put entrer. La maison lui parut étrange, comme le lieu d'un rêve du passé. Il n'avait plus le sentiment d'être chez lui. Henri s'endormit sur un coin de moquette. La faim lui faisait tourner la tête et le sol tanguait comme un navire. Sa fin approchait : ce n'était plus qu'une question de jours, d'heures peut-être.

Henri s'abîmait le plus clair de son temps dans un sommeil comateux. Il lui arrivait de perdre connaissance. La mort s'approchait, douce, lente, salutaire. Une délivrance.

Il rêva une fois de Béatrice. Il la voyait déambuler sur la moquette, avec sa démarche altière et ses talons aiguilles. Elle avait une robe très décolletée. Henri reconnut une voix.

— MOUMOUSSE, MÉDOR !

Hallucination avant le saut dans l'au-delà ?

— MOUMOUSSE, MÉDOR, oui ou merde !

Non, il avait parfaitement entendu. C'était bien elle. Elle était là, debout, vêtue d'une robe d'été, qui laissait deviner son corps en transparence. Un parfum de sel et de mer émanait d'elle. Béatrice était bien là, tonitruante et péremptoire.

Henri reprit doucement connaissance. Il alla flairer sous les jambes de l'intruse. Un arrière-goût de monoï et de pommade hydratante affleura à ses narines comme une émanation de plage ensoleillée. Il s'élança au cou de Béatrice. Ce n'était plus un mirage, c'était vraiment elle, elle était revenue.

— Tu pues, Médor, riposta Béatrice en le jetant d'un coup sec à terre.

Béatrice achemina ses malles et déplia une pile de robes qu'elle disposa sur les cintres des penderies.

Elle aligna sur les tringles sa collection de sandales à lanières argentées. Puis elle déballa ses affaires de toilette, flacons, fioles et flasques, aux teintes de sucre d'orge. Béatrice fit prendre un bain à Henri. Au dernier coup de serviette, elle se changea, optant pour une jupe-culotte en satin noir et des bottines de daim. Elle s'absenta pour la nuit. Il demeura devant la porte d'entrée jusqu'au retour de sa maîtresse.

Béatrice était donc revenue, un beau matin. Sans prévenir. Vis-à-vis de la justice, sa présence était impérative. Elle écrivit au juge des tutelles que l'état psychique d'Henri ne s'était guère amélioré. La tutelle fut reconduite.

10

Début septembre, Béatrice reçut un courrier de la banque. Elle percevait tous les mois, par virement, les dividendes des parts qu'Henri détenait de l'étude. Il restait également un reliquat disponible sur le compte du notaire. Un ballon d'oxygène. Béatrice régla ses ardoises les plus urgentes. Mais, financièrement, cela n'avait rien d'une manne. La banque prélevait chaque mois des sommes au titre des remboursements de l'emprunt contracté par Henri pour l'achat de l'office notarial. Pas vraiment de quoi flamber ! À force de courir les maisons de couture, Béatrice avait accumulé des dettes. Cette perspective de vie mesquine assortie d'un chien à charge la mettait en colère. Des huissiers avaient inventorié le matériel médical de son cabinet. Elle ne savait plus comment s'en sortir. Sa rancœur à l'égard d'Henri décupla.

Un soir, désespérée, alors qu'elle venait de recevoir de nouvelles relances, Béatrice poussa un cri de colère :

— Avec quoi va-t-on vivre, espèce de tire-au-flanc ? C'est facile de se planquer dans un corps de chien. On se laisse aller, on se la coule douce. Logé, nourri, pas de souci. Je ne suis pas revenue à la maison pour te contempler faire la sieste. Au boulot !

Henri regarda humblement Béatrice et gémit. Béatrice interrompit ses récriminations. Ça ne servait à rien de gueuler contre un humain cramponné à sa peau de chien. Il fallait trouver une solution. Le mieux était qu'Henri reprenne ses activités. Le temps qu'elle se renfloue. Elle tenta le tout pour le tout et lui fit endosser une tenue de ville, espérant un déclic, un traumatisme salutaire, mais sans résultat : Henri s'ébroua énergiquement pour se débarrasser de l'incongru carcan vestimentaire.

Henri demeurerait maintenant de l'autre côté du miroir, là où était la vérité. Il avait décidé de mettre un terme à l'imposture notariale et de se conformer en tout point au chien qu'il voyait dans la glace. Il eut donc recours à la panoplie des comportements canins : il poussa des glapissements, haleta bruyamment avec la langue (l'exercice était fatigant), ondula de la croupe. En plein air, surtout, c'était pénible. Il fallait singer le cortège répertorié des mimiques animales : traîner la truffe à même le sol, courser les volatiles, fouir la terre. Henri préférait le boulot de notaire. Moins exigeant sur le plan physique.

La vie de couple recommença avec ses rituels d'antan. Pour séduire Béatrice, Henri s'efforça d'adopter de belles allures, d'améliorer sa plastique, de courir avec aisance. Son corps fonctionnait néanmoins difficilement. Henri avait de terribles courbatures. Il lui fallut un bon mois d'entraînement pour que ses postérieurs soient en mesure de le propulser de façon synchrone, et que ses pattes soient efficaces pour l'aider à rebondir. On ne s'improvise pas chien du jour au lendemain. Henri était un perfectionniste. Il avait été un bon notaire, il serait maintenant un bon chien. Il en rajouta dans le mime : il jappait d'impatience devant sa gamelle, se mesurait à la course avec ses rivaux setters ou braques, aboyait. J'ai tout de même l'air bête à galoper toute la journée en chien ! se disait Henri, à la longue. Il se lassa de sa nouvelle affectation existentielle. Il jouait son rôle avec application, mais sans enthousiasme. L'exercice s'avérait fastidieux et intellectuellement navrant. Peu importe ! Henri utiliserait tous les ressorts de la séduction canine pour attendrir sa geôlière.

Béatrice communiquait avec Henri à l'aide de quelques onomatopées. Henri répondait par des glapissements erratiques. Béatrice de son côté jouait bien le jeu : elle traitait Henri comme un spécimen moyen de golden retriever, doué d'une intelligence moyenne, ni plus, ni moins que n'importe quel quadrupède aboyant. Henri lui en voulut à la longue. Elle savait pourtant bien qu'Henri était resté Henri sous sa peau de chien. Pourquoi en rajouter en l'humiliant inutilement ? Qu'elle le traite en chien en public, soit. Mais dans l'intimité, à la longue, inutile d'aller trop loin. Henri faisait des efforts pour lui plaire avec ses mines de toutou câlin. Il ne fallait pas exagérer, ça commençait à bien faire cette comédie ! Henri ne pouvait plus s'exprimer dans la langue de Molière à cause des mutations au niveau du larynx qu'il avait laissé se développer. Pour le reste, il avait conservé toutes ses facultés. Béatrice semblait prendre plaisir à faire semblant de l'ignorer.

Béatrice quittait l'appartement le matin et ne revenait que vers sept heures du soir. Il fallait qu'elle s'active pour entretenir le ménage. Henri dut vivre en ermite. Livré à lui-même, les journées lui parurent longues. Il tâchait de s'abîmer dans une paresseuse somnolence, mais il supportait difficilement ce soudain désœuvrement. Dur, de rompre comme ça avec l'activisme minuté du notariat. Pour tuer le temps, il se livrait à une succession d'allées et venues, passant sans cesse d'une pièce à l'autre, tournant sur lui-même. Il trottinait au hasard, s'étendait contre le cuir d'un sofa, se levait, s'étirait, poussait quelques grognements, se livrait à des bâillements spasmodiques, s'étendait de nouveau, dressait l'oreille, comme alerté par un battement d'ailes, écoutait les vibrations de l'air, puis s'affalait sur la moquette. Les jours de ciel bleu, il obéissait à un itinéraire plus précis, celui que dessinait d'est en ouest la zone rendue chaude et lumineuse par les rais du soleil. Le matin il stationnait côté ubac, dans la chambre, puis la cuisine, pour rejoindre ensuite l'adret vers midi, constitué essentiellement du salon et de l'entrée. Mais ces stations ne suffisaient guère à meubler son ennui. La vie de chien est un calvaire, se disait maintenant Henri. Sa seule distraction venait de l'expérimentation sensorielle des diverses pièces. Il affûta ses dons acoustiques, olfactifs, si bien qu'il parvint à faire du moindre recoin de l'appartement un territoire inexploré à appréhender. Henri s'efforçait de ne rien endommager, et c'était une récompense suprême que les félicitations pour bonne conduite :

— C'est qu'il a été sage, pour une fois, le Médor, aujourd'hui, lui répétait-elle en lui tapotant la croupe.

Les retrouvailles avec Béatrice étaient le meilleur moment de la journée. Henri vivait pour cet unique et bref instant. Même si Béatrice ne manifestait pas pour lui de tendresse particulière.

Enfin, il y eut le jour de la délivrance. Celui où Béatrice décida, un matin, d'emmener son chien à Provins. La vie reprenait un sens. Henri espérait découvrir petit à petit les arcanes sentimentaux de Béatrice, eldorado autrement plus exaltant que les hoiries empoussiérées du notariat.

Henri grimpa dans le cabriolet et s'assit à croupetons sur le siège avant passager. Thorax vertical, front haut et œil scrutateur, il trônait avec la fierté d'un Anubis. Il retrouvait enfin le monde d'en haut, ce qui le changeait des semelles crottées, des socquettes bises et du bitume poisseux. Du haut de son promontoire, Henri pouvait regarder défiler les rues de Paris. L'émancipation visuelle d'Henri fut, hélas, de courte durée.

— Par terre, Médor ! lui assena brutalement Béatrice.

Elle lui empoigna la nuque et le fit descendre dans l'alvéole sous la boîte à gants. Henri essaya de s'opposer aux pressions de Béatrice tout en l'implorant d'un regard humide. Sans résultat !

— En bas, j'ai dit, assena-t-elle de nouveau. Pour qui tu te prends, Médor, allez, descends ! ajouta-t-elle vivement.

Recroquevillé au fond de son réceptacle, Henri déchanta. Aux sensations de courbatures s'ajoutaient les exaspérants changements de régime du moteur, oscillant sans cesse du ronronnement rauque au grésillement aigu. À croire que Béatrice se délectait dans le maniement frénétique du levier de vitesses, épuisant à souhait la mécanique, alternant démarrages et freinages brusques. Henri essaya de somnoler, mais en vain. Le pire était l'absence de repère visuel. La voiture prenait soudain de la vitesse, freinait, pilait de temps à autre, opérait un demi-tour, mais pour Henri ces changements d'allure paraissaient arbitraires. Henri eut vite mal au cœur et s'efforça de ne pas vomir. Béatrice découvrait l'insatiable jubilation d'humilier.

Soudain, Henri eut l'impression que Béatrice ralentissait et entamait un créneau. Puis, elle coupa le moteur.

— Médor, pas bouger !

Béatrice descendit de la voiture en claquant la portière. Henri se retrouva seul, abandonné à lui-même. Il releva de son mieux le museau pour repérer les lieux. Il crut apercevoir par le haut de la vitre l'enseigne d'une boutique canine : « Tout tout pour le toutou » était écrit en lettres fluo. Béatrice revint au bout de quelques minutes et prit ce ton un peu réjoui et niais que les adultes utilisent lorsqu'ils s'adressent à un bambin :

— Le Médor, il a un beau cadeau, un très beau cadeau ! Il va être content, le Médor.

Béatrice avait acheté un collier de cuir tressé qu'elle lui passa autour du cou et une laisse avec extenseur. Elle avait également acheté une balle en caoutchouc bleu-blanc-rouge, à l'image du ballon de la Coupe du monde de football.

— Attrape ! fit Béatrice en lançant la balle en direction de la gueule d'Henri.

Henri trouvait le geste grotesque, mais pour ne pas décevoir l'attente de Béatrice, il fit un effort, cambra de son mieux l'échine, ouvrit la gueule, et d'un mouvement de la tête, happa au vol le projectile. Il se sentait gêné.

— C'est bien, dit Béatrice. Tu sais, tu es plus dégourdi en chien qu'en notaire.

Elle passa les bras autour de l'échine et de l'encolure de la bête. Ce geste d'affection surprit Henri. C'était la première fois que Béatrice lui offrait un câlin depuis le jour où elle l'avait rencontré. Ce qu'Henri perdait en standing, il le gagnait en tendresse. Il en était satisfait. Henri tâcha dorénavant de se montrer mascotte affectueuse. Il se cargua de son mieux dans sa cache. Et pour manifester sa reconnaissance, il conserva dévotement sa balle coincée dans ses babines, tout le long du trajet à Provins.

Le véhicule roula une demi-heure et s'immobilisa de nouveau. Béatrice descendit de voiture, la contourna et fit sortir Henri, lui enjoignant autoritairement de ne pas escalader le siège passager. Henri se rétrécit de son mieux afin de se faufiler entre l'angle du siège et le chambranle métallique de la portière : pas question qu'il salisse le cuir en y posant une patte ! La voiture était stationnée au rebord d'une chênaie. La senteur humide du sous-bois avait déclenché une ivresse euphorique et Henri esquissa les premières foulées d'une gambade furtive lorsque l'ordre de Béatrice retentit avec stridence, faisant écho sous la voûte des feuillages :

— Assis, j'ai dit. Assis, réitéra Béatrice, qui le rattrapa, l'immobilisa de force et lui appuya de toutes ses forces sur la croupe.

Henri posa donc son séant sur le sol.

— Bien, Médor, fit Béatrice. Tu as compris, quand je dis assis, c'est assis !

Puis elle accrocha la laisse à l'anneau chromé du collier d'Henri. Lorsqu'il prit son élan pour la promenade, Béatrice répondit par une secousse arrière qui l'étrangla. Henri dut accepter de trottiner sagement derrière les mollets de Béatrice. L'essence de la vie de chien n'était-elle pas la soumission ? Mordre ? Oui, mais...

Le cabinet de Provins où officiait Béatrice était à l'opposé de l'image de frivolité urbaine qui avait émané d'elle jusqu'à présent. L'ambiance était au sérieux. Henri fut étonné : il ne s'attendait pas vraiment à trouver en Béatrice une femme de labeur. L'ambiance était austère. Dans la salle d'attente, des agricultrices aux pommettes couperosées poireautaient dignement sur les banquettes en skaï. Son bureau de consultation jouxtait une petite salle en carrelage blanc où trônait un lit d'examen, armé de ses étriers. Sur une desserte à roulettes, un arsenal de seringues et d'instruments gynécologiques stérilisés jetait d'inquiétantes lueurs métalliques. Henri était familier des lieux, mais c'était la première fois qu'il les voyait d'en bas, le nez à fleur de linoléum. Béatrice ne donna aucune explication à son assistante sur la présence de ce qui avait toute l'apparence d'un chien. Le nouveau pensionnaire s'appelait Médor, c'était maintenant un bâtard à gueule de loup, la consigne était de veiller à ce qu'il dispose d'un bol d'eau et qu'il ne s'évade pas par le jardinet de derrière. Henri eut droit aux compliments de l'assistante, qui s'émerveilla de la densité ocre de son pelage. Le bureau où Béatrice recevait ses patientes avant examen était terne, sans fioriture. Béatrice revêtait pour officier une blouse blanche, étroite, boutonnée ras du cou, et qui tombait aux chevilles. Elle remisait ses escarpins de ville pour chausser des tennis bon marché. La mise médicale lui donnait l'allure austère d'une directrice d'école. Elle fronçait légèrement le front, avec une mine concentrée. Des femmes porcines se succédaient, s'asseyant d'abord devant le bureau – une simple plaque en verre dépoli posée sur des tréteaux chromés – pour expliquer leurs symptômes, puis passaient dans le cabinet d'examen. Une fois déshabillées, elles s'allongeaient sur le dos, cuisses offertes et chevilles coincées dans les étriers, exposant à la lumière du scialytique leur anatomie pubienne. Béatrice les scrutait au spéculum. Le docteur n'ignorait rien du frottis vaginal, de la palpation mammaire, de la pose du pessaire. Elle manipulait de ses phalanges gantées de latex l'écou-

206

villon fouineur avec une dextérité de dentellière. Elle se jouait de l'échographie pelvienne, de la mammographie et de la coloscopie avec un implacable sang-froid. Des ridules verticales se dessinaient entre ses sourcils lorsqu'elle officiait. Son visage prenait une sévérité énigmatique.

Henri était déçu ! Il gambergeait string, strass et salope tarifée et il découvrait le rituel minuté d'un carabin de province. Oubliée l'allumeuse parisienne sur ses talons aiguilles. Dans son cabinet, Béatrice montrait un calme médical. Ses gestes étaient empreints de pesanteur. Les patientes lui vouaient une confiance obséquieuse. À Provins, on appelait Béatrice « docteur ». Oubliée la ménade de boîte de nuit : ici Béatrice se muait en autorité médicale. Henri était rassuré, certes, mais côté émotion forte, c'était le fiasco. Il fantasmait porno hot et on lui présentait un documentaire Arte sur la gynécologie en Beauce. L'assistante ne cessait de noter de nouveaux rendez-vous. L'emploi du temps du docteur était surchargé. Et quant à la nouvelle existence canine, elle s'avérait d'un conformisme navrant. Béatrice œuvrait souvent dix heures d'affilée, omettant le repas de midi.

Maintenant, Henri croyait presque en la fidélité de Béatrice et se reprochait ses soupçons d'adultère. Il s'en voulait aussi d'avoir jeté un regard condescendant sur une activité qu'il avait jugée triviale. Il l'avait prise pour une gynéco vouée à scruter de rustiques vagins. Béatrice pratiquait en fait un métier estimable : elle soignait les malades, soulageait les souffrances et aidait à vivre. La considération dont elle jouissait auprès des notables l'impressionnait. Henri se félicitait maintenant d'être le toutou d'une femme aussi méritante.

En même temps, Béatrice laissa Henri entrer dans la salle où elle opérait quotidiennement. Il aperçut un festival de lèvres pubiennes, de clitoris purpurins, de cuisses charnues, de mamelles molles qui s'étalaient comme des méduses échouées sur la plage. Henri éprouvait des remontées d'appétit cannibale. Mordre ? Non, Henri ! Les femmes étaient laides, mais dégageaient des fragrances de terroir qui laissaient supposer une chair goûteuse. Des jets de salive jaillissaient dans sa gorge comme des geysers et sa glotte ne cessait de danser le tango. Henri décida de demeurer la journée dans le bureau attenant, afin de ne pas céder à l'excitation de ses papilles gustatives. Mais c'était pire, car ce qu'il ne voyait pas, il l'imaginait et le fantasme devenait encore plus accaparant que le réel. Henri devait prendre sur lui pour ne pas soudain bondir la gueule ouverte et prélever son dû de chair sur les anatomies qui s'ouvraient à sa convoitise. Béatrice aimait exciter son animal. Le deal était clair : au moindre impair, c'était le drame, l'expulsion, le chenil. Henri savait qu'il devait se tenir à carreau. Il était au supplice. Béatrice était aux anges.

Elle acheta une couverture en laine écossaise, qu'elle étendit sous son bureau. Henri avait maintenant sa place dans la vie de sa maîtresse. Mais il s'ennuyait ferme ! Il s'acagnardait le plus clair de la journée, étendu sous les jupes de Béatrice, avec pour toute distraction les doléances de patientes réclamant des traitements hormonaux substitutifs, tout en se plaignant des érections molles de maris paresseux. Henri se sentait en même temps floué : tout ce qu'on lui proposait, c'était la misère sexuelle en terre agricole, avec prises de vues sur des ménagères boulottes en mal de vertiges aphrodisiaques. Henri en savait maintenant assez sur la gynécologie à Provins, mais sur Béatrice et ses mystères, il demeurait sur sa faim.

Pour le déjeuner, Béatrice lui réchauffait une assiette de steak haché avec du riz qu'il avalait en trois coups de langue. L'assistante eut la bonne idée de lui offrir un os en latex durci, qui semblait plus vrai que nature. Henri, pour être poli, fit d'abord semblant de ronger avidement son os. Épreuve qui s'avéra d'autant plus pénible que l'ersatz avait un goût synthétique. C'était de surcroît un os rétif et résistant aux crocs. Henri avait beau presser de ses maxillaires : c'était impossible d'en fracturer la moindre parcelle. Mais son os fut à la longue salutaire. Il l'empêchait de trop penser à l'intimité offerte des patientes de Béatrice. Henri consacra finalement toute sa journée à mordiller l'os. Il en éprouva du réconfort. Mordre, mordre, mordre. Henri dut son salut à l'os !

Un matin, Henri fut pris de court. Peu avant onze heures, Béatrice ôta sa blouse, enfila une jupe courte et quitta précipitamment son cabinet. Elle s'était poudrée de blush et avait souligné le pourtour de ses lèvres d'un cerne bistre. La gynéco de province retrouvait enfin des allures de vamp parisienne !

— Il va être sage, le Médor, cet après-midi, lui avait dit Béatrice, caressant de l'index le museau d'Henri.

Béatrice n'avait pas précisé l'heure de son retour. L'assistante, de son côté, avait quartier libre. Henri se retrouva seul, cloîtré dans la pénombre du cabinet. Voilà que Béatrice quittait le boulot à une heure d'affluence, au mépris de ses patientes ! Elle faisait soudain fi de ses responsabilités médicales ! Qu'allait-elle faire à Paris ? S'enliser dans les dévoiements ? L'excitation se mêlait à la contrariété. Henri éprouva contre toute attente un pincement délectable à imaginer l'autre Béatrice, la frelatée, se livrant aux caprices du désir. La Béatrice frivole qu'il fantasmait allait-elle enfin se montrer ? Béatrice rentra vers six heures du soir, tirée à quatre épingles, avec des traits lisses et un velouté de pêche. Aucune trace de fatigue n'abîmait son air énigmatique d'innocence angélique. Henri était déçu : il s'était pris au jeu des fantasmes pervers, et voilà qu'une fois encore les promesses s'évanouissaient. Rien d'apparemment excessif ne s'était produit dans la vie de Béatrice cet après-midi. Elle caressa Henri et la routine reprit ses droits. L'assistante revint. On sonna à la porte. Des patientes qui avaient rendez-vous à cette heure tardive se présentèrent, avec respect, devant le médecin qui ne ménageait pas ses horaires. Béatrice enfila sa blouse par-dessus sa jupe, mit ses espadrilles et reprit ses consultations. Lorsqu'elle fut assise à son bureau pour rédiger une ordonnance, Henri se blottit contre ses jambes. Béatrice lui malaxa affectueusement la nuque. Henri fut parcouru de frissons. Béatrice déplaça sa main vers les zones sensibles de la sous-gorge. Henri connut un vertige sensuel qu'il n'avait jamais ressenti à l'état humain. Il poussait des râles de plaisir et Béatrice accentuait la délicatesse de ses attouchements. Henri fut surpris de cette soudaine sollicitude. Béatrice avait-elle quelque chose à se faire pardonner ? Henri oublia la pénible absence de sa maîtresse cet après-midi : il était trop heureux de ses soudaines caresses. Il lui lécha la paume de la main, puis lui mordilla les phalanges. Béatrice se laissa faire, accentuant même les mouvements de ses doigts qui ondulaient voluptueusement entre langue et palais. Exciter son chien l'amusait.

Béatrice prit l'habitude de disparaître chaque après-midi. Elle donnait congé à son assistante et revenait à la tombée de la nuit soigner d'ultimes patientes. Henri, pendant ce temps, errait, enfiévré, entre salle d'attente et bureau de consultation. Il s'essaya à jouer les limiers. Chaque soir, au retour de Béatrice, il flairait discrètement les dessous de la jupe. Rien de suspect n'était décelable. Béatrice sentait le savon : une fragrance de propreté médicale. Et toujours cet air exaspérant de madone innocente.

Quelque chose clochait, bien sûr. Mais quoi ? La jalousie inquisitrice prit le dessus sur la confiance des premiers jours. Ces éclipses à répétition n'étaient-elles pas aussi une manière de provocation à son égard ? Henri se posait des questions. Pourquoi Béatrice s'apprêtait-elle en call-girl après avoir quitté ses patients ? Elle affectionnait de nouveau les robes moulantes et sanglait sa taille de ceintures tressées. Pour qui s'apprêtait-elle ? Le mystère le mettait en transe.

— Médor, tu gardes le cabinet, lui serinait-elle d'un ton d'institutrice, avant de s'en aller.

Henri prenait une mine pathétique, poussait un gémissement dans l'espoir d'apitoyer sa maîtresse. Mais chaque fois, c'était pareil : elle refermait la porte d'entrée, bloquant le museau du chien à l'intérieur. Le cabinet retrouvait sa pénombre. Henri passait le reste de l'après-midi à traîner sur le carreau, comptant les heures et rongeant l'os. Henri avait maintenant une seule obsession : percer l'intimité de Béatrice.

Henri patienta plusieurs semaines. Jusqu'au jour où il prit les devants. Cette fois-ci, il calcula bien son coup : il se faufila en trombe entre les jambes de sa maîtresse et galopa jusqu'à la voiture. Lorsqu'elle le rejoignit, Henri eut recours à toutes les astuces de la théâtralité canine : il larmoya, geignit, adopta une gueule de chien martyr. La comédie fut récompensée : Béatrice fit grimper en hâte le cabot qui se lova sous la boîte à gants. Elle ne s'arrêta pas en trajet. Elle roula vite, faisant vrombir le moteur. Du fond de sa cache, Henri regardait d'un œil distrait défiler les cimes des peupliers. Des nuages gris s'étalaient avec monotonie. Puis se succédèrent à travers les vitres de la voiture d'abord les reflets bleutés des buildings de verre du périphérique, ensuite le ballet de pierres des façades d'immeubles, puis le faîte doré de l'obélisque de la Concorde pivotant sur lui-même, enfin les colonnades hautes des palais de Gabriel, le tympan de la Madeleine, les lourds frontispices de la rue Royale. Un cahot secoua la voiture : Béatrice escalada d'un coup d'accélérateur le trottoir, puis immobilisa son véhicule. Un chasseur en livrée s'avança et ouvrit la portière. Béatrice descendit. Henri resterait-il bloqué dans la voiture ? Coup de chance, le chasseur lui ouvrit l'autre porte. Henri sauta à l'extérieur et se retrouva sur le bitume, chien de trottoir, incommodé par les fumées des pots d'échappement. Henri leva les yeux et reconnut un décor qui lui était familier. Les volutes végétales en bois sculpté ornaient la façade du restaurant Maxim's. C'était donc là que Béatrice l'emmenait. Elle prit son chien en laisse et s'engouffra dans la galerie lambrissée qui menait au bar.

Henri n'était pas dépaysé. Il connaissait l'endroit pour y être allé déjeuner du temps de sa splendeur notariale. Aussi reconnut-il parfaitement les motifs chantournés de la moquette et l'atmosphère Art Nouveau qui imprégnait les lieux. Le maître d'hôtel aida Béatrice à ôter son manteau. Elle aussi semblait coutumière des lieux.

— Madame Noguerre est attendue, dit le maître d'hôtel avec componction.

— Béatrice, madame Noguerre ? Mais depuis quand ? aboya Henri. Nous n'avons jamais signé de contrat de mariage. Il n'y a pas de madame Noguerre ici-bas.

— Boucle-la, Médor ! Si tu aboies comme ça, je t'enferme dans la voiture, fit Béatrice avec rage.

Béatrice se faisait donc appeler madame Noguerre. Ça lui conférait une respectabilité de femme mariée et lui permettait d'user de la carte de membre du Maxim's Business Club, association d'affairistes mondains que fréquentait Henri pour son travail. Le maître d'hôtel tapota le museau d'Henri et le complimenta sur son pelage. Henri eut le temps d'identifier le faciès du flagorneur. Mais oui ! C'était bien lui : monsieur Gérôme, le majordome qui depuis vingt-cinq ans présidait à l'accueil de la clientèle. Monsieur Gérôme était un physionomiste hors pair. Derrière chaque visage, il devinait une profession, évaluait une fortune, cernait un caractère. D'un coup d'œil oblique, il jaugeait l'escroc retors et le fils de famille paresseux. Henri était persuadé que monsieur Gérôme reconnaîtrait sous l'habit de chien anonyme l'habitué des lieux qu'avait été maître Noguerre. Henri fixa le maître d'hôtel droit dans les yeux. Il savait que c'était par le regard que monsieur Gérôme évaluait ses ouailles.

— C'est moi, maître Noguerre, s'époumona Henri. Comment, vous ne me reconnaissez pas ? Même si je suis enserré dans un fatras d'excroissances canines, mon cerveau de notaire, lui, n'a pas bougé, ou si peu. Mon corps de chien n'est qu'une tenue de camouflage. Pour le moment, j'espionne ma belle. Bientôt, je reviendrai ici même, tel qu'en notaire je fus.

Henri insista. Il redoubla ses aboiements. Le maître d'hôtel ne prêta pas attention aux éructations plaintives de l'animal et se souciait surtout du dérangement causé à la clientèle. Henri ne se découragea pas pour autant.

— Je sais, je n'ai plus un physique ministériel, tout de même, faites un effort. Il y a bien du maître Noguerre dans mon regard ? C'est moi, le notaire de la rue du Faubourg-Saint-Honoré.

Henri avait beau argumenter, rien n'y fit. Pour monsieur Gérôme, Henri n'était qu'un chien ordinaire, bruyant, et il enjoignit Béatrice d'un discret froncement de sourcils de faire taire l'animal.

Henri fut bon pour une mornifle sur la gueule qu'elle musela aussitôt de ses doigts.

Béatrice fut conduite vers les tables situées près de la véranda qui donnait rue Royale. Henri était sur le qui-vive. Avec qui pouvait-elle avoir rendez-vous ?

Un homme l'attendait, assis sur une banquette. Replet. La cinquantaine soignée. Il se leva et fit asseoir Béatrice à côté de lui. Il montra une affabilité empressée, manière de faire oublier sa disgracieuse obésité. Pas vraiment un physique de don Juan. Des joues striées de fibrilles, un crâne lisse et de petits yeux mobiles lui conféraient un air de politicien rusé. Une rosette pointait sa pourpre sur le bleu nuit du revers. Des effluves âcres d'eau de toilette émanaient de sa personne. Ses mains manucurées tranchaient par leur finesse avec la jovialité papelarde du bonhomme. Pour être agréable à Béatrice, il entreprit des grattouillis de bienvenue sur l'occiput du chien. Sensation désagréable pour Henri : des petits doigts s'agitaient comme des asticots sur son crâne avec une indifférence brouillonne. Les caresses évoquaient le pharisaïsme. Henri reconnut le personnage. Un bâtonnier de l'ordre des avocats, de ceux qui pérorent dans les prétoires, élu à sa grande satisfaction sénateur centriste du Lot-et-Garonne, après avoir été quelque temps ministre d'un gouvernement de cohabitation. Pour faire oublier qu'il n'occupait plus de maroquin, il s'honorait à qui voulait l'entendre de « l'amitié du Président ». Henri avait eu l'occasion de le côtoyer. Leurs affinités n'allaient pas au-delà de leur appartenance à la basoche. Béatrice avait dû faire sa connaissance au hasard d'un dîner en compagnie d'Henri. La conversation porta sur le sort de maître Noguerre. Henri tendit l'oreille.

— Et notre pauvre ami, le notaire ? Comment se porte-t-il ?

Béatrice désigna Henri et se mit à le caresser. Puis elle ajouta avec un sourire enjôleur :

— Il s'est reconverti dans une autre activité.

— Laquelle ?

— Chien.

— À plein temps ?

— Il en avait sa claque de la vie publique. Maintenant, il fait ses premiers pas dans son nouveau corps de chien. Ce n'est pas évident. Il manque encore d'entraînement. Il y a plein de choses qu'il ne sait pas encore faire. Chasser par exemple. Mais les gestes de base, il y arrive : aboyer, mordre, ronger l'os, et même lever la patte... Il est là, devant vous. Ses yeux n'ont pas changé.

— Je ne le reconnais pas vraiment.

— C'est lui, dit Béatrice en caressant son chien. Mignon, n'est-ce pas ? Il s'habille maintenant en chien des rues, un peu hirsute, avec une gueule de loup. Il cultive le genre loubard. Un peu voyou. C'est son snobisme. Ça le change du look de notaire tiré à quatre épingles.

— C'est vrai que maître Noguerre n'était pas tous les jours très drôle.

— Il s'appelle Médor maintenant.

— Comment est-ce arrivé ?

— Progressivement. D'abord la patte gauche, puis l'oreille droite, les poils ensuite, la queue et enfin tout le reste. Il s'est inventé tout seul un nouveau corps. Une œuvre d'art, ce corps vivant de chien. Dans le genre hyperréaliste. On y croit, vous ne trouvez pas ?

Béatrice tira par la laisse son animal sous la table. Henri s'étala de tout son long le nez collé contre le tapis. Dans son abri, il se laissa aller à la somnolence. Il se sentait protégé, comme sous un igloo. Le tintamarre des conversations et les cliquetis des couverts étaient filtrés par un molleton qui touchait le sol et auquel la lumière du dehors donnait une douceur orangée. Henri, finalement, ne détestait pas cette grotte dessinée par l'orbe que formaient les retombées de la nappe. Il avait naguère connu la position en altitude, là-haut sur la banquette, celle d'altier bipède en majesté. Maintenant, rampant sous la jupe de Béatrice, anonyme toutou, il trouvait l'endroit apaisant : en bas, il était à l'abri des regards et ça lui convenait. Il se laissait flotter béatement, observant les silhouettes défiler en transparence à travers la nappe. Henri aimait voir sans être vu. Sous la nappe, il se sentait hors d'atteinte, à l'abri du pandémonium terrestre. Un paradis, presque. Pour passer le temps, Henri léchait doucement les souliers de Béatrice. Et puis, au paradis, la nourriture arrive comme la manne céleste : une assiette de rognons fit son apparition, glissée sous la nappe par une main providentielle. Henri avala sa pitance. Un bol d'eau fraîche se présenta également et Henri en but quelques gorgées.

La panse bien remplie, la gorge désaltérée, il se laissa aller aux délices d'une digestion sans tracas.

Hélas, la malfaisance humaine reprit le dessus. Henri fin réveillé en sursaut par un coup de pied sec dans les flancs. Il crut d'abord à une maladresse. Il changea de position. La chaussure réitéra ses attaques. Henri se leva, s'étira et s'allongea loin de la banquette. Le pied redoubla d'agressivité. L'équivoque n'était plus possible. Primo, ce n'était pas Béatrice qui lançait des coups de pied, mais son compagnon. Secundo, c'était avec une animosité intentionnelle que l'ancien ministre « ami du Président » s'évertuait à botter le cul du chien. Henri se leva de nouveau, s'ébroua et alla s'étendre hors de portée de chaussure. Rien à faire, le sénateur déplia la jambe et les coups redoublèrent. Mordre ? Bouffer du mollet de sénateur ? Non ! Pas de gaffe ! se dit-il. À la première altercation, je suis expulsé. Il obtempéra donc aux injonctions du pied, se faufila sous la banquette et se blottit derrière les jambes de Béatrice. L'endroit était étouffant et Henri devait se tasser. Dans cet ultime refuge, Henri se sentit enfin en sécurité.

Pas pour longtemps. Sa quiétude fut interrompue par un manège pour le moins inattendu sous la table. Le soulier du bâtonnier s'approcha soudain du mollet de Béatrice et commença à l'effleurer de haut en bas. Béatrice répondit favorablement aux sollicitations. Elle fit valdinguer un de ses souliers sur le tapis. Son pied redessiné en transparence par la soie du bas esquissa des caresses appuyées sous le revers du pantalon de son agresseur. Henri était assez surpris, non par les agissements du sénateur, mais c'était Béatrice qui menait la danse. Mordre ? Elle releva sa jupe jusqu'aux hanches et sa jambe libérée vint s'entortiller comme une couleuvre autour du mollet de son partenaire. Mordre ?

Béatrice portait des bas résille avec une couture noire derrière la jambe. Mordre maintenant ?... Calme ! Henri plaqua sa gueule contre le sol et étouffa les grognements qui montaient en lui. Il aurait peut-être aimé une réaction hostile de Béatrice, qu'elle eût la décence de refuser ce jeu impudique des attouchements sous la nappe. Une main masculine descendit à la verticale comme une araignée suspendue à un fil et se posa lentement sur le genou de Béatrice. La main se déplaça en crabe puis disparut au creux de l'entrejambe. Une curiosité inquiète fit haleter Henri, la langue sèche : jusqu'où irait le dévoiement de Béatrice ? Ses cuisses s'ouvraient et se refermaient maintenant comme des valves. Puis elles s'immobilisèrent, offertes, et son bassin se souleva en une légère convulsion et retomba brusquement sur la banquette. L'atmosphère devint moite. La main sortit de sa cache et s'achemina vers le plat de la cuisse qu'elle tapota à la façon des maquignons : une mygale profanant un sanctuaire ! Bouffer la main ! Les doigts effilés de la jeune femme vinrent s'entremêler aux phalanges boudinées de l'homme et initièrent de nouvelles reptations jusqu'au sexe de Béatrice. Aucune hésitation, pas le moindre tremblement dans le geste de Béatrice à la fois précis et impérieux ! Avaler les deux mains, d'un coup ! De nouveau, un imperceptible spasme traversa son corps. Henri aperçut enfin à travers la retombée de la nappe la silhouette d'un serveur venu débarrasser la table. En un clin d'œil, tout redevint normal. Béatrice enfila ses escarpins et les deux silhouettes s'espacèrent légèrement sur la banquette.

Henri sortit de sa cache et darda vers Béatrice un regard réprobateur. Elle excellait dans trois rôles concomitants : prude avec Henri, travailleuse à Provins, pute à Paris. Pute à petit budget. Franchement, les attouchements sous la nappe, des gamineries de débutante ! J'ai été vraiment stupide. M'être fait chien pour assister à ça ! Béatrice trouvait de l'excitation dans un certain dégoût d'elle-même. C'était un début. Mais Henri était déçu : il aurait aimé une Béatrice plus dévoyée. Plus effrayante dans le stupre. Plus « fellinienne ».

En haut, rien n'avait transpiré du flirt souterrain. Henri s'ébroua comme pour éjecter de sa mémoire un mauvais souvenir.

En sortant, le bâtonnier passa son bras autour de Béatrice, crachant à petites bouffées la fumée d'un Épicure qu'il serrait entre ses incisives. Cette effronterie joviale semblait plaire à Béatrice. Elle fit grimper son chien à l'arrière du véhicule du sénateur, que venait d'acheminer le voiturier, et s'installa sur le siège avant. Ils roulèrent pendant une bonne dizaine de minutes dans les rues de Paris, puis s'immobilisèrent après un créneau.

— Pas bouger, Médor ! fit Béatrice, tu gardes la voiture !

Non, il n'était pas question de poireauter seul sur la banquette. L'enquête avait pris son cours, pas question d'abandonner en route. Henri s'approchait du tuf de l'âme de Béatrice comme un archéologue au cœur d'une pyramide. Il feignit de n'avoir rien entendu, se jeta d'un bond sur le trottoir et galopa au loin. Béatrice, furieuse, héla son chien.

— Mais laissez-le venir votre notaire ! fit le sénateur. Il ne caftera pas. Il ne sait qu'aboyer.

Béatrice laissa courir Henri devant elle. L'enfilade des portes en fer forgé noir laissait deviner une rue peu fréquentée d'un quartier cossu. Le gazouillis des oiseaux atténuait le brouhaha du trafic sur l'artère adjacente. C'est là que se trouvait la résidence « Les Marronniers ». Aucun nom d'hôtel n'était affiché sur la façade. N'étaient des fac-similés de cartes de crédit apposés sur la porte vitrée de l'entrée signalée par une marquise en ferronnerie, tout évoquait la demeure bourgeoise. Henri franchit le premier le perron. Assombrie par des panneaux en chêne sur les murs, l'entrée de la maison faisait office de réception. Derrière un comptoir trônait, dans l'ombre, monsieur Maurice, le concierge, réputé pour sa discrétion. L'homme salua le couple d'un imperceptible clignement d'yeux et tendit machinalement une clef, qui cliquetait contre le cartouche de métal numéroté. Le couple poussa ensuite une double porte battante ouvrant sur un bar anglais, meublé de vieux chesterfields. Sur les murs grenat, des gravures de vénerie jetaient une note d'honorabilité. Une lumière orangée blutée par des stores vénitiens estompait les contours. Des notes de piano, assourdies par la mélopée d'un saxo ténor, s'égrenaient en musique de fond. Des putes fanées perchées sur de hauts tabourets se donnaient des allures de femmes du monde dans l'attente de providentiels michetons. La vie ordinaire était ici mise au service de débordements tarifés. Béatrice faisait-elle partie du personnel ? Elle attacha son chien à la rambarde du bar et donna des consignes au barman pour qu'Henri eût son bol d'eau. Le sénateur ordonna au barman de faire monter dans la chambre une bouteille de Dom Pérignon et sortit du bar, tenant Béatrice par le coude. Le couple s'engouffra en hâte dans l'ascenseur du hall d'entrée. Henri se laissa choir sur le parquet. Il ne savait pas trop s'il était chagriné que Béatrice s'adonnât à des amours clandestines, ou d'en être présentement exclu. La sagesse prescrivit de ne pas trop réfléchir. Il s'assoupit dans un sommeil visqueux.

Lorsque Béatrice réapparut, sa démarche était tout au plus nonchalante. Ses cheveux conservaient leur mise en plis nette. Le maquillage était demeuré impeccable. En revanche, l'homme titubait et avait les traits défaits. Cravate dénouée et pans de chemise hors du pantalon, il affichait une mine satisfaite. Un halo de barbe grisait son visage. Henri était ici réduit au rôle de figurant, une bête charitablement traînée, un paquet qu'on trimbale. Béatrice détacha son collier et le laissa filer sans proférer le moindre mot. À la sortie, le sénateur tendit d'un geste débonnaire un billet au portier qui le salua d'un cillement d'yeux. Henri ne put s'empêcher de trouver l'amant de Béatrice un tantinet grossier et de regretter le temps où c'était lui, maître Noguerre, qui avait le privilège d'accompagner dans le monde, et avec une infinie prévenance, la suave Béatrice.

Le sénateur éméché déposa la femme et son chien sur le trottoir, juste devant le restaurant. Avant de la quitter, il eut le temps de lui glisser à l'oreille quelques compliments graveleux qui n'échappèrent pas à Henri. Elle patienta quelques minutes, le temps que le voiturier ramène sa BMW. Henri grimpa à sa place habituelle et Béatrice accéléra. Sa curiosité était assouvie. Mais avec un arrière-goût d'amertume. Il y a des choses qu'on désire connaître et, une fois sues, elles paraissent fades. Béatrice venait d'accomplir une passe. Elle n'était même pas une débauchée. Une femme tarifée, voilà tout. Henri était déçu. Comment avait-il pu se laisser fasciner par une si mièvre créature ? Il aurait préféré des dévoiements plus excentriques, à la mesure des *120 Journées de Sodome*. Ses expectatives excédaient de beaucoup la triste réalité. Pendant le trajet, un silence lourd pesa dans la voiture. Béatrice caressa son chien avec insistance. Henri se hissa sur le siège avant. Cela lui était interdit, mais cette fois-ci Béatrice ne réagit pas. Elle sortit soudain de son sac une liasse de billets qu'elle déposa en évidence sur la boîte à gants. Henri la regarda avec étonnement.

— C'est à cause de toi que je fais la pute, espèce de sale cabot de notaire paresseux. Car je ne touche que des miettes de ton étude, depuis que tu ne veux plus travailler. Si tu avais les moyens de m'entretenir, je pourrais jouer les femmes fidèles. Gynéco, ça ne rapporte rien : à peine cent euros la séance. Alors, je me débrouille. Un après-midi avec le sénateur me rapporte autant qu'une semaine de consultations. Remarque, s'envoyer un sénateur, un élu, un ancien ministre, c'est rudement plus excitant qu'un simple notaire, aussi ministériel soit-il. Tu vois, je monte en grade. Et il me fait plein de cadeaux, l'ancien ministre, il est généreux, et en plus très intelligent, beaucoup plus intelligent que toi, et pour une femme, l'intelligence, c'est ce qu'il y a de plus sexy chez un homme. Tu as de la chance que le sénateur te tolère, sinon, tu dégagerais de ma vie.

Trois semaines s'écoulèrent sans que Béatrice retournât à Paris l'après-midi. Les journées se déroulaient de nouveau dans leur grisaille. Béatrice semblait n'avoir jamais cessé d'être la gynéco attentive et opiniâtre que la clientèle de Provins estimait tant. Henri avait eu un coup de blues après l'épisode de Paris. Cette idée qu'un ancien ministre, sénateur et « ami du Président », était plus « sexy » qu'un notaire rue du Faubourg-Saint-Honoré le laissait perplexe. Heureusement, le train-train reprit ses droits : croquettes du matin, gambades dans les sous-bois, le reste du temps, il concassait son os, étalé aux pieds de Béatrice, sur la courtepointe. Henri avait oublié l'épisode de la maison de rendez-vous. N'avait-il pas vécu tout cela en rêve ? Béatrice incarnait de nouveau ce modèle de douceur laborieuse qui lui valait la considération des citoyens de Provins. N'empêche : mordre son os lui faisait du bien.

À la maison, il n'était toujours pas autorisé à grimper sur le lit. Il aurait aimé s'allonger aux pieds de Béatrice. Mais non, malgré plusieurs tentatives, l'interdiction demeurait. À la longue, ça lui était égal. Béatrice dormait seule, et pour Henri, c'était un acte de fidélité. Parfois, au milieu de la nuit, il se réveillait et s'amusait à mordiller les orteils qui dépassaient de la couette. Béatrice, à demi endormie, se laissait faire. Henri adorait ces moments d'intimité où Béatrice n'opposait qu'une résistance somnolente. Il aurait aimé avaler un orteil, ça devait être bon à décortiquer autour de l'os. Dans ses rêves, il s'imaginait déguster une soupe à l'orteil, avec plein d'orteils flottant à la surface du liquide. Henri distillait dans ses morsures une infinie tendresse. Parfois, Béatrice caressait du pied l'encolure de son chien avant de l'écarter du lit pour reprendre son sommeil.

— Dodo, le Médor. Tu me fais mal.

Béatrice s'adressait toujours à son animal en langage chien, même si elle ne doutait pas que le cerveau notarial d'Henri fût parfaitement opérationnel. C'était une excellente manière de lui rabaisser le caquet, au notaire. Elle l'humiliait sans vergogne et elle aimait ça. Pour Henri, c'était exaspérant à la longue. Il songeait parfois à franchir le pas : sortir de son statut de toutou analphabète. Il lui suffirait d'essayer de tapoter avec ses griffes un message sur l'ordinateur du cabinet. Tout bien réfléchi, mieux valait s'abstenir : c'était perdre les avantages de son statut d'animal en peluche. S'il voulait garder la tendresse de Béatrice, il fallait se cantonner au rôle de toison douce à caresser. Et puis, il voulait poursuivre son enquête. Il y avait aussi du limier opiniâtre sous la peau du toutou folâtre. Henri attendait que Béatrice se révèle dans la plénitude de son tempérament.

Henri fut récompensé dans son attente. Un matin, vers onze heures, Béatrice congédia son assistante et revêtit une tenue échancrée. De fines bretelles en guipure noire rehaussaient l'incarnat de ses épaules. Elle enfila un collant fin qui fuselait ses hanches. Devant le miroir du cabinet, elle déambula, imitant l'ondoiement lascif des mannequins. Des escarpins à talons argentés accentuaient le balancement des hanches. Elle mit du blush sur ses joues et crêpa sa chevelure en crinière. Elle imprima une série de moues sensuelles à ses lèvres devant la glace. Henri assistait, fasciné, à la métamorphose de la gynéco en hétaïre de bordel. Henri, plus que jamais, voulait être de l'aventure. Il se leva d'un bond et se dirigea vers la porte, veillant à modérer son allure, afin de ne laisser transparaître aucune excitation suspecte. Il sautilla sur le perron comme pour une simple promenade. Le stratagème réussit. Henri fila jusqu'à la voiture et Béatrice le suivit sans émettre la moindre réticence. Henri se glissa de son mieux sous la boîte à gants.

Béatrice roula à plein régime jusqu'à Paris. De temps à autre elle se décalait un peu afin de jeter un coup d'œil dans le rétro : ultime inspection afin de puiser dans le reflet de son visage l'assurance de son charme. Elle se passa plusieurs fois du rouge, qu'elle étalait en se frottant les lèvres l'une contre l'autre, en un jeu infini de baisers narcissiques. Une fois à Paris, elle fit route vers la rue Royale et s'arrêta devant Maxim's. Béatrice, après avoir confié les clés au groom, s'engouffra dans le corridor d'entrée. Monsieur Gérôme était là, avec son sourire obséquieux et matois. Il flatta Henri de quelques caresses machinales. Cette fois, Béatrice monta le grand escalier en chêne jusqu'à l'étage du bar. Des cliquetis de cristal ponctuaient des murmures d'alcôve. Son rendez-vous, apparemment, était en retard. Elle se jucha d'un coup de rein sur un tabouret, croisant ses jambes avec indolence. Pour se donner une contenance, elle commanda un bloody Mary qu'elle avala nerveusement à petites gorgées, puis un deuxième, et un troisième, qu'elle but d'un trait. Légèrement étourdie, Béatrice inhala à pleines narines les effluves de Chanel mêlés aux nimbes des havanes qui flottaient en suspension. Cette fois-ci, Béatrice n'avait pas rendez-vous avec le sénateur. L'homme qui l'aborda portait une chemise à col ouvert, pochette épanouie et blazer indigo. Elle avait dû le rencontrer depuis peu, car il la voussoyait avec une sorte d'ironique mépris, comme on s'adresse à une courtisane. Il lui baisa la main d'un geste désinvolte. Un teint cuivré de marin, un mélange d'intonations italiennes et anglo-saxonnes, indiquaient une existence de yachtman. Il fit cliqueter négligemment les glaçons de son verre. Béatrice prenait devant lui des allures de collégienne bravant l'interdit. Quitte à choisir, Henri préférait encore le type obèse de bâtonnier politicard à la suffisance du bellâtre jet-set. Henri fit part de sa désapprobation en éructant des grognements rauques. Le nouveau venu se comportait à l'égard de Béatrice avec la morgue des nantis. C'était donc ça, l'autre vie de Béatrice ! Sade manquait à l'appel.

Béatrice et son prétendant s'attardèrent quelques instants au bar, le temps que le maître d'hôtel les prévînt que leur table était prête. Ils descendirent au rez-de-chaussée et s'acheminèrent vers la partie tamisée du restaurant. Le couple fut installé sur une banquette d'angle, favorisant les effusions dissimulées. Henri se faufila sous le molleton qui recouvrait la table, se tenant à distance des mocassins à pompon du nouveau venu. L'hôte de Béatrice appartenait bien à la classe des oisifs, c'était du moins le verdict d'Henri après examen olfactif, car ses pieds enrobés de chaussettes à motifs chantournés sentaient le savon parfumé, ce qui à ce moment de la journée était remarquable : le pied laborieux exhale dès l'heure du déjeuner un remugle moite provoqué par le stress de la matinée. Henri s'assoupit mollement sous la banquette, espérant, cette fois-ci, ne pas être dérangé. Béatrice et son convive n'attendirent pas la commande pour se livrer à des entrecroisements assidus. Henri s'efforça d'ignorer la scène et colla encore une fois son museau à même le sol. Il s'occupa à boulotter quelques miettes de pain qui tombaient de la nappe. Mais son regard fut attiré par les jeux de caresses fébriles. Henri, qui en avait vu d'autres, trouvait que les ébats péchaient par manque de préliminaires. L'homme n'y alla pas par quatre chemins. Il entreprit manu militari d'abaisser le collant de sa voisine. Il dut s'en prendre d'abord à l'élastique qui ceinturait la taille de Béatrice et le faire glisser le long des hanches. Béatrice se souleva légèrement et se cambra afin de faciliter le glissement du nylon sur la chair. Au dessert, le collant était parvenu, tirebouchonné, à hauteur des genoux. En un clin d'œil, Béatrice abaissa d'une main le nylon, fit passer prestement son collant autour de ses escarpins, le ramassa et l'enfouit d'un geste vif dans son sac. Elle offrait sous la table un pubis nu et se laissa caresser le clitoris. Henri en était sûr : ces ébats libertins lui étaient spécialement destinés. Béatrice la prude ne voulait pas décevoir la bête et escomptait bien déclencher une réaction de rage. Ce n'est pas pour l'argent qu'elle se prostituait, mais pour le seul plaisir de l'exhibitionnisme. Henri, dont le cœur maintenant menaçait d'exploser à chaque battement, se dit qu'il ne fallait pas céder à la provocation. Non, ne pas mordre. Ne pas mordre. Ne pas mordre. Ne pas bouger. C'eût été faire trop d'honneur à Béatrice. Béatrice le mettait à l'épreuve. Il fallait qu'il soit plus fort qu'elle. Calme, se disait Henri, calme la bête, le moindre écart te vaudra la fourrière, pis, elle te dénoncera, et tu iras aux assises. Ne rentre pas dans son jeu. Non, non, non, Henri, ne pas bouger. Le mépris est ta meilleure arme. Mais ce fut plus fort que lui. Il mordit, et fort. Comme ça, d'un coup sec, il s'échappa à lui-même. Il planta ses crocs sur un des mocassins de son rival et en arracha un pompon. Il le mâchouilla hargneusement jusqu'au moment où la main du suborneur s'agrippa à la nuque du chien. Henri recracha sa proie et fut traîné hors de sa cache. L'homme avait l'air contrarié.

— C'cst qu'il m'a mordu le pied, ton clébard. La bête a bouffé un pompon ! constata-t-il avec agacement. A-t-on idée de s'en prendre comme ça à des mocassins ? Des mocassins achetés à Portofino, il y a vingt-cinq ans et auxquels je tenais beaucoup. Un modèle qu'on ne trouve plus. Il est vraiment dingue, ton clébard !

Un garçon se précipita vers la table afin de s'enquérir de la cause de tant d'émoi.

— Le chien a sectionné un pompon de mocassin, dit Béatrice au serveur qui se mit en besogne de le retrouver sous la table. Médor, tu n'as pas honte ! fit-elle en talochant son chien.

Heureusement, le garçon, tâtonnant la moquette, mit la main sur le pompon gluant. Il l'essuya dignement à l'aide d'une serviette amidonnée et le restitua à son propriétaire. L'incident était clos.

Tu as fait ta première connerie ! se dit Henri, qui s'en voulait d'avoir perdu son self-control. Tu t'en tires bien. Un pompon, c'est moins grave qu'un morceau de chair sectionné à vif. Henri se jura de ne plus jamais céder à la rage. Cela faisait partie du défi que Béatrice lui lançait. Il fallait le relever. Se montrer plus fort qu'elle. On apporta l'addition et le trio s'achemina vers la sortie, dans un silence gêné.

Sur le trottoir, il fut décidé de se rendre rue d'Alger, où habitait le partenaire de Béatrice. On emprunta cette fois la voiture du docteur, qui interdit à son chien de grimper sur la banquette arrière, pour ne pas abîmer le cuir. Henri se retrouva donc coincé entre les jambes du compagnon de Béatrice, qui ne fit aucun geste pour le soulager de son inconfort. Il s'amusa à persécuter Henri, en le lardant sournoisement de coups de mocassin dans le bas-ventre. Béatrice ne bronchait pas !

L'appartement était situé au troisième étage d'un immeuble en pierre de taille. Des tentures pastel distillaient une atmosphère de kitsch efféminé. Des sièges capitonnés Napoléon III évoquaient les fastes frelatés des maisons closes. L'endroit était une garçonnière affectée aux ébats clandestins. Aux murs, des toiles anciennes à sujets canailles diffusaient un climat libertin. Sur les guéridons recouverts s'entassaient des bibelots en toc. Dans la chambre à coucher trônait un lit à baldaquin surmonté de plumets. L'hôte des lieux crut de bon ton de mettre en musique de fond un « best of » de la Callas. Béatrice semblait pourtant à son aise dans cette débauche rocaille. Elle s'était composé un rôle de précieuse minaudante, fascinée qu'elle était par l'opulence. Elle renaissait d'une autre vie, se laissant choir, étrangère à elle-même, dans des canapés enrubannés voués aux temps révolus des maisons closes.

Béatrice et son hôte s'enfermèrent dans la chambre à coucher. Henri décida de s'allonger et de s'assoupir en attendant que sa maîtresse ait achevé ses joutes érotiques. Des bribes de conversation alternées de gloussements venaient cogner à ses tympans. Puis il y eut des sonorités de gifles, entrecoupées de soupirs et des bruits de cravache. Des gémissements, des sanglots, des insultes et des cris ponctuaient les claquements du cuir. Qui, des protagonistes, recevait ou donnait les coups ? Henri arc-bouté sur ses postérieurs s'efforça, malgré sa gueule oblongue, de coller un œil contre la serrure. Entendre sans voir les ébats sado-maso de Béatrice créait une excitation nerveuse accrue. Il était prêt à bondir. Les voix et les sonorités de lanières sur la chair le mettaient dans un état second. Mais il ne distingua que de vagues silhouettes. Il mordit jusqu'à s'en casser les dents la boule en spath fluor qui faisait office de poignée de porte, puis, épuisé, perdait l'équilibre et dégringolait à la renverse. Les claquements retentirent de plus belle. Enfin le silence reprit ses droits. Des pleurs se firent entendre, ou peut-être des rires. Henri resta sur sa faim. Il avait envie de Béatrice, atrocement, jusqu'au viol, jusqu'à l'ingestion. Elle le savait.

11

Il était là, qui l'attendait, physique d'arsouille, au bar de la maison de rendez-vous, le nez dans un whisky. Tignasse blonde et barbe naissante assombrissant la fausse candeur de ses yeux bleus. Il portait des jeans et des boots en croco, arborait ce côté veule et méprisant qui plaît parfois aux femmes émancipées. Béatrice s'assit à ses côtés et se lova contre sa poitrine.

— Encore une minute et j'allais déguerpir, dit-il avec un accent slave.

— Je suis désolée, j'avais des patientes. Je ne peux pas les annuler à tout bout de champ.

Le garçon puait la sueur. Le contraire de cette honorabilité bourgeoise dont Béatrice se targuait en public. Henri flaira l'ennemi. Le guet-apens aussi. Un climat de film noir émoustillait Henri. Enfin quelque chose allait se passer. Il fit un effort pour ne pas montrer les crocs. Une tension soudaine aimanta l'atmosphère. Béatrice s'éclipsa avec le jeune homme. On l'appelait Boris et les filles du bar étaient sous son charme.

Béatrice réapparut assez vite, le visage tuméfié, précédée du Slave, débraillé et haineux. Béatrice était visiblement abasourdie, ses lèvres pincées exprimaient la colère rentrée. Boris se précipita vers le bar et commanda un double gin qu'il but d'un trait. Béatrice régla les consommations ainsi que la chambre. Elle rejoignit en hâte sa voiture, suivie à quelques pas par Boris et le chien. Elle les fit grimper tous deux à l'avant. Recroquevillé dans son réceptacle, Henri sentait les boots du Slave lui labourer les flancs. Pire : le garçon enroula la laisse autour de son poignet et étrangla le chien par saccades.

— Je vais le buter ton clébard.

Boris resserra d'un cran le collier. Henri suffoquait. Il grogna, mais n'eut pas la force de s'arc-bouter. Une violence contenue émanait des gestes du Slave, quelque chose de mauvais, de primaire. Béatrice n'était plus la même. Elle, d'habitude si cassante, si autoritaire ! Henri était au bord de l'asphyxie.

— Je t'ai déjà donné de l'argent il y a quinze jours, répondit-elle, d'une voix essoufflée.

— Un pourboire, tu veux dire !

Béatrice reprit un peu d'assurance.

— Encore tes dettes de jeu. J'en ai assez de payer tes pertes. Tu n'es qu'un looser, mon pauvre Boris.

Le garçon lui assena une gifle. Béatrice poursuivit quelques mètres et stoppa à un feu rouge. Le Slave en profita pour descendre brusquement de la voiture, forçant le chien à le suivre. Henri respira avec soulagement l'air du dehors.

— Je ne te rends ton clébard que si tu me paies, sinon je le vends à un laboratoire, lui dit Boris. Là-bas, on leur coupe les cordes vocales, aux chiens, pour ne pas les entendre aboyer à cause de la douleur.

— Surtout, ne te gêne pas ! Tu peux le donner à qui tu veux, ce chien, je n'en ai plus à rien à faire, qu'il crève lui aussi.

Béatrice démarra en trombe. Henri se retrouva seul, à la merci de son preneur d'otage. Hors de la présence de Béatrice, Boris se montra plus accommodant. Il détacha Henri, momentanément soulagé. Le climat s'apaisa. Boris fit quelques pas dans la rue avant d'entrer dans un café. Il avala plusieurs bières d'affilée et commanda un jambon-beurre dont il donna la moitié au chien. Henri fit mine de refuser cette obole.

— Avale ça, avant que je te fourgue à un institut d'expérimentation. Dans les laboratoires, ils ne prennent pas les chiens efflanqués.

Le Slave commanda un autre jambon-beurre pour le chien. Mais Henri n'avait pas vraiment faim. Le nouveau mentor exhalait une haleine alcoolisée qui l'indisposait. Il reprenait bière sur bière et commençait à divaguer.

— Ta maîtresse, je l'aime, mais elle me méprise. Je suis son jouet, un objet, une distraction. Elle me prend et me jette comme un Kleenex. Je l'ai rencontrée au Club Saint-Germain, je l'ai sautée le soir même. Sur la banquette, oui, c'était sur la banquette, en public, je m'en souviens très bien. Même que c'était précisément le soir où son abruti de notaire était venu l'espionner pour la première fois. Ce n'était pas une coïncidence. Elle l'avait fait exprès.

Henri ressentit comme une décharge atomique à l'estomac. C'était donc bien Béatrice qu'il avait aperçue, allongée et offerte, sur un sofa au Club Saint-Germain, la nuit de leur rencontre ! Il éprouvait en même temps la satisfaction d'un flic qui après des mois de filature et d'enquête parvient enfin à découvrir le pot aux roses. Henri était soulagé. Cette image n'avait cessé de le hanter. Maintenant, il disposait d'une certitude qui avait valeur de Graal. Henri comprit que sa vie s'était ordonnée autour de l'élucidation de cette vision. Mais il se maîtrisa. Les révélations devaient bien sûr faire partie du plan établi par Béatrice. Elle savait qu'en laissant Henri avec Boris, le Slave finirait par lui raconter ses exploits. Jusqu'où allait le machiavélisme du docteur de Fourvière ? Henri se dressa sur son séant et poussa un aboiement rauque. Maintenant, il ne répondait plus de rien. Il en voulait à Béatrice d'avoir su le manipuler, mais puisqu'il avait le Serbe sous le croc, autant commencer sa vengeance par lui. Que risquait-il après tout ? Qu'on le pique ? Il n'avait plus rien à perdre. Henri haletait à grands spasmes. Il avait terriblement soif.

Boris héla une serveuse.

— De l'eau, il crève de soif, le clébard.

Henri se mit à boire abondamment. Le contact de l'eau qui humectait sa langue et glissait par petites nappes fraîches dans sa gorge apaisa ses nerfs. Il retrouva, du coup, un semblant de calme. Il ne voulait plus rien entendre de la suite de la confession. Ce n'était plus ses oignons. Pour lui, l'enquête était terminée. Fini les extravagances polymorphes. Il était temps qu'il reprenne un corps humain. Se remettre au travail. Il se glissa sous la banquette. Il dut en remonter aussitôt, tiré de force par Boris.

— Cette salope, c'est toute ma vie, mais je n'ai pas d'argent, pas de statut social, tu comprends. Elle me traîne par charité.

Boris regarda Henri droit dans les yeux.

— Elle a préféré se mettre en ménage avec le notaire. Elle le méprisait un peu, son maître Noguerre. Elle disait qu'il était à la fois lâche et féroce. Sur le plan professionnel, c'était un bon notaire, humainement, c'était un chien. Ça la dégoûtait de faire l'amour avec lui. Car il mordait. Et elle en avait peur. Mais c'était une sommité du notariat, maître Noguerre. En fait, elle l'aimait bien. Il nous faisait vivre, elle et moi. Nous formions comme un ménage à trois. Elle s'occupait de lui le jour, je m'occupais d'elle la nuit. Mais l'entente avec lui n'a pas duré. Elle ne le supportait plus. Elle m'a même demandé un soir de l'étrangler. J'ai refusé. Je ne suis pas un étrangleur.

Il y eut un moment de silence. L'énigme Béatrice s'élucidait. Henri eut l'impression soudain de vieillir, de prendre dix ans en quelques secondes.

— Un jour, maître Noguerre a pris la mouche, continua le Slave, et il l'a mise à la porte. Béatrice s'est retrouvée sur le trottoir, sans un centime devant elle. Je sais qu'elle a décidé d'avoir sa peau, au notaire.

Le docteur menait donc bien son monde : un notaire pour la finance, un loubard pour le sexe, des cocktails pour le divertissement, un cabinet médical pour l'indépendance et un zeste d'ex-ministre pour un peu de standing social. Fallait-il lui en vouloir ? Henri revint à une préoccupation plus prosaïque : mordre. Le Slave ne s'en sortirait pas vivant. Question d'honneur. Vendetta oblige. Il s'apprêtait à bondir, lorsque retentit l'ordre :

— Pas bouger, Médor !

C'était Béatrice ! Elle était revenue trouver Boris dans le café. Entre-temps, elle avait pris du liquide à un guichet automatique. Elle posa des billets sur la table.

— Rends-moi mon chien maintenant et file, dit Béatrice.

Un point exaspérait Henri : Boris était beaucoup plus jeune que Béatrice et employait un langage ordurier. Béatrice s'était envoyée en l'air sans vergogne avec ce prototype de la frappe nauséabonde, alors qu'en public, elle singeait, avec des mines d'ange, les rituels de par-paillots puritains. Bien sûr qu'Henri n'avait cessé fina-lement d'être trahi par Béatrice. Il le savait maintenant. S'en délectait-il ?

Béatrice déposa à nouveau un billet sur la table.

— Tiens, pour ton taxi. File, maintenant, dit-elle au Slave.

Béatrice sortit du bistrot, fit grimper Henri dans la voiture et démarra en trombe. Elle sanglota pendant le trajet. Puis elle parla à voix haute.

— Tu sais, mon Médor, il a l'air violent comme ça, Boris, en réalité c'est un cœur à vif.

Henri émit quelques grognements. C'était plus fort que lui. Boris l'indisposait. Il regrettait de ne pas l'avoir écharpé.

— Beau, le Médor, dit Béatrice en caressant Henri avec une tendresse appuyée, pour calmer la hargne de son chien.

Puis après quelques virages vite négociés, Béatrice reprit le cours de ses confidences.

— Tu sais, Boris, il est un peu comme toi : un animal égaré chez les humains. Il vient d'une famille serbe de Bosnie. Il a voulu échapper à la guerre. Il a été recruté dans une équipe de volley en France, comme professionnel. Dans son pays, il jouait dans l'équipe nationale. Mais il a rompu sans raison son contrat. Il a été engagé par une agence de mannequins. C'est fini, Boris ne travaille plus. Il s'est mis à boire. Alors j'ai décidé de m'occuper de lui. Mon devoir, c'est de le protéger. Je suis comme une mère en somme. J'ai deux bêtes à gérer dans ma vie, toi et lui. Vous êtes ma seule famille.

Henri se mura dans un silence réprobateur. Partager Béatrice n'était nullement sa vocation.

— S'il ne se saoulait pas, je l'aurais sûrement épousé. L'amour, ça existe. Je l'aime, Boris, ajouta Béatrice, avec une intonation de provocation enfantine dans la voix.

Henri déchiqueta le passepoil du siège avant avec un acharnement silencieux. Béatrice fit mine de ne se rendre compte de rien. Ça l'amusait d'énerver la bête, de lui planter comme des banderilles dans l'échine.

— C'est qu'il coûte cher, Boris : le jeu, l'alcool et les boots en croco, ça finit par faire des sommes. Quand tu étais notaire, ça arrangeait bien nos finances. C'était parfait. Maintenant, je me débrouille. Je me fais entretenir.

Henri avait avalé l'intégralité du passepoil et maintenant il était pris d'une crise de régurgitation. Il recracha le passepoil sur le tapis de la voiture. Des flots de caoutchouc mousse sortaient du siège à travers les déchirures. Béatrice fit semblant de ne rien remarquer. Elle eut envie soudain d'amadouer la bête. Un jeu en somme : souffler le chaud, puis le froid, jusqu'à épuisement de la victime. Béatrice était passée maître en matière de manipulation.

— Dorénavant, j'ai décidé que nous allions vivre tous les deux ensemble. J'en ai assez de Boris. J'aurais pu le laisser te faire exterminer dans un laboratoire, mais finalement, c'est lui que je ne veux plus voir. Comme animal, tu es devenu très acceptable. Tu as gardé la douceur du golden retriever, j'aime ça. J'ai besoin de calme.

Henri fut ému de cette déclaration. Il mordilla la main de Béatrice, humectant sa chair de salive. Béatrice se laissa faire, ralentissant l'allure. Henri lui lécha la paume, avec des mouvements de tête prononcés.

— Beau le Médor, il est beau avec sa crinière

blanche, sa gueule de loup des steppes, psalmodiait Béatrice en conduisant.

Les jours suivants, elle se montra de plus en plus câline. Au fond, elle l'aimait bien Henri en costume de chien. C'était dommage de vouloir l'abattre. C'était uniquement le notaire, planqué sous son pelage, qu'elle voulait achever. Elle savait que le cerveau notarial était encore intact sous le crâne du golden retriever. Elle voulait sa mort, au notaire. Il l'avait humiliée, jetée à la rue. Il incarnait ce qu'elle haïssait : des siècles de fatuité bourgeoise et d'orgueil masculin. L'ennui, c'est qu'elle détestait le notaire, mais qu'elle aimait bien le chien.

Souvent, entre deux patients, elle s'enroulait à son animal, s'agrippant à sa toison neigeuse. Elle poursuivait son étreinte, s'engageant dans une série de roulés-boulés sur le tapis de la salle de consultation. Puis elle se lovait contre son flanc et agitait ses doigts dans l'épaisseur de la toison. Henri lui barbouillait le visage à grands coups de langue et Béatrice s'efforçait de ne pas s'en offusquer. Henri n'avait jamais connu une telle félicité avec Béatrice. Il se réjouissait de son pelage soyeux qui lui valait de sensuelles effusions. La frénésie amoureuse dégénérait en assauts incontrôlés de la part d'Henri : il la mordait à l'oreille, la griffait aux joues, aboyait son amour.

— Je t'aime, ô ma Béatrice, de l'amour du chien. Je t'aime pour tes mains veloutées qui me cajolent le museau, je t'aime pour ton parfum d'ambre, je t'aime parce que tu me toilettes deux fois par semaine, parce que tu me sèches le poil à l'air chaud, je t'aime parce que tu es ma déesse, je t'aime parce que tu me nourris, je t'aime parce que tu es là, je t'aime parce que je t'aime, proférait Henri, avec des grognements rauques.

Un soir, Béatrice autorisa son chien à grimper sur son lit pour y passer la nuit, ce fut un grand événement. Combien de rebuffades n'avait-il pas essuyées avant cette divine promotion ? Le privilège de la courtepointe équivalait à être admis dans l'intimité d'une dogaresse.

Henri dormait maintenant d'un sommeil paisible, baigné par les parfums de Béatrice. Elle n'avait pas renoncé à sortir le soir, mais elle ne rentrait jamais tard. Henri l'attendait sur le pas de la porte et profitait d'ultimes câlins nocturnes. Une fois au lit, elle éteignait la lumière, sans se douter que son chien simulait le sommeil pour qu'elle s'endorme plus vite. Parfois, Béatrice avait un peu froid et tirait son chien par la nuque. Il venait la réchauffer de sa masse pelucheuse. Henri était prêt à vendre son âme pour que ces moments durent une éternité.

Béatrice n'en interrompit pas pour autant ses amours vénales. Elle emmenait toujours Henri qui ne prêtait plus attention aux michetons attitrés de Béatrice, de timides notables en mal de sexe interlope. L'ex-ministre revenait régulièrement. Il était une sorte de protecteur, de mentor. Avec lui, le circuit ne changeait pas : Maxim's, la maison de rendez-vous, parfois un tour chez les couturiers, d'où elle ressortait chargée de paquets, puis la route vers Provins où l'attendaient d'ultimes patientes.

Jusqu'à cet après-midi où Béatrice, n'ayant pris aucun rendez-vous, enfila subitement un jean et un tee-shirt qui laissait saillir sa poitrine en transparence. Elle fila à Paris. Henri fut du voyage. Béatrice se gara devant la maison de rendez-vous où elle fit irruption, suivie de son chien. Boris, juché sur un tabouret, le visage tuméfié, l'attendait en sirotant nerveusement un whisky. Des points de suture zébraient un menton mal rasé. Son haleine empestait et ses mouvements exhalaient une sueur alcoolisée. Il réclama un autre verre. Il le but d'un trait et le reposa bruyamment.

— Tu devrais cesser de te saouler, dit Béatrice.

Henri était sur le qui-vive, émettant des grognements rauques, babines retroussées, prêt à mordre.

Boris saisit brutalement Béatrice par le coude et la fit avancer jusqu'à l'ascenseur. Béatrice se laissa malmener, trébuchant à chaque pas, sans résistance, avec une démarche de somnambule. Henri ne comprenait pas très bien ce qui se passait. Pourquoi Béatrice s'était-elle rendue si vite à Paris ? Cette fois-ci, elle ne semblait plus obéir à un scénario dont elle aurait composé la trame. Béatrice était sous l'emprise de Boris, comme hypnotisée par lui.

Caché derrière le bar, Henri tournait sur lui-même, le sang lui battant les tempes à chaque pulsation cardiaque. Cependant, des gémissements, des pleurs exaspérèrent soudain son ouïe. Hallucination sonore ? Henri tendit l'oreille. Étaient-ce bien des cris, des pleurs ou des rires qu'il percevait à travers les cloisons ? Ça venait plutôt des étages supérieurs. Mais d'où exactement ? Henri entendait maintenant des sanglots. La voix de Béatrice ? La curiosité le poussa à aller vérifier sur place. Henri parvint à s'éclipser furtivement du bar, échappant à la surveillance du garçon. Il grimpa en silence l'escalier étroit, marche après marche. Maintenant il entendait clairement les échos d'un barouf. Henri colla son nez contre le tapis calé par des tringles de cuivre, les narines irritées par la poussière. Puis il renifla des effluves de parfum mêlés à de la transpiration alcoolisée. Mû par une transe carnassière, Henri parvint au premier palier et se retrouva dans le noir. Il hésita, puis bifurqua sur la droite. D'où venaient les bruissements de voix ? Il s'avança à pas lents dans le corridor de l'étage, se guidant aux rais blancs des fentes sous les portes. L'animal nyctalope s'habitua vite à l'obscurité. Un silence épais s'abattit sur les lieux. Henri s'immobilisa, retenant son souffle. De nouveau, il entendit des glapissements. L'énervement accélérait le flux de son sang. Henri, langue pendante, suffoquait. L'impression diffuse d'approcher de sa proie augmentait sa nervosité. Il s'avança de nouveau et s'immobilisa au bas d'une porte que son instinct lui désignait. Il savait qu'il était à la croisée des chemins. Il hésitait. Bien sûr, il pouvait renoncer à son escapade, redescendre au bar, s'accommoder d'une existence canine stable, mais ponctuée d'humiliations. Ou bien se jeter dans l'aventure ! Faire irruption dans la chambre de Béatrice. Et tant pis pour les conséquences ! Il songeait à les avaler tous les deux, elle et son gigolo. Il fallait être prompt. Faire preuve d'agilité pour les tuer en silence. La partie n'était pas gagnée d'avance. Son cœur jouait du gong. Les deux lascars dévorés, Henri serait quitte avec la vie. De ce règlement de comptes sortirait sa délivrance.

Tout concordait, leurs chuchotements qu'il percevait par bribes, leurs odeurs, qu'il renifla discrètement sous la fente. Béatrice murmurait des propos étouffés, comme si elle avait la tête maintenue sous un oreiller. Henri s'arc-bouta sur ses pattes arrière et appuya de tout son poids sur la porte. Il voulait la surprendre en flagrant délit de pâmoison. Il voulait aller le plus loin possible, pousser jusqu'à l'ultime achèvement son sacerdoce de chien voyeur. Il en aurait un terrible choc, mais il en éprouvait par avance un soulagement extrême. Il désirait que la vérité fût cruelle. Quitte à être bafoué, trompé, humilié, il fallait que ce fût jusqu'à l'insoutenable. Il voulait mordre, mordre en toute légitimité, mordre, et hurler sa douleur. Henri se dressa de nouveau sur ses pattes et mâchouilla la barre métallique de la poignée. Les crocs glissaient et la salive perlait sur le sol. À force de mordiller la tige de métal, elle finit par s'abaisser, lentement, sans bruit. Le pêne se désengagea de la gâche, libérant l'huis, qui pivota sur ses gonds, sous le poids de l'animal en chasse, dont chacune des fibres était tendue en vue du règlement de compte. Henri, habitué à la pénombre, n'aperçut d'abord qu'un rectangle de lumière blanche. Puis des formes se dessinèrent et prirent progressivement du volume. Il aperçut Béatrice à plat ventre, sur le lit, le corps nu voilé par les draps. Son visage était boursouflé. Boris se tenait debout.

— Qu'est-ce qu'il fout, ce cabot dans la chambre ? dit-il en colère.

— Arrête, Boris, la bête va te déchiqueter. Elle est anthropophage, une fille est déjà passée sous ses crocs. Elle va te dévorer. Tu ne fais pas le poids, contre ses morsures.

— J'ai rien à foutre de tes menaces.

Henri refusa d'abord la bagarre. Il préférait se trouver en état de légitime défense. Béatrice donnerait forcément tort à l'intrus. Et si le Slave parvenait à se défendre ? Béatrice se débarrasserait sans aménité du chien. Henri s'était fourvoyé, il était pris au piège, il songea à redescendre. Mais il voulait tout voir, et resta, comme aimanté par le spectacle qui s'offrait à lui.

Boris posa ses mains sur les hanches de Béatrice et lui assena des coups de reins qui claquaient comme des cravaches. Béatrice étouffait des cris aigus, la tête enfouie dans les draps. Mais elle savait bien qu'Henri était là. C'était à lui qu'elle destinait ses effusions. Puis elle s'empara à tâtons d'un oreiller et parvint à y coller son visage pour étouffer ses cris. Boris la retourna brutalement et lui infligea des secousses qui déclenchèrent des râles où se mêlait à la jouissance l'oubli d'elle-même. Béatrice était incapable de réagir autrement que par des spasmes aux décharges de plaisir. Ses yeux étaient humides : en voulait-elle à son corps d'être, parce que face à Henri, si réceptif aux assauts du violeur ?

Après quelques instants, Boris se releva lentement, réajusta son jean et enfila son tee-shirt avec l'assurance tranquille du mâle. Il s'empara du sac de Béatrice et fourragea à l'intérieur. Il sortit une liasse de billets et fit mine de s'en aller.

— Rends-moi cet argent ! dit Béatrice, effarée par le montant de la somme.

— J'en ai besoin.

— Rends-moi mon fric !

— Si nous vivions ensemble, je ne boirais pas et je ne jouerais pas. C'est ta faute si je me détruis, ajouta le Slave avec l'emphase de l'hypocrisie.

— C'est ça que tu appelles de l'amour : me racketter ?

— Ce n'est pas du racket, c'est me rendre ce que tu me dois, ajouta le Slave, d'un ton menaçant.

— Je ne te dois rien.

— J'ai contribué au spectacle de ton plaisir, ça vaut de l'argent. C'est mon fric.

Le Slave tourna les talons en direction de la porte.

Henri crut répondre à l'attente de Béatrice en bondissant sur Boris pour récupérer les billets. Il sauta en avant et mordit Boris au poignet, afin de lui faire lâcher prise. Boris riposta. Il se débarrassa de l'animal d'un violent coup de coude et fracassa une bouteille afin de s'armer d'un tesson, balançant des insultes à son adversaire. Il lança des coups dans le vide tandis que le chien répondait par des claquements de crocs à l'aveuglette. Les injures du Slave se mêlaient aux aboiements de l'animal en un tohu-bohu de tous les diables. Les crocs avaient laissé des marques sur l'avant-bras du Slave. Boris saignait. Henri visait maintenant la gorge de son adversaire. C'est Béatrice qui mit un terme à ses agissements. Il fallait éviter le scandale. Ce n'était pas un endroit décent pour livrer son amant en pâture à son animal. Pour arrêter le carnage, elle se jeta dans la mêlée afin d'interrompre la bagarre.

— Stop, Médor, j'ai dit stop, ça suffit.

Henri ne voulut rien entendre. Il était sur sa lancée, concentré, prêt à occire le Slave, un bon coup de dents à la gorge.

Béatrice roua Henri de coups comme jamais avec la boucle métallique de sa ceinture. Mais Henri réitéra de plus belle ses morsures. Elle s'en prit alors à son chien à coups de laisse cinglante. Elle lui en voulait de ne pas s'arrêter à temps. Désormais, elle craignait le pire.

— Stop, stop, hurlait-elle. Tu vas m'obéir, oui ou merde.

Henri finit par s'exécuter. Il était aux ordres. Il interrompit l'agression.

— La bête m'a déchiré la peau ! hurla Boris, les lèvres tuméfiées et le menton cyanosé.

— Ce n'est rien, ils vont te soigner en bas, fit Béatrice.

— Il faut piquer ce clébard tout de suite. C'est dangereux, ce genre de bestiole. Je vais porter plainte à la police pour la faire abattre.

Henri prit les menaces du Slave au sérieux, dévala les escaliers et se réfugia derrière le comptoir du bar, tremblant de colère. Boris déboula à son tour, armé de son tesson, humilié d'avoir perdu la première manche. Il voulait en découdre avec l'animal. Henri attaqua aussitôt afin d'assurer l'avantage de la première frappe. D'un bond alerte, il planta ses mâchoires dans le poignet de son adversaire, qui lâcha son arme. Boris, rendu hystérique par cet affront, fracassa net une autre bouteille sur le zinc. Henri fit preuve d'habileté tactique. Évitant d'être frappé, tel un boxeur à l'esquive, il harcelait son adversaire à coups de petites morsures, tantôt aux chevilles, tantôt aux mollets, et réussit même à lui écorcher le genou. Boris perdit le contrôle et frappa dans le vide, renversant au passage une lampe, culbutant des tabourets, éventrant un canapé.

Béatrice fit irruption à son tour.

— Médor, hurla-t-elle. Arrête, j'ai dit.

Henri interrompit aussitôt la bagarre, prêt à périr sous les coups de l'assaillant. C'était plus fort que lui : Béatrice le paralysait. Rien ne pouvait diminuer son terrible ascendant. Tant pis. Il se voyait déchiqueté par les assauts furieux du Slave. Mais Boris, épuisé, s'affaissa sur un coussin.

Béatrice s'excusa auprès de la direction, faisant porter le chapeau à la bête furieuse pour les désastres commis.

— Je préférais quand tu vivais avec maître Noguerre. Ton chien, c'est une brute, ajouta Boris, avec l'air haineux des escrocs contrariés.

Il quitta les lieux sans demander son reste.

Béatrice s'engagea à rembourser les dégâts dès qu'elle pourrait. Elle accepta même de signer un chèque de garantie. Des morceaux de verre épars jonchaient le sol. Pour sûr, elle serait interdite de maison. Son commerce érotique de l'après-midi s'effondrerait. Tenant son chien en laisse, elle s'éclipsa.

Sur le chemin du retour, elle menaça Henri des pires châtiments.

— Quand je t'ordonne d'arrêter tu dois arrêter, compris ? Tu as dépassé les bornes. Je ne sais pas ce que je vais faire de toi. Te piquer ? T'enfermer ? Te livrer à la police ? Ne crois pas que je vais finir mes jours avec un tueur. Si je t'avais laissé faire, il n'y aurait plus de Boris. Tu es dangereux, voilà la vérité, répétait Béatrice à son partenaire recroquevillé sous la boîte à gants.

Henri aurait aimé plaider la légitime défense pour la bagarre dans le bar. C'était Béatrice bien sûr qui avait mis en scène le scénario qu'elle avait concocté. Henri n'avait fait que jouer le rôle qu'elle lui avait assigné. Mais le verdict tomba sans indulgence : Henri fut condamné à demeurer nuit et jour reclus dans la cuisine. Il en avait pris pour perpète. Ingratitude de Béatrice.

Une vie de réclusion commençait, réduite à l'exiguïté de quatre murs. Il dut faire l'apprentissage de l'isolement, avec pour seuls compagnons l'évier glougloutant, le frigidaire grésillant et le lancinant ronronnement des machines à laver. Henri n'avait droit à aucune sortie. Pas question de quitter un seul instant l'ergastule : il chiait et pissait dans un bac que Béatrice lui avait aménagé. D'ailleurs, il renonça à se nourrir. À quoi bon lutter maintenant ? Autant se laisser crever. Puisque c'était ce que Béatrice voulait.

Henri sombra dans un cafard existentiel. Le sens de sa vie lui échappait. Il gémissait. Ses sanglots suscitèrent des plaintes de la part des voisins. Béatrice lui administra des taloches afin de le faire taire.

Les semaines passant, Henri perdit du poids. Grabataire, il se traînait sur le carrelage. Son corps résistait à la cachexie. Il crevait, mais à feu doux. Son ouïe s'affûta. Épier les allées et venues de Béatrice devint son passe-temps, sa raison de vivre. Il ne pouvait s'empêcher d'interpréter le moindre bruissement perçu à travers les cloisons. Béatrice passait peu de temps à la maison. Elle revenait de son cabinet tard, se changeait, prenait un bain, se maquillait et repartait aussitôt. Henri percevait les clapotis de l'eau de la baignoire et parvenait à se figurer les gestes de Béatrice. Il l'imaginait s'enduire les épaules de savon au lait et se rincer, nue, les cheveux, avec des gestes aphrodisiaques. Il savait à quel moment elle s'enveloppait dans la serviette-éponge et branchait le séchoir. Il parvenait même à ressentir en imagination le souffle chaud de l'instrument lui caresser les joues comme une brise tropicale. Henri était attentif aux claquements de tiroirs, aux cliquetis des cintres sur les tringles, aux pas sur la moquette, aux froissements des étoffes lorsqu'elle essayait des robes, s'examinant et virevoltant devant la glace. Henri aimait jusqu'au bruit familier de la chasse d'eau qu'actionnait Béatrice, d'abord des sonorités de cascade, puis comme le sifflement d'une turbine, enfin une soufflerie d'aspirateur s'estompant en brise marine. La sonnerie du téléphone, quelques mots échangés indiquaient l'imminence de son départ.

Puis elle claquait la porte et n'omettait jamais de tourner bruyamment la clé. Le déclic de la serrure, de nouveau le silence indiquaient que Béatrice était partie et qu'elle ne reviendrait qu'au petit matin. Henri se retrouvait seul dans le noir et s'allongeait à même le carreau froid. Puis venait l'interminable angoisse de la nuit avec son silence de cimetière. Une avalanche de questions déferlait. Qui était au bout du fil tout à l'heure ? Où était-elle allée ? Avec qui ? Boris ou un autre ? Il la voyait s'offrir, lascive, à des voyous de bar. Insomniaque, il guettait son retour jusqu'à l'aube. Parfois, il percevait assez distinctement le déclic de la serrure et le bruit de la porte d'entrée qu'elle refermait. Il entendait un escarpin rebondir contre un mur ou valser sur la moquette. Pour rien au monde il n'aurait voulu rater le moment où elle rentrait. L'inquiétude le maintenait dans un état halluciné d'agitation. Souvent, après s'être assoupi, il sursautait au milieu de la nuit, ne sachant s'il venait d'entendre Béatrice rentrer, ou bien s'il s'agissait d'une illusion, d'un rêve, d'un souvenir de la nuit précédente. Il retrouvait de l'apaisement quand il était sûr que Béatrice était dans les murs. Parfois, elle surgissait au milieu de la nuit pour prendre un verre de jus d'orange dans le frigidaire. Elle allumait brusquement la lumière, sans ménagement pour son chien, ébloui et réveillé en sursaut. Elle était vêtue d'un simple tee-shirt, qui dessinait en relief l'extrémité des seins et leurs aréoles. Henri la contemplait avec des yeux implorants. Il la regardait par en dessous, fasciné par la sensuelle fée Carabosse. Béatrice montrait une totale indifférence aux allures penaudes de son animal. Au petit matin, elle redevenait le docteur de Fourvière. Une fragrance florale s'insinuait sous la fente de la porte. Henri imaginait parfaitement Béatrice : impeccable et sobre, avec l'allure pressée du médecin se rendant en consultation.

Henri réussit à épier les conversations téléphoniques. Béatrice se plaignait de son chien de notaire. Il ne dépérissait pas assez vite. Il crut entendre une fois la voix de Boris qui exigeait un dédommagement à cause des blessures au visage. Il s'était muni d'un certificat médical et avait déposé une plainte. Béatrice voulait faire jouer les assurances. Des éclats de voix s'étaient ensuivis. Finalement, Boris était reparti.

À force de ne plus se nourrir, Henri devint famélique. Il se déplaça en rampant. Béatrice parut satisfaite de sa déchéance. Devant lui, elle prenait un air sournois de triomphe. Henri éprouva des vertiges. La faim lui taraudait l'estomac.

Un point le consolait pourtant et l'aidait à supporter encore un peu sa déchéance. Béatrice sortait presque tous les soirs, mais ne ramenait aucun amant à la maison. Le sanctuaire était préservé. Henri voulut y déceler un message : peut-être la réclusion dans la cuisine avait-elle valeur de purgatoire ? Bientôt il sortirait de sa cache. Henri reprit espoir.

Jusqu'au jour où Béatrice installa son ours à la maison. Oui, un ours, ou plutôt l'ours Benzaken, lui, et pas un autre. Car Benzaken était un ours comme Henri était un chien. Henri le savait. Cela ne faisait pas l'ombre d'un pli. Henri reconnut l'accent pied-noir de l'ours Benzaken à travers la cloison. Trahison ! Encore une provocation de Béatrice. Henri l'avait détesté au premier regard lors de la soirée où il avait rencontré Béatrice. Heureusement l'ours Benzaken ne restait jamais plus de deux nuits d'affilée. Il venait surtout en fin de semaine. Béatrice lui interdisait la cuisine, bien sûr. Côté sexe, Henri percevait de temps à autre à travers la cloison quelques râles, mais rien de bien enthousiasmant. La prestation de l'ours suscitait moins d'émoi que celle du Slave : à l'audimat, le verdict était sans équivoque. Que l'ours ne fût pas une bête de sexe rassurait Henri. Fini les pugilats avec les amants guerriers.

Pour Henri, Benzaken était d'abord un ours, tout ce qu'il y a de plus ours, parmi les ours. Comme ça, une intuition. Une sorte de flair entre animaux. Et bientôt

Benzaken allait se transformer en bête, comme lui, Henri. C'était la vocation de Béatrice de réduire ses partenaires à l'état de bête. Pour le moment, Benzaken avait des traits humains, ça n'allait pas durer. Lui aussi allait connaître les aléas de la métamorphose. Henri s'en amusait d'avance. Chacun son tour ! Béatrice menait une carrière de dompteuse : après avoir maté un golden retriever, elle mettait à sa merci un ours. Que ferait-elle plus tard d'un ours à la maison ? De toute évidence, elle le confierait à un zoo ou le lâcherait en douce quelque part dans les Pyrénées. Henri était jaloux. Un ours, c'est plus beau, plus fort, plus rassurant qu'un chien. C'était vexant. La rancœur gagnait du terrain. En tant que chien, Henri ne pouvait plus tolérer qu'un ours occupât indûment son territoire.

L'ours Benzaken n'était pas n'importe qui dans le civil : il était devenu le roi du prêt-à-porter et avait épongé l'intégralité des dettes de Béatrice, qui de nouveau menait grand train. Il offrit à Béatrice des bijoux tape-à-l'œil. Henri entendit les effusions de joie de Béatrice.

Cependant, pour ours qu'il était, Benzaken conservait sa morphologie humaine. Le plantigrade carnivore échappait à la mutation, ce qui paraissait totalement irrationnel à Henri. Benzaken était dispensé de séances de toilettage et surtout il conservait auprès de Béatrice son prestige d'humain nanti et mécène. Henri s'impatientait. Rien ! Pas la moindre griffe, pas l'amorce d'une trace villeuse, pas même un embryon d'oreille ne faisait son apparition chez l'ours. Cette différence de destin exaspérait chaque jour davantage Henri. Il en voulait maintenant à Benzaken : pas tant de s'envoyer Béatrice sous son propre toit que de ne pas devenir ours. C'était de la triche !

Béatrice formata Benzaken selon un modèle type, qui n'était pas très éloigné des mensurations de la marionnette qu'avait été Henri. Outre le changement de silhouette, Benzaken accepta de se faire défriser les cheveux. Elle contraignit son ours à revêtir des vêtements stricts : en fait, elle exigea qu'il utilise la garde-robe d'Henri, chemises, costumes, pochettes et cravates, le tout conservé intact sous des housses de soie. Benzaken trouva ce diktat grotesque. N'avait-il pas les moyens de s'offrir une panoplie adaptée à sa corpulence ? Mais non ! Béatrice était catégorique sur ce point-là. Cela avait pris un temps fou, beaucoup d'énergie même, pour assortir avec discernement les ensembles vestimentaires d'Henri : l'harmonie était donc parfaite et il était hors de question de se lancer à nouveau dans une course aux emplettes. Une couturière fut convoquée pour quelques indispensables retouches. Benzaken se sentait rétrécir dans les costumes de son prédécesseur. Béatrice expliquait à l'ours Benzaken qu'il accédait aux canons du chic parisien. Cela méritait bien des sacrifices ! Béatrice était satisfaite : l'ours était à ses pieds.

Au grand dam de Béatrice, Henri ne crevait pas. Il fallait qu'il dégage maintenant. Benzaken occupait les lieux. Une jalousie vengeresse donnait à Henri la force de lutter contre l'adversité. Une rivalité entre mâles en somme. C'était ça, l'erreur de Béatrice : avoir mis un ours dans les pattes du chien. Le chien voulait bouffer l'ours. Physiquement, le combat entre un ours et un chien était inégal. C'était l'ours qui boufferait le chien. Henri était décidé à ne pas se laisser faire. Sa situation était certes précaire, mais il ne voulait pas perdre la face. Il était chez lui, après tout, et dans ses droits.

Ce que n'avait surtout pas envisagé Béatrice était qu'Henri abordait un nouveau cycle, celui du retour de l'humain. Ce n'était pas encore visible, Henri le sentait au fond de lui. Il changea ses plans. Il affronterait la justice pour le meurtre de Jenny comme un homme, il plaiderait la folie. Il était victime d'une fée maléfique et il escomptait bien attendrir le jury d'assises grâce au cortège de vexations qu'il avait endurées. Maintenant, le plus raisonnable était qu'il retrouve son physique de notaire et fasse légalement expulser Béatrice et son gros ours. Henri envisagea son avenir avec optimisme. Il recommença à se nourrir. Et surtout, à force de désirer son retour à l'humanité, il obtint des résultats, pas grand-chose au début, mais de quoi reprendre espoir. La bête indistincte qu'il était devenu dans la cuisine commença à s'estomper au profit du golden retriever des débuts de sa relation avec Béatrice ; bon présage, car le golden retriever est un animal policé, urbain, un chien philosophe. Puis quelques doigts humains, le menton, le front réapparurent. Comme si le cerveau de notaire émettait des substances chimiques qui redonnaient corps à la morphologie humaine. Béatrice ne vit d'abord que du feu à ce « come-back ». Mais chaque jour, à force de volonté et de concentration, Henri reconstruisait ses organes humains. Il avait presque retrouvé la parole. Même sous-alimenté, il échafaudait une structure de bipède. L'espoir revint. Bientôt, il occuperait sa place dans la société. Il en avait décidé ainsi.

Béatrice ne l'entendit pas de la sorte. Lorsqu'elle réalisa que le corps de notaire refaisait surface, elle se mit en rogne. L'animal échappait à son pouvoir. Une révolte se manifestait, pas question de la tolérer. Béatrice eut l'idée de faire confectionner par un taxidermiste une peau de chien. Une peau très résistante, en élastomère et latex, plus solide qu'une camisole de force, avec une fourrure en lycra rose. Un soir, alors qu'Henri encore assez affaibli somnolait, Béatrice lui administra une anesthésie générale. Elle consacra le reste de la nuit à coller la peau à même sa chair humaine et à coudre avec du fil de nylon renforcé toutes les jointures. Henri se réveilla à moitié paralysé. Il eut du mal à réaliser ce qui venait de lui arriver. Le résultat était assez scabreux. Le physique humain était maintenant enfermé dans une peau de chien à poils synthétiques d'un rose assez kitsch. Henri se retrouvait, notaire à poils roses, empêtré dans une gaine qui puait le préservatif bon marché. Un masque canin était soudé à son visage et l'empêchait d'articuler distinctement. Henri éprouvait des picotements dans tout le corps tellement il était comprimé. Béatrice avait recroquevillé ses membres pour faire entrer la peau de chien. Ses doigts étaient maintenus serrés. Henri ne pouvait se mouvoir qu'en rampant comme une otarie échouée. Il essaya de déchirer sa peau en l'incisant avec ses dents. Mais la texture résistait. Il fallait faire quelque chose. Quoi ? Les semaines passèrent. Henri s'affaiblit. Béatrice dut toujours interdire la cuisine à Benzaken. Elle lui fit croire à des travaux qui n'en finissaient plus.

Avec le temps, l'élastomère se détendit un peu, ce qui facilita les reptations. Henri parvenait petit à petit à progresser : il s'appuyait sur ses coudes et faisait glisser ses genoux sur le sol. Henri s'adaptait tant bien que mal à cette tunique qui n'était pas la sienne. Il ne ressemblait à rien du tout : ni homme, ni chien, une sorte de bibendum velu qui demeurait le plus clair du temps sous l'évier. Le pire est qu'il ne pouvait rien faire pour se débarrasser de la peau. Parfois, il l'agrippait à pleines dents et tentait de l'arracher de toutes ses forces : mais elle était collée à son épiderme et c'était lui-même qu'il mordait en la mordant.

Une nuit, ça vociféra vraiment plus fort que d'habitude de l'autre côté des cloisons. Des logorrhées putassières avec des feulements et des grincements de lit ! Henri se dressa tant bien que mal sur ses membres et griffa la surface de la porte, y traçant des incisions. Il mordilla rageusement la poignée. Égaré de colère, il retomba sur le carrelage. Il parvint à retrouver son calme. À quoi bon tenter une sortie qui ne mènerait à rien ? Il s'allongea sur le sol et bloqua sa respiration afin de s'étourdir. L'apnée fit son effet : Henri sombra dans un vertige hypnotique qui apaisa sa rancœur. Il sursauta de nouveau : Benzaken donnait de la voix, débitait des paroles étranglées, accélérant et ralentissant tour à tour le débit. Henri aurait voulu se boucher les oreilles, mais avec ses mains coincées dans sa peau de chien, impossible ! Béatrice éructait une mélopée rauque comme une basse continue d'orchestre. Henri fut pris à nouveau de haut-le-cœur. Des spasmes nerveux secouaient son abdomen. Il était anéanti : il n'était plus qu'un humain en tenue de chien rose relégué à la cuisine, réduit à entendre à travers les cloisons les copulations de sa maîtresse.

Dans le désespoir, l'humain dispose de diverses méthodes pour oublier son malheur. Se shooter au Prozac, fumer des pétards, s'adonner à l'opium, consulter un psy, se saouler au rouge ou au gin, aller aux putes, partouzer aux chandelles, accomplir une cure de repos, partir au Club Méditerranée, s'engager dans la Légion étrangère, lire Proust, écouter Bach, adhérer à Amnesty International, jouer au golf, faire une cure de thalassothérapie. Mais Henri, engoncé dans sa camisole de chien et bouclé dans la cuisine ? Aucune consolation possible. Il était condamné à la rage du désespoir. Il fallait qu'il sorte de son cloaque coûte que coûte. Il s'achemina vers la porte de la cuisine et, dans un mouvement incontrôlé d'exaspération, il mordit la poignée à pleins crocs. Elle symbolisait sa condition carcérale, il fallait qu'il la torde, la défigure, la déchiquette. Béatrice avait-elle oublié de tourner la clé ? Toujours est-il que la tige métallique s'inclina soudain vers le bas. La porte pivota. Le champ était libre. Henri se traîna tant bien que mal dans le couloir. Il s'approcha de la chambre de Béatrice. L'effervescence était apparemment retombée. Henri ne percevait que des froissements de drap, quelques bruits épars de succion, des râles essoufflés.

Henri pénétra l'antre en rampant. Tapi dans l'obscurité, il s'approcha du lit et discerna deux masses en proie à de molles reptations. Béatrice était sur le dos, tandis que Benzaken, essoufflé, la besognait, éructant les spasmes, à la façon d'une locomotive à vapeur. Le postérieur de Benzaken dessinait deux orbes pathétiquement désuets. Henri huma leur fragile nudité. Et il se rappela soudain qu'il avait faim. Mordre. Des sécrétions salivaires humectèrent ses babines. Mordre. Henri voyait dans les fesses carnées de son rival un quartier de viande fraîche à déguster. Mordre. Les fesses de Benzaken offraient une proie facile. Mordre. Leur mouvement exaspérant de va-et-vient excita l'appétit du prédateur. Mordre. Henri était irrité par les gloussements de Béatrice. Mordre, mordre, mordre. La faim sonna le tocsin. L'envie de revanche aussi. Mooooooooooooordre. Henri se propulsa sans réfléchir, de toutes ses forces, fit un bond, écarta large les maxillaires et les referma comme un clapet.

De mémoire d'habitants du quartier, la fulgurance du cri fut inouïe : une stridence apocalyptique qui réveilla tout l'immeuble. On entendit ensuite les sirènes de l'ambulance du Samu. Des brancardiers chargèrent à la hâte une civière d'où émergeait un visage bleu de douleur. Des infirmières s'affairaient autour du blessé, installant sur des tringles à roulettes des cathéters. L'ambulance démarra en trombe, fendit la nuit, sirènes hurlantes et gyrophares allumés. Le service des urgences de l'hôpital Saint-Antoine avait été mis en alerte : un mutilé devait être opéré par le professeur Algis. À deux heures du matin le bloc opératoire était sur le qui-vive : on annonçait une première médicale.

En réalité, Henri avait raté son coup. Il avait été ralenti dans son élan, empêtré, paralysé même, dans sa tenue en élastomère. Il avait visé le postérieur avec l'intention de l'amputer net, mais ce fut le testicule gauche qu'il sectionna. Bien maigre prise, triste performance, pour un ex-animal qui détient à son palmarès d'avoir ingurgité une kyrielle de corps vivants. Le sang avait giclé, aspergeant les draps et le pelage d'Henri. Affolée par les hurlements, Béatrice parvint à se dégager de l'étreinte de son amant évanoui. Elle examina les parties génitales, constata l'amputation, confectionna aussitôt un pansement et appela le Samu. Béatrice se mit en peine de retrouver la boule manquante. Elle alluma toutes les lumières, inspecta les moindres parcelles du lit et de la moquette, et ne trouva rien. Elle fouilla partout, retourna les oreillers et les couettes, en vain. Elle regarda entre le matelas et le sommier. Elle chercha en rampant sous les meubles. Une hypothèse lui traversa l'esprit : et si c'était Henri qui avait gardé sa proie dans la gueule ? Elle se précipita dans la cuisine et s'assit à califourchon sur lui, enfonça les ongles à travers ses babines, lui intima l'ordre de recracher. Henri serra ses mâchoires. Béatrice avait beau remuer ses doigts, griffer les gencives, l'étau ne se desserrait pas. Béatrice s'empara alors d'une clé à molette, l'enfonça à coups de marteau dans la gueule et, jouant sur l'effet de levier, lui fit écarter les crocs. Henri, bien que secoué de spasmes émétiques, ne recracha rien. Béatrice enfonça les doigts au fond de la gorge, fourragea de son mieux entre la langue, le palais, les crocs, pénétra jusqu'au fond du larynx, mais ne déclencha aucun rejet. En fait, Henri avait aussitôt recraché la boule à cause de son goût infect. Béatrice finit par apercevoir le morceau de chair sur le carrelage, l'enveloppa dans du papier aluminium et le mit dans une Thermos remplie de glace pilée. Puis elle appela Algis. La chance voulut qu'il fût à son domicile. Il fallait à tout prix recoudre l'organe congelé. Algis avait déjà recousu des doigts, des oreilles, des orteils, des lèvres, mais un testicule, pas encore. Toute opération dans cette zone était aléatoire. Algis, flairant une nouvelle prouesse médicale à son palmarès, accepta le challenge.

Béatrice fila en voiture aux urgences de l'hôpital. Elle confia la Thermos à Algis qui avait déjà revêtu sa blouse pour opérer. Il dévissa le couvercle et examina le globe rétréci par le froid. Heureusement, il n'était pas trop esquinté : les crocs d'Henri avaient sectionné net la chair, mais n'avaient pas entamé l'organe. Sous l'effet du froid, les poils s'étaient dressés et la boule ressemblait à une bogue de châtaigne.

L'opération dura huit heures et fut au bout du compte une réussite chirurgicale. Le professeur parvint à connecter vaisseaux et nerfs sans porter atteinte à la vitalité du membre génital. C'était une grande première. Le professeur Algis fut invité au journal de vingt heures où il put expliquer, schéma à l'appui, le bond en avant que venait de connaître la microchirurgie testiculaire. Des équipes de télévision suivirent au jour le jour le rétablissement de l'émasculé.

Une fois guéri, Benzaken n'en fut pas moins convaincu d'être devenu impuissant. Il dut subir plusieurs psychothérapies avant d'être en mesure d'esquisser une vague érection. Dès qu'il se déculottait, il voyait des hordes de dogues affamés se précipitant sur ses parties génitales. Il conserva une phobie militante à l'égard de la race canine. Il consacra dorénavant ses ressources à alerter l'opinion sur les risques d'agression des chiens non tenus en laisse.

Le sort d'Henri fut tout autre. Il était resté seul dans l'appartement après l'évacuation du blessé. Il s'attendait au pire. Mais ça lui était bien égal. Il était vengé. Il ne reniait nullement ses actes. Il était quitte avec les humains. Il regrettait seulement ne pas avoir mieux équarri Benzaken. C'était un ours évidemment, un athlète.

La réaction de Béatrice ne se fit pas attendre. À peine rentrée, elle téléphona à la SPA et demanda à y expédier Henri. Le verdict de Béatrice était accablant. Henri était un monstre, qui s'attaquait à l'homme. Il était impératif de le piquer.

Des employés de la SPA, venus en tenue matelassée, méfiants et brutaux, passèrent aussitôt une muselière et un collier étrangleur au spécimen anthropophage. Henri se retrouva dans la cellule d'une fourgonnette, d'où il voyait défiler les toits de la capitale à travers la grille arrière. Le véhicule circula une petite heure avant de franchir un portail et de s'immobiliser. Un gardien ouvrit la portière et propulsa sans ménagement le faux animal dans une cage où sommeillaient des dogues à la mine renfrognée. Tous avaient en commun d'être condamnés au trépas pour conduite sanguinaire. Sur le sol, de l'urine suintait de la paille éparse. Un malinois zébré de cicatrices, affalé de tout son long, la tête posée à même les planches, prenait l'air féroce des bêtes dressées pour tuer. Deux corniauds égrotants faisaient perler leur bave aux commissures des babines. À l'arrivée d'Henri, le malinois se dressa sur ses pattes, éructa force grognements. Les bâtards accueillirent Henri par un hourvari de vocalises teigneuses. Il avait l'impression d'avoir fait fausse route. La vie lui avait joué des tours. Henri dut son salut à sa taille : malgré les poils roses, il impressionnait avec sa carrure d'humain. Il faisait figure de chien aguerri et son ossature impressionnait. La tête appuyée contre le flanc du malinois qui s'était rendormi, il sombra dans un sommeil opaque.

Quant à Béatrice, elle partit en vacances. Pour elle, le sort d'Henri était scellé.

12

Henri fit un rapide bilan judiciaire de sa situation. Certes, il était formellement encore notaire, officier ministériel de la République française, auxiliaire de justice, mais hélas, d'une justice qui avait toute raison de vouloir le poursuivre pour meurtres, meurtres avec un « s », au pluriel, car la liste était maintenant longue : il avait occis une pute, croqué une fille, défiguré un Slave, froidement émasculé un rival. Henri ne comprenait pas vraiment comment il en était arrivé à de telles exactions. Il était d'un tempérament doux d'ordinaire. On l'avait poussé à bout. Il se rappela ses lectures de jeunesse, Montaigne et Apollinaire. Son idéal était un ordre tempéré par la tolérance, la paix, la poésie. Toujours est-il que des hordes de gendarmes et de policiers devaient être à ses trousses, avec des mandats d'arrêt en main, et la France entière conspuer l'atroce meurtrier qui dévorait ses victimes. Henri n'était pas mécontent d'être dissimulé dans une peau de chien rose. Une cage à la SPA, comme planque pour un assassin en fuite, on ne pouvait mieux rêver.

Henri décida donc de jouer au chien pour échapper aux pandores. Il voulait aussi rassurer le gardien. Et ne pas indisposer ses compagnons de cage. Un comportement humain aurait été trop insolite dans ce contexte animal. Il adopta des attitudes de chien pacifique et accommodant. Il haletait en laissant pendre la langue et émettait de temps à autre des aboiements de politesse. Un gardien venait déposer le soir dans l'auge un brouet nauséeux. Il fallait montrer les crocs pour atteindre la pitance. Les réflexes de survie jouaient encore. Le malinois était le premier à se servir. Puis venaient les deux corniauds. À vrai dire, les chiens, déprimés, ne lui opposèrent à la longue que peu de résistance. Henri eut donc droit à un coin de mangeoire. Il fut finalement intronisé comme chien à part entière. Il était devenu un bon acteur. Mais le rôle de chien, soit dit en passant, il en avait marre.

Plusieurs jours s'écoulèrent, monotones et gris. Henri se traînait sur le ventre et somnolait le plus clair du temps. Lorsque la nuit était froide, le malinois, les bâtards et Henri s'imbriquaient ensemble jusqu'à former au petit matin un amas de poils chaud et compact.

Henri ignorait ce qu'avait déclaré Béatrice aux autorités vétérinaires, mais il ne se faisait guère d'illusion sur son sort : on avait dû le classer bête dangereuse. Des familles venaient examiner les animaux en vue d'une éventuelle adoption, sans doute comme chiens de garde. C'étaient souvent les enfants qui avaient voix au chapitre face aux parents. Du coup, Henri reprit espoir. Pourquoi ne serait-il pas adopté, lui aussi ? Il consacra son temps à lisser ses poils roses synthétiques. Il avait un look de chien gay, et peut-être serait-il pris en charge par des homosexuels amateurs de kitsch ? Un couple et sa ribambelle de marmots adoptèrent le malinois. Les jours passèrent et Henri resta sur le carreau. Pourtant les visiteurs s'attroupaient devant lui. C'était son casier judiciaire qui attirait l'attention des badauds.

Béatrice avait dû en dire de belles sur son compte finalement. Henri : le Landru du notariat ! Il en conçut un terrible complexe. C'était injuste. Il méritait le pardon. Des ribambelles de bambins accouraient et lui tiraient la langue, lui jetaient des pierres. Dur à supporter.

Un matin, il fut réveillé en sursaut. Une main lui secouait la nuque. On lui passa aussitôt un collier étrangleur et une muselière. Un gardien harnaché de protections le traîna jusqu'à un bâtiment en ciment brut dont l'intérieur était garni de cages. Henri ne se faisait aucune illusion : c'était son dernier voyage. Il se retrouva dans la salle des condamnés, l'antichambre où les quadrupèdes indésirables attendaient leur tour pour être livrés au vétérinaire chargé de l'euthanasie. Le lieu résonnait d'éructations plaintives. Des néons jetaient une lumière de morgue. Des effluves âcres de sudation animale saturaient l'air. Henri fut pris de soubresauts nerveux. Il ne parvenait pas à envisager son trépas. Il croyait à un coup de théâtre : Béatrice, prise de compassion, ferait irruption et le délivrerait. Dans sa cage trop étroite, Henri dut se recroqueviller sur lui-même. Il eut une morsure au cœur lorsqu'il vit une équipe de vétérinaires déambuler et faire ouvrir les cages. Les chiens étaient emmenés par fournées de deux ou trois dans la salle d'à côté et on ne les revoyait plus. Plutôt le tribunal que la mort ! se dit Henri. Il prit la résolution de sauver sa peau. Il y avait erreur sur la substance, il était en réalité Mᵉ Henri Noguerre, notaire, criminel, certes, mais notaire, humain de surcroît. Il fallait le faire savoir. Comment prévenir l'équipe de vétérinaires de la bévue qu'elle allait accomplir ? Il éructa des sons avec insistance, déclinant son identité. Mais il ne fut pas compris à cause du masque de chien qui l'empêchait d'articuler. La seule solution était de rédiger un message. Comment ?

Il eut l'idée d'inscrire ses noms et qualités sur une des parois de la cage. En écartant la griffe médiane, il était possible d'inciser des lettres dans la pellicule de salpêtre sur le planchéiage. Henri s'assit sur son séant afin de se ménager un appui stable. Il courba l'échine de son mieux, car le plafond était bas. Puis il commença à inciser les traits de la lettre M. Il souffla avec ses naseaux la poussière qui obstruait la lisibilité du graffiti. Il traça ensuite les barres d'un A. Le résultat était médiocre, et Henri était perclus de crampes aux phalanges. Il poursuivit quand même. Il réussit à graver en entier le mot « maître ». Mais le trait faseyant était souvent double ou triple, car il arrivait que les griffes adjacentes incisent également le contre-plaqué. Henri jetait des coups d'œil furtifs vers l'extérieur pour guetter la venue des vétérinaires. Il tâcha d'accélérer la cadence. Le tracé s'avéra de plus en plus hasardeux. L'écriture ressemblait à des griffures. Henri redessina certaines courbes, renforça des droites. Il changea de calligraphie, adoptant la majuscule, nettement plus lisible. Il n'était pas le seul à avoir voulu inscrire un message. D'anciennes griffures se mêlaient aux siennes. Il achevait d'inscrire le terme « notaire » et se croyait tiré d'affaire lorsqu'un gardien ouvrit brutalement la cage.

— Salopard de bestiole, voilà que ça saccage le matériel ! C'est que le cabot, il nous aura empoisonné l'existence jusqu'au bout !

Le gardien extirpa Henri de son trou et effaça les inscriptions avec un faisceau de paille. Une équipe de vétérinaires s'empara du notaire et le traîna de force vers la salle d'injection. Sa vie défila dans sa tête. Le collège des Jésuites, le droit, les années de labeur comme simple clerc, puis la consécration avec l'accession au titre de notaire, sa rencontre avec Béatrice, le fragile bonheur d'être chien, puis la spirale fatale. Henri fut hissé sur un tréteau métallique. Un assistant penché sur une console d'ordinateur inscrivait avec application le signalement qu'énonçait un vétérinaire, intrigué par le pelage rose. Henri profita de la lenteur de la procédure pour bondir sur le jeune homme qui bascula à la renverse. Il s'appuya alors de la patte gauche sur le rebord de la console. Et avec une des griffes de l'autre patte, il tapa en hâte, sur les touches du clavier : « JE NE SUIS PAS UN CHIEN ROSE, MAIS MAÎTRE NOGUERRE, NOTAIRE, RUE DU FAUBOURG SAINT HONORE ». Le texte s'inscrivit sur l'écran en majuscules. Henri reçut quand même une piqûre, puis sombra dans le néant.

C'est à l'arrière d'une ambulance qu'il se réveilla. Henri avait du mal à réaliser qu'il était toujours vivant. Était-ce vraiment lui, allongé sous les couvertures d'un brancard ? On lui avait injecté un puissant sédatif. Le véhicule roulait à vive allure sur des routes de campagne. Une infirmière épongeait les muqueuses avec une gaze imbibée d'eau de fleur d'oranger. Henri trouvait ça agréable, mais il n'était pas vraiment rassuré sur son sort. Où l'emmenait-on ? Il se voyait otage d'un gang d'expérimentateurs psychiques. Il se dressa sur ses membres avec l'intention de sauter par la fenêtre. L'infirmière l'en empêcha in extremis, l'enserrant dans ses bras. Henri s'allongea de nouveau et la jeune femme continua à lui badigeonner le museau. L'effluve léger du liquide l'apaisa.

Henri s'assoupit. La vie semblait redevenir supportable. L'ambulance roula une petite heure, avant de franchir les grilles d'un portail qui ouvrait sur un château, vaguement gothique, avec des poivrières médiévales, entouré d'un parc. Des conifères étendaient leurs branches en cintre sur des pelouses coupées ras. L'ambulance emprunta une allée de petits graviers qui faisaient crisser doucement les pneus. Le lieu évoquait le luxe apaisé des résidences de chasse. L'ambulance s'immobilisa devant les marches d'un perron. Un infirmier ouvrit la portière arrière et invita Henri à descendre.

— Maître Noguerre a-t-il fait bon voyage ?

Henri répondit par un geste de la tête. Oui, il avait fait bon voyage, mais ce cérémonial l'inquiétait. Il y a quelques heures, on le muselait, et maintenant on l'appelait « maître ». À qui avait-il affaire ? On l'installa sur une chaise de malade qu'on fit rouler vers un large perron en pierre de taille, et qu'on hissa par-dessus les marches jusqu'à l'entrée. Henri était content de ne plus avoir à jouer au chien. Il n'était ni un quadrupède ni vraiment un bipède, et la chaise roulante lui convenait parfaitement comme mode de locomotion. Sur les parements du château était apposée une plaque de cuivre où l'on pouvait lire l'inscription : « Clinique des corps ». Henri pénétra dans un vestibule dallé de marbre, où lui fut servie une collation. Les craintes d'Henri s'estompèrent. Ici, on lui voulait plutôt du bien.

Des haut-parleurs dissimulés dans les cloisons diffusaient les notes perlées d'une sonate de Mozart. Henri fut conduit par un infirmier à travers des galeries lambrissées. Le château avait été aménagé en hôpital. Un silence feutré et un parfum de propreté javellisée invitaient au calme.

On annonça à Henri qu'il serait bientôt reçu par le médecin-chef de l'établissement. Henri fut introduit dans un cabinet de consultation au luxe discret. Derrière un bureau en acajou, il crut reconnaître, enfoncé dans un fauteuil pivotant en cuir, mais oui, son vieil ami, c'était bien lui, le professeur Algis.

— Je savais que nous nous retrouverions. Je ne vous

avais pas menti ! Vous n'avez pas voulu accepter mon diagnostic. Pourtant il était exact. La preuve !

Algis invita Henri à s'asseoir sur une banquette en face du bureau et désigna du doigt une console informatique. Henri, toujours privé de parole à cause du masque de chien, pouvait communiquer par écran interposé. Cette fois-ci, il prit son temps pour composer ses phrases, en majuscules.

— Docteur, retirez-moi cette peau de chien en élastomère à poils lycra. Et puis, laissez-moi repartir d'ici. Je suis un humain, j'entends le rester.

— Impossible.

— Comment ça, impossible ?

— Béatrice vous a collé une peau qui a fusionné avec l'épiderme. Il va falloir tout vous retirer : la peau artificielle, l'épiderme, le derme, l'hypoderme, en fait, le corps tout entier.

— Vous plaisantez, docteur ?

— Pas le moins du monde.

— Faites-moi un corps fixe au moins, docteur. J'en ai marre d'être un jour chien, un jour humain, un autre jour un peu des deux. Je veux être notaire à plein temps, ne plus bouger de cette situation.

— Le vrai problème est que vous êtes un PEC.

— Un quoi ?

— Un Prototype à évolution cyclique. Un PEC, en termes médicaux. Je vais changer votre nature. Je vais vous fabriquer un corps fixe, un corps immuable, dans lequel vous serez en sécurité.

— Docteur, je suis décidé à redevenir le notaire que j'étais. Je veux un corps modeste, adapté au notariat. C'est tout.

— C'est aussi mon conseil. En bête, vous êtes dangereux. En notaire, ça peut encore aller. Je vais vous fabriquer un authentique corps de notaire, avec des bras de notaire, des jambes de notaire, et surtout une tête de notaire. Vous allez devenir un PHDD, un Prototype humain définitivement déterminé. Le passage de PEC à PHDD n'est pas une opération simple. Maintenant, je vous conseille de vous reposer. C'est indispensable. Vous allez subir un lourd traumatisme. Laissez-vous faire et tout ira bien.

Henri remercia le professeur. Son intérêt était de se tenir à carreau dans ce lazaret pour mutants. Il avait une dernière requête à formuler.

— Oui, mais si je reprends les traits de maître Noguerre, on va me jeter en prison. Maître Noguerre est un criminel pour la justice. J'ignore où en est l'enquête.

— Vous ne serez plus jamais le maître Noguerre que vous avez été.

— Vous voulez dire que vous allez me supprimer tout entier et me remplacer par quelqu'un d'autre ?

— Vous allez devenir un autre maître Noguerre. Vous garderez votre identité sociale, mais vous aurez un corps neuf. Avec un nouvel ADN. Un ADN spécial pour corps fixe. Manière d'enfouir définitivement la bête en vous, qu'elle ne fasse plus jamais irruption à la surface. Et comme on aura modifié votre ADN, on ne pourra plus jamais retrouver l'assassin que vous étiez, car il n'existera plus. Vous serez un autre vous-même.

— Qui serai-je alors en vrai ?

— Ça, c'est une question existentielle. Je ne suis pas un philosophe, moi. Je fabrique des corps. J'essaie de les faire bien fonctionner et durer le plus longtemps possible. Pour le reste, ne m'en demandez pas trop.

— J'ai une dernière faveur à vous demander.

— Laquelle ?

— J'aimerais garder mes bonnes vieilles dents. Mes anciens crocs. J'aime mordre. Et je ne voudrais pas que vous me priviez de ce plaisir. Je vous jure, je ne mordrai plus aucun humain. Mais je me ferai livrer des quartiers de viande, histoire d'y planter mes crocs et de déchiqueter les chairs. C'est plus fort que moi, je tiens à mon essence carnassière.

— C'est entendu, répondit Algis. Mais c'est juré : plus de meurtre ?

— Juré ! dit Henri. Je mordrai les humains uniquement avec les lèvres. Des baisers, plus jamais de morsure, docteur.

Henri fut conduit dans une chambre claire, qui ouvrait par une baie vitrée sur le parc. L'endroit était limpide et fleurait bon le détergent à la lavande. Il y avait un lit d'hôpital à commandes électriques pour l'inclinaison, un téléviseur orientable fixé au mur. Il appuya sur la télécommande et regarda les informations. Henri éprouva comme une délivrance : enfin il retrouvait une activité d'humain civilisé. Il tomba sur un reportage au Kosovo. Le pays était pacifié, mais des tirs sporadiques se faisaient encore entendre. Henri fut ragaillardi par la venue du garçon d'étage qui lui apportait son dîner : un foie de veau à l'anglaise, agrémenté de carottes persillées, avec en prime un verre de bordeaux. Juste avant la tombée de la nuit, une infirmière promena Henri dans le parc. La tranquille majesté des lieux apaisa ses inquiétudes. Des parterres de gazon étaient ceints d'allées sablonneuses ratissées au cordeau. Au-delà, s'étendait une forêt de hêtres et de bouleaux aux fûts bien dégagés. Henri s'endormit ce soir-là paisiblement. L'air frais de la campagne l'avait étourdi.

Henri se réveilla le lendemain plutôt en forme. On le promena de nouveau et les fragrances matinales le mirent de bonne humeur. Au retour, il appuya sur la sonnette « room service » et une autre infirmière se présenta, déposant cette fois-ci un bol de céréales au miel avec des rondelles de bananes. Elle avait aussi apporté les journaux du matin. Elle tourna les pages une par une pour qu'Henri puisse en faire bonne lecture.

Avant d'opérer, le professeur Algis fit visiter à Henri la clinique, vaste dédale de corridors recouverts de tapis de linoléum. Les blocs opératoires exhibaient des appareillages techniques rutilants. Des médecins en blouse allaient et venaient avec des mines affairées. Le professeur fit revêtir à Henri une camisole aseptisée et l'introduisit dans une chambre froide.

— Voici nos dernières créations. C'est ici que nous entreposons les corps une fois fabriqués. Notre équipe de chirurgiens travaille jour et nuit à les perfectionner.

Henri aperçut des alignements d'écorchés suspendus à la verticale sur des cintres. Des séries de peaux musculeuses, de toutes les dimensions, attendaient d'être remplies d'un corps. Sur des étagères vitrées, toutes sortes d'organes étaient entreposés, enfermés dans des sacs en plastique transparent. Des foies, des cœurs, des squelettes. Chaque élément était étiqueté.

— Nous sommes une véritable usine à corps, enchaîna le professeur. À la pointe de toutes les techniques médicales : transgenèse, culture de tissus, hybridation par sélection végétale ou animale, homogreffes, synthèses de séquences ADN artificielles, neurophysiologie. Nous avons un carnet de commandes plein. C'est le mal du siècle. Les corps se déglinguent. Ou sont inadaptés à la fonction à laquelle leur propriétaire les destine. Nous fabriquons tous les types de corps : des corps de président de la République, au cuir dur, des corps de coureurs cyclistes avec des mollets increvables, des corps d'aviateurs à la vue excellente, des corps d'animateurs télé avec sourire permanent garanti. Actuellement, nous travaillons sur un prototype de corps à trois jambes pour footballeur : deux jambes pour courir et une pour frapper le ballon. Beaucoup de nos patients sont comme vous : des corps à évolution cyclique qu'il faut stabiliser. Pour vous, c'est un corps de notaire qui est maintenant programmé.

— C'est quoi un corps de notaire, professeur ? s'enquit Henri, inquiet.

— Un corps standard, pour une existence moyenne. Avec certaines particularités. La fesse un peu large, car un notaire reste assis longtemps sur son fauteuil de bureau. Une taille normale, qui rassure le possédant, un notaire ne doit être ni un géant, ni un nabot, ni un excentrique. Une cage thoracique de petit gabarit : un notaire n'est pas un athlète. Mais un estomac développé : un notaire, ça mange. Rassurez-vous, le corps de notaire ne pose aucune difficulté particulière, rien à voir avec un corps de danseur étoile ou de footballeur à trois pattes.

Henri fut emmené en salle d'opération. Lorsqu'il se réveilla, il constata qu'on l'avait débarrassé de sa peau de chien en lycra. C'était déjà un immense soulagement. Mais sa morphologie était loin d'être achevée. Seul le cerveau de notaire fonctionnait encore. Il flottait dans une solution aqueuse, tiède, au milieu de tubes, de cathéters, de dispositifs électroniques, avec un corps mou, un corps sans organe (CSO, en termes médicaux), un corps flasque, malléable comme du chewing-gum, sans squelette, sans rien, où même les fonctions digestives et respiratoires étaient inexistantes. Henri demeura plusieurs jours dans cet état assez angoissant d'indéfinition. Jusqu'au jour où l'on installa une tête. Avec une boîte crânienne, des mandibules, une peau rose de nouveau-né et une chevelure bise. C'était un début. Puis vint une main, une main assez grossière toutefois, avec des ongles épais, mais humaine. Il fallut attendre plusieurs semaines pour qu'on lui façonne un bras entier, avec biceps et triceps adéquats. C'était une épreuve pénible. Heureusement, il n'était pas contraint de dissimuler son inachèvement à un quelconque entourage narquois. Une seconde main fut accrochée, suivie quelques jours plus tard par un autre bras. Le tronc fut ensuite patiemment élaboré, un tronc replet, débouchant sur des épaules, non pas chétives, mais discrètes. Un tronc à large panse, conçu pour la gastronomie. On fabriqua un œsophage, un appareil digestif copieux, des intestins résistants, un côlon et un anus à circonférence élastique. Henri dut repasser souvent sur le bloc, pour qu'on pût raccorder aux neurones des terminaisons nerveuses défaillantes, affiner les volumes, ciseler les extrémités. Heureusement, il y avait l'infirmière, douce et compatissante, qui s'occupait d'Henri comme d'un bébé, le toilettant, le nourrissant à heure fixe, portant les aliments à sa bouche. Puis on accrocha une paire de jambes, avec un assez beau galbe et une ossature bien charpentée, sans musculature excessive. Interdiction expresse lui fut signifiée de se déplacer autrement qu'en bipède. L'exercice s'avéra difficile. Henri marcha avec des béquilles. Il se promenait ainsi escorté de l'infirmière qui le retenait par le coude et la hanche. Henri trébuchait souvent et s'agrippait à la jeune femme. Heureusement, le professeur Algis rectifia le tir : à force d'opérations, les jambes d'Henri prirent du muscle. De fait, elles furent en mesure de procéder à plusieurs activités : la marche à pied, le pédalage, le rétropédalage, le ski aussi. En revanche, pour les options corde à sauter, patinage artistique, skate-board, Algis ne prévit aucune possibilité, ces activités n'entrant pas dans l'ordinaire des fonctions notariales. Tout n'était pas encore achevé, mais Henri voyait le bout du tunnel.

Henri eut des sentiments amoureux à l'égard de l'infirmière qui prenait soin de lui. L'épouser lui parut une solution opportune. Au moins n'aurait-il aucune explication embarrassée à lui fournir plus tard sur son passé animal. Aussi demanda-t-il l'autorisation au médecin de service de rédiger des sonnets sur un ordinateur. Le docteur n'émit aucune objection. Bien au contraire, s'exercer à l'alexandrin était recommandé comme gymnastique intellectuelle. Un ordinateur portable fut livré dans sa chambre et Henri put consacrer ses journées à sa verve poétique. L'infirmière fut flattée d'une telle sollicitude. Elle redoubla de caresses à l'égard du nouveau poète et la vie d'Henri n'en fut que plus douce. Mais, à la grande tristesse d'Henri, elle déclina les offres de mariage. Aucune liaison n'était autorisée avec les patients de l'hôpital.

Un matin, il aperçut dans son miroir de toilette un visage d'homme. Pas de doute, ça devait bien être le sien. Celui d'autrefois, d'avant la métamorphose, avec des améliorations. À y regarder de plus près, le front s'était élargi et les mâchoires renforcées. Il avait rajeuni par la magie du scalpel. Henri se dit qu'il était doublement guéri. D'abord il venait de recouvrer la totalité de son faciès humain, et surtout, il s'apercevait en humain derrière le miroir. C'était ça l'essentiel. Car il le savait, seuls les miroirs ne mentent pas.

Henri ne retrouva pas tout de suite l'usage de la parole. Il fallut plusieurs semaines de rééducation, d'exercices de musculature labiale et linguale, avec des orthophonistes, avant d'articuler des phrases parfaite-

271

ment audibles. Le résultat fut là : sa voix prit un timbre mélodieux. Henri s'obligea à des activités sédentaires : lecture des quotidiens, épluchage du bulletin officiel du notariat. Une couturière peaufina à ses mesures une garde-robe achetée à la ville la plus proche. Henri réapprit les gestes de la discipline urbaine. C'en était fini des joies de l'adamisme canin. Bientôt la rentrée des classes !

Le professeur reçut Henri dans son bureau pour l'ultime auscultation avant son départ.

— Bonne nouvelle, je n'aurai aucune retouche à opérer ! s'exclama le professeur, après une minutieuse palpation.

Algis remit à Henri une notice d'entretien pour son nouveau corps, avec régime alimentaire spécifique, gymnastique obligatoire et visite médicale tous les six mois. La réussite chirurgicale était là. Un corps garanti à vie : immuable, indestructible, immarcescible. Du solide quoi ! Henri jetterait un voile opaque sur ses intermittences physiques.

Le taxi déposa Henri devant l'entrée de l'immeuble de Boulogne.

Henri emprunta l'escalier plutôt que l'ascenseur. Il avait besoin de prendre son temps après tant de péripéties. Les marches lui parurent étranges, transformées, plus étroites qu'auparavant. Il apercevait le sol comme s'il marchait sur des échasses. S'appuyant contre le chambranle de la porte pour résister au vertige, il introduisit dans la serrure la clé que lui avait remise la gardienne et fit tourner le loquet avec la lenteur prudente d'un cambrioleur.

L'appartement silencieux semblait vide. Henri inspecta les lieux. Les stores étaient ouverts, comme si son arrivée était attendue. Une odeur d'encaustique flottait : on venait de faire le ménage. Une netteté d'appartement témoin avec son atmosphère impersonnelle régnait. Dans la chambre à coucher, le lit dessinait une masse compacte, impeccable. La salle de bains était vidée de ses flacons. Il retourna au salon, s'assit et téléphona à l'étude.

— Maître Henri Noguerre, annonça-t-il, d'une voix posée et grave.

Un clerc s'enquit avec respect de sa santé. Pour toute réponse, Henri annonça qu'il viendrait à l'étude en début d'après-midi.

Henri fit couler un bain. Il se déshabilla en hâte et jeta pêle-mêle ses frusques sur une chaise.

— Non, Médor ! Pas comme ça, résonna soudain une voix, autoritaire et féminine.

La voix continua.

— Plie tes vêtements, continua la voix. Suspends ton costume à un cintre. Tu m'entends, Henri !

Henri sortit en peignoir de la salle de bains. Il marcha de pièce en pièce, afin d'élucider le mystère de la voix. Il fit le tour de l'appartement, mais ne trouva personne.

Il regagna calmement la salle de bains, laissa glisser son peignoir et se plongea dans l'eau chaude. Il s'assoupit quelques minutes, heureux de se retrouver seul.

Il décapsula un flacon de shampooing et en aspergea son crâne. Il malaxa avec énergie le cuir chevelu et se rinça à grands jets. Il sortit de la baignoire, égouttant avec précaution ses pieds, et se ceintura la taille d'une serviette éponge. Henri se frictionna et s'inonda d'eau de toilette. Il s'observa dans la glace. Un spectacle réjouissant : un vrai corps de notaire, imberbe, avec une peau laiteuse et lisse, dépourvu de toute animalité. Son nouveau front, un peu dégarni, lui conférait une mine réfléchie. Le bleu des yeux s'était éclairé d'une lueur d'optimisme. Algis avait pensé aux moindres détails : un esthète, ce professeur.

— Médor, pantoufles ! reprit la voix.

Henri crut à une illusion sonore.

— Médor, pantoufles, j'ai dit.

C'est vrai, Henri était pieds nus, et ses pas laissaient des traces humides sur la moquette. Il enfila une paire de pantoufles.

— Bien, Henri, fit la voix.

Henri se mit en colère. Non, ce n'était pas une hallucination sonore, mais une véritable voix qu'il percevait. Il fallait se rendre à l'évidence : c'était bien une voix familière, une voix connue, une voix qu'il avait entendue des milliers de fois, une voix qu'il ne voulait plus jamais entendre, qu'il avait honnie, et qui pourtant faisait encore irruption, celle de Béatrice.

— Béatrice, montre-toi ! cria Henri.

— Tu m'appartiens, Médor, répondit la voix.

L'appartement était hanté. C'était la solution la plus évidente. Henri décida de déménager au plus vite. Il s'installerait dans un joli premier étage sur jardin, proche de son étude. Demain il téléphonerait à une agence immobilière. Au pire, si la voix persistait, il irait dormir ce soir à l'hôtel.

Un objet bizarre dans un angle du plafond accrocha pourtant son regard. Comme une caméra vidéo dissimulée derrière une vitre teintée. Henri se leva, étonné, et s'approcha du dispositif. Un viseur mobile suivait chacun de ses déplacements. Il grimpa sur un escabeau afin d'examiner l'œilleton. Il aperçut une caméra pivotante, encastrée dans un caisson fermé par une vitre teintée. Henri inspecta les plafonds des autres pièces. Chacune était dotée du même agencement. Il découvrit également des haut-parleurs encastrés dans les plinthes. Quelqu'un l'observait en permanence, à distance. Qui ? Il ouvrit tous les placards de la maison à la recherche de l'unité centrale qui commandait le dispositif de surveillance. Il ne trouva rien. Il vérifia les casiers électriques sur le palier de service : c'est là qu'il aperçut enfin un enchevêtrement de fils multicolores, de branchements, de bobines, de fusibles.

— Qu'est-ce que c'est que ce bazar ? s'écria Henri.

— Je ne suis pas un bazar, mais « Béatrice », répondit de nouveau la voix. Maintenant, Médor, assez traîné. Tu dois t'habiller.

— La ferme, répondit Henri, exaspéré.

— Habille-toi, Médor, sinon je vais me fâcher.

Sur ce point la voix avait raison. Henri ne voulait pas manquer son retour et, pressé, il remit le costume qu'il portait en venant.

— Non, Médor, il y a des costumes neufs, dans l'armoire.

Henri obtempéra encore. Une batterie de complets était entreposée dans le placard, les mêmes que ceux qu'il avait portés autrefois. Henri enfila une chemise en soie, encore empaquetée dans la cellophane. Il mit un caleçon en popeline. Il détacha du cintre un prince-de-galles, en soie légère, aux plis nettement dessinés, qu'il boutonna avec précaution.

— Bien, Médor, fit aussitôt la voix.

Henri s'empara au hasard d'une cravate qu'il noua en hâte.

— Non, Médor, pas celle-ci, tu vois bien que les coloris jurent avec la veste.

Exaspéré, Henri choisit une autre cravate.

— Non, Médor, décidément, l'harmonie des couleurs ne sera jamais ton fort.

Henri désigna du doigt une cravate, puis une deuxième. La réponse était toujours non. Henri trouva enfin un modèle qui déclencha un « oui » sonore.

— Maintenant, tu trouveras des mocassins en daim, disposés sur les tringles du bas. Après avoir ôté les embauchoirs, tu les enfileras.

Henri s'exécuta.

— Bien, Médor, maintenant tu peux aller à ton travail. À ce soir.

Henri comprit que « Béatrice » n'était autre qu'un dispositif informatique de surveillance particulièrement sophistiqué. Les caméras retransmettaient à la mémoire centrale ses moindres gestes, qui étaient traités, analysés, décortiqués, puis la voix de « Béatrice » se mettait en route afin de notifier à Henri les écarts commis par rapport au programme de l'ordinateur. « Béatrice » n'était donc qu'un conglomérat de *hardware* et de *software*.

— Médor, un mot, avant que tu partes !

— Quoi ? fit Henri.

— Je sais que tu songes à déménager. Je lis dans tes pensées.

— Je n'ai plus besoin de déménager finalement. Je peux tout simplement débrancher l'ordinateur de surveillance. Et c'est ce que je m'apprête à faire. Sans électricité, tu ne fonctionnes plus. Exit Béatrice pour de bon. Simple !

Henri entendit un rire sonore, comme venu de l'au-delà.

— Me débrancher ? Tu n'oseras jamais !

— Je vais me gêner ! Il n'y a qu'un câble à déconnecter. Je ne suis plus Médor, mais maître Noguerre, et à vie, le professeur Algis m'a confectionné un corps de notaire inamovible. Fini les allers-retours entre homme et bête. Je suis guéri dans mon corps. Je suis guéri dans ma tête.

— Je sais, répondit Béatrice.

— Comment le sais-tu ? Tu n'as cessé de m'espionner ?

— Un jour, le professeur Algis m'a appelée. Il m'a tout raconté. Quand j'ai su que tu reviendrais à la maison, je t'ai acheté des costumes, des produits de toilette, j'ai astiqué l'appartement pour que tu te sentes chez toi. Et je suis partie.

— Et la vraie Béatrice ? demanda Henri.

— Je n'ai pas voulu que tu sois livré à toi-même. Alors, j'ai fait élaborer par des informaticiens de la Silicon Valley un programme expérimental de vidéo-surveillance. J'ai vendu mon cabinet pour financer l'installation. C'est moi, Béatrice, qui te surveille toujours. Je t'ai à l'œil. Tu n'oseras jamais me débrancher. N'oublie pas : TU M'APPARTIENS, Médor. À vie.

Henri haussa les épaules. Il suffisait de débrancher le câble pour faire taire la voix. Il se mit à genoux. Il était à deux doigts de sa délivrance. Une simple traction et exit Béatrice. Mais non. Henri hésita. Quelque chose de plus fort que lui bloquait sa main. La voix enchaîna de plus belle.

— Tu vois que tu m'appartiens.

Henri ne bougea pas.

— Tu as besoin de moi, Médor, je le sais, continua la voix. Tu auras toujours besoin de moi. Tu es ma propriété, ma chose. Pour toujours.

Il posa de nouveau la main sur la fiche à l'extrémité du câble de l'ordinateur, bien décidé à en terminer pour de bon. Il tira de toutes ses forces, mais la fiche semblait rivée à la prise. Henri était donc paralysé. Il décida de recommencer le lendemain. Échec encore. Le surlendemain. Nouvel échec. Plusieurs jours de suite, il réitéra son essai. En vain. Chaque fois c'était la même chose : il serrait la fiche, commençait à tirer, et aussitôt, blocage. Que faire ?

Henri reprit rapidement l'étude Noguerre et Blanchet en main. Personne, hormis Algis, n'avait eu vraiment vent de ses égarements et des excentriques circonstances qu'il avait traversées. Henri se consacra exclusivement à sa carrière. Il réussit parfaitement. Son étude demeura la première de France. Il devint le plus jeune président de la chambre des notaires et fut décoré, après le « petit bleu », du « petit rouge ». Il fréquenta les clubs où se rencontraient les élites de la capitale. Il fit de nouveau un beau mariage, eut des enfants. Son nom et ses états de service figuraient au *Who's Who*. Il ne voulut pas déménager et installa sa petite famille dans l'appartement spacieux de Boulogne. Il expliqua que « Béatrice » était un simple système d'alarme, ce qui paraissait aller de soi.

Au bout de plusieurs années, Henri n'avait toujours pas débranché la vidéosurveillance. Il s'y était essayé maintes fois, mais sans succès. Heureusement, l'ordinateur restait muet le plus souvent, car Henri obéissait scrupuleusement aux rituels que lui avait inculqués son mentor. Mais cette paralysie de la volonté l'obsédait. Un jour, comme par illumination, il comprit ce qui lui restait à faire. Il engagea un détective privé pour retrouver Béatrice, la vraie, celle en chair et en os. L'enquêteur lui adressa un rapport détaillé sur son identité réelle. Béatrice était certes gynécologue de profession, tout le reste était pure fantasmagorie. Elle ne s'appelait d'ailleurs pas Béatrice, mais Berthe, avec un nom de famille à consonance républicaine. Son père n'était pas général d'aviation, mais adjudant-chef chez les biffins.

L'imposture était son mode de séduction : une manière comme une autre de contrer la fatuité masculine. Le détective avait épluché tous les registres des services de cancérologie : personne ne correspondait à sa description. Son cancer était un parfait bobard. Le seul ami régulier qu'on lui trouva était Boris. C'était avec lui qu'elle avait rejoint le Kosovo pour une mission auprès de Médecins Sans Frontières. Une fois son cabinet vendu, Béatrice avait décidé de suivre Boris dans sa région natale et de se consacrer à la médecine humanitaire.

Henri fit le voyage au Kosovo, sous une fausse identité. Il retrouva Béatrice au quartier général de MSF. Elle travaillait dans un hôpital de Pristina. Boris lui servait de guide auprès des populations. Elle paraissait fatiguée. L'arrivée d'Henri la surprit. Mais elle s'en réjouit.

— Toi, ici ? Qu'est-ce que tu fous là, Médor ?

— Je suis venu te dire adieu.

— Adieu ? Tu n'as pas débranché l'ordinateur, j'espère ?

— Pas encore.

Henri lui proposa une promenade en jeep dans la région qui jouxtait Pristina. Histoire de se quitter dignement. Pourquoi pas après tout ? Béatrice accepta. Ils roulèrent plusieurs heures dans les territoires dévastés par la guerre. Il y avait des soldats aux carrefours des routes. Henri insista pour aller le plus loin possible dans les zones forestières. À la tombée de la nuit, Henri stoppa le véhicule au milieu d'un massif. Béatrice parut étonnée. Il était urgent de rentrer.

— J'ai décidé une chose, dit Henri calmement.

— Quoi ? fit Béatrice.

— De débrancher une bonne fois pour toutes le dispositif de surveillance.

— Je savais que tu viendrais pour cela. Je t'attendais. Tu en as mis du temps. Je commençais à désespérer.

— J'ai réfléchi. La seule solution pour débrancher l'ordinateur est d'abord que je me débarrasse de la vraie Béatrice. Et la seule manière est de...

— Chut, je sais ! fit Béatrice, en collant l'index sur ses lèvres, avec un regard complice.

Béatrice se laissa doucement étrangler et perdit connaissance en pleine extase. Henri serra la glotte dans ses doigts, et l'acheva d'un coup de dents à la trachée-artère. Il avait apporté une batterie d'ustensiles pour la faire griller au charbon de bois. Personne ne vint le déranger dans ses opérations d'alchimie culinaire. Henri tint à respecter religieusement le corps de celle qu'il immolait au dieu Amour. Il avait pris soin d'emmener dans sa sacoche une petite tronçonneuse, un modèle récent et perfectionné, afin d'éviter tout charcutage dans le découpage des membres. Il s'était aussi muni d'un élégant couteau de chasse à manche en sabot de biche et à la lame bien aiguisée ainsi que des couverts en argent armorié. Il disposa sur une nappe blanche amidonnée quelques bouteilles de vin fin, et un majestueux chandelier dont il alluma les bougies. Henri débita Béatrice en tranches fines et la cuisina avec dévotion. Il s'était muni de livres de cuisine et des aromates adéquats pour réussir les recettes les plus inventives. Le passage du cru au cuit (il avait mangé Jenny crue) lui fit réaliser qu'il avait franchi un grand pas vers l'humanité. Quitte à finir dévorée, Béatrice aurait certainement aimé qu'Henri se soumette à l'exact rituel qu'elle lui avait inculqué autrefois. Il commença par déguster les parties charnues, les fesses, les cuisses, les seins. Chaque morceau était mijoté dans une mixture raffinée qu'auraient enviée les chefs les plus étoilés, et accompagné des meilleurs crus. Il se donna la peine de mastiquer longtemps chaque bouchée afin d'en extraire la quintessence du goût. Il absorba le sang à la cuiller, comme un velouté de tomate. Henri laissa de côté les viscères, mais dégusta la cervelle qu'il avait fait caraméliser avec du sucre de canne et des bâtons de vanille. Il ingurgita Béatrice cérémonieusement. Après chaque déglutition, il se tamponnait délicatement la commissure des lèvres à l'aide d'une serviette en batiste blanche. Il croqua les yeux qui, imprégnés de sirop d'orgeat, avaient la saveur de litchis. Enfin, il concassa les os, épiça la moelle, qu'il aspira dans sa bouche... Il ne resta rien de Béatrice.

Henri mourut à son tour, quelques minutes après la dernière bouchée, le corps brusquement secoué par des convulsions. Béatrice, voyant enfin son heure venir, avait absorbé un mélange létal, en douce, juste avant d'être étranglée. Un poison qui n'avait pas de goût, ni d'odeur. Mais une dose suffisante pour qu'Henri n'ait aucune chance d'en réchapper. Elle avait aimé cette idée d'empoisonner son animal en s'offrant à lui.

Moments de vie

(Pocket n° 13064)

Pierre, barman dans un café d'Asnières, a 56 ans, et vit seul. Certains clients, il les aime bien, comme le jeune homme qui boit de la bière en lisant Primo Levi, ou le type qui se jette à poil dans la Seine quand il a pris une cuite. Il y a aussi la nouvelle serveuse, une fille courageuse, pimpante, mais fragile. Il aurait pu l'aimer, peut-être… Mais le café risque de fermer bientôt : le couple de patrons ne va pas fort en ce moment. Alors, pour Pierre, se dessine peu à peu la vraie solitude : plus personne à qui prêter l'oreille…

Il y a toujours un Pocket à découvrir

Un enterrement peut en cacher un autre !

THOMAS PARIS

Roman

POCKET

Pissenlits et petits oignons

(Pocket n° 12983)

Koulechov, directeur d'un établissement de pompes funèbres à Vannes, exerce son métier avec la plus grande rigueur. Jusqu'au jour où il s'occupe de son quatre mille deux cent vingt-quatrième client : Emile Lécuyer. Au lieu d'une veuve, il en arrive deux, chacune revendiquant des droits sur le mort et son lieu de repos. Détournement de corbillard, fausse femme, vraie maîtresse, la routine de Koulechov est bouleversée en quelques heures et sa vie bascule dans un remue-ménage terrifiant...

Il y a toujours un Pocket à découvrir

Quête intérieure

AHMED DICH
La note pour
les cannibales

Roman

POCKET

(Pocket n° 12824)

La veille de ses quarante ans, Marcel est frappé d'un éclair de lucidité : et si sa vie n'était qu'une vaste escroquerie ? Lui, l'agent immobilier cynique et satisfait, qui a toujours avancé sans se soucier des autres, est désormais en proie à des questions existentielles. Pensif, il quitte son appartement pour se promener dans Paris. C'est alors qu'il rencontre Tom, un clochard particulièrement perspicace et philosophe, qui le place impitoyablement face à la vacuité de son existence...

Il y a toujours un Pocket à découvrir

Achevé d'imprimer sur les presses de

BUSSIÈRE

GROUPE CPI

à Saint-Amand-Montrond (Cher)
en octobre 2007

POCKET - 12, avenue d'Italie - 75627 Paris Cedex 13

— N° d'imp. : 71720. —
Dépôt légal : novembre 2007.

Imprimé en France